C000158085

HISTOIRE D'UN ALLEMAND

SOUVENIRS 1914-1933

DU MÊME AUTEUR

Un certain Adolf Hitler, Grasset, 1979.
Profils prussiens, Gallimard, 1983.
De Bismarck à Hitler, La Découverte, 1991.
Allemagne, 1918, Complexe, 2001.
Churchill : un guerrier en politique, Alvik, 2002.

Ouvrage traduit avec le concours
d'Inter Nationes, Bonn

Titre original :
Geschichte eines Deutschen
© Sarah Haffner und Oliver Pretzel
Deutsche Verlags-Anstalt
Stuttgart / Munich, 2000, 2003

© ACTES SUD, 2002, 2003
pour la traduction française
ISBN 978-2-7427-5151-8

SEBASTIAN HAFFNER

HISTOIRE
D'UN ALLEMAND

SOUVENIRS 1914-1933

NOUVELLE ÉDITION AUGMENTÉE

Traduit de l'allemand
par Brigitte Hébert

BABEL

AVANT-PROPOS

JEUNE MAGISTRAT stagiaire à Berlin, Sebastian Haffner s'est exilé en 1938, tant il jugeait exécrable l'atmosphère politique et culturelle en Allemagne. Etabli en Angleterre, il y vécut dans une précarité accablante. L'éditeur Warburg lui commanda alors le livre qui devait devenir l'*Histoire d'un Allemand*, récit, par un témoin oculaire, de ce qu'était la vie des Allemands pendant l'instauration du nazisme. Mais la guerre éclata, et le manuscrit ne fut jamais publié. En 1940, cependant, Sebastian Haffner réussit à en publier un autre, *Germany, Jekyll and Hyde*, analyse politique perspicace qui lui permit ensuite de collaborer à la presse anglaise. En 1954, il retourna en Allemagne et devint un journaliste et historien de renom. Il est mort en 1999 sans avoir jamais cherché à publier sa très personnelle *Histoire d'un Allemand*, rédigée soixante ans plus tôt et cachée au fond de son bureau. Publiée pour la première fois en 2000, après sa découverte, ce récit remporta un succès considérable en Allemagne.

Au fil des années, j'ai été amenée à lire un grand nombre de documents et de témoignages sur le nazisme, et j'ai été saisie par la manière originale dont Sebastian Haffner, ce juriste issu d'une vieille famille protestante, avait appréhendé le chapitre le plus terrifiant de l'histoire du XXe siècle. Tout y concourt : la simplicité de son style, la précision des scènes évoquées, leur interprétation si perspicace, et un immense talent de narrateur. Nous, les enfants de l'Allemagne, nous aurions tous voulu avoir un père ou un grand-père qui nous eût parlé, comme le fait Haffner avec une redoutable clarté, de son expérience intime, qui nous rendît palpable la tentation du mal, l'infiltration et la prise de pouvoir lente et perfide de la pensée raciste et fasciste, le cheminement de la propagande belliciste – un père ou un grand-père qui aurait eu le courage d'agir comme Haffner l'a fait, du début jusqu'à la fin du Troisième Reich. C'est bien là, je crois, ce qui explique le grand succès de ce livre dans les pays de langue allemande.

Au moment de la publication de l'*Histoire d'un Allemand*, en 2000, quelques historiens allemands crurent déceler une supercherie. Comment Haffner aurait-il pu préfigurer le désastre avant même que la guerre éclatât ? Ils soupçonnaient l'auteur d'avoir remanié son texte après la guerre afin de jouer les prophètes *a posteriori*. Aujourd'hui, la polémique est close, l'analyse scientifique du manuscrit original a prouvé que le document découvert par les enfants de Sebastian Haffner est effectivement un inédit vieux de soixante ans.

En lisant Sebastian Haffner, on assiste littéralement à l'arrivée du désastre, étape par étape, dans la période cruciale de l'entre-deux-guerres. Et l'on s'aperçoit alors que rien, jamais, n'est une fatalité.

MARTINA WACHENDORFF,
février 2002.

NB – Au printemps 2002, une version plus récente du chapitre 25 a été retrouvée, en même temps que six chapitres inédits relatant la suite des souvenirs de Sebastian Haffner jusqu'en décembre 1933. Ces éléments ont été introduits dans la présente édition augmentée de l'*Histoire d'un Allemand*.

L'Allemagne n'est rien. Mais chaque
Allemand pris en lui-même est beau-
coup.

GOETHE, 1808.

Et d'abord l'essentiel : Que faites-
    vous, en fait,
au sein de cette grande époque où
    nous vivons ?
Je dis "grande", en effet, car toujours
    une époque
me semble grande, où l'individu,
    pour finir,
n'ayant plus d'autre point d'appui
    que ses deux pieds,
et acculé par l'esprit du temps, aux
    abois,
doit (que ce soit nolens ou bien vo-
    lens) penser
d'abord à rien de moins qu'à SOI !
Et le temps de reprendre haleine
suffit parfois – vous comprenez.

PETER GAN, 1935.

PROLOGUE

1

JE VAIS CONTER L'HISTOIRE d'un
duel.

C'est un duel entre deux adversaires très inégaux : un Etat extrêmement puissant, fort, impitoyable – et
un petit individu anonyme et inconnu.
Ils ne s'affrontent pas sur ce terrain
qu'on considère communément comme
le terrain politique ; l'individu n'est en
aucune façon un politicien, encore
bien moins un conjuré, un "ennemi de
l'Etat". Il reste tout le temps sur la
défensive. Il ne veut qu'une chose :
préserver ce qu'il considère, à tort ou
à raison, comme sa propre personnalité, sa vie privée, son honneur. Tout
cela, l'Etat dans lequel il vit et auquel
il a affaire, l'attaque sans arrêt, avec

des moyens certes rudimentaires, mais parfaitement brutaux.

En usant des pires menaces, cet Etat exige de l'individu qu'il renonce à ses amis, abandonne ses amies, abjure ses convictions, adopte des opinions imposées et une façon de saluer dont il n'a pas l'habitude, cesse de boire et de manger ce qu'il aime, emploie ses loisirs à des activités qu'il exècre, risque sa vie pour des aventures qui le rebutent, renie son passé et sa personnalité, et tout cela sans cesser de manifester un enthousiasme reconnaissant.

Mais, tout cela, l'individu le refuse. Il est mal préparé à l'agression dont il est victime : il n'a pas l'étoffe d'un héros, encore moins celle d'un martyr. C'est un individu moyen, avec de nombreux défauts, et il est de surcroît le produit d'une époque dangereuse. Mais, ce qu'on exige de lui, il le refuse. Et c'est ainsi qu'il choisit le duel – sans empressement, plutôt en haussant les épaules, mais paisiblement résolu à ne pas céder. Il va de soi qu'il est loin d'être aussi fort que son adversaire, mais, en revanche, il est plus souple. On le verra feinter, rompre, se fendre sans crier gare, temporiser, parer de justesse les coups violents qu'on lui porte. On conviendra que, pour un individu moyen sans vocation particulière pour l'héroïsme ou le martyre, il s'en tire à son honneur. Et pourtant, on le verra pour finir abandonner la lutte – ou, si l'on veut, la transposer sur un plan différent.

L'Etat, c'est le Reich allemand ; l'individu, c'est moi. Notre joute, comme tout match, peut être intéressante à regarder – et j'espère bien qu'elle le sera ! Mais je ne la relate pas seulement pour distraire. Mon récit a un autre but, qui me tient encore plus à cœur.

Mes démêlés avec le Troisième Reich ne représentent pas un cas isolé. Ces duels dans lesquels un individu cherche à défendre son individualité et son honneur individuel contre les agressions d'un Etat tout-puissant, voilà six ans qu'on en livre en Allemagne, par milliers, par centaines de milliers, chacun dans un isolement absolu, tous à huis clos. Certains des duellistes, plus doués que moi pour l'héroïsme ou le martyre, sont allés plus loin : jusqu'au camp de concentration, jusqu'à la torture, jusqu'à avoir le droit de figurer un jour sur un monument commémoratif. D'autres ont succombé bien plus tôt : aujourd'hui, ils récriminent sous cape dans la réserve de la SA ou sont chefs d'îlot dans la NSV*.

---

* Nationalsozialistische Volkswohlfahrt, système d'assurances sociales. *(Toutes les notes sont de la traductrice.)*

Mon cas se situe sans doute entre les deux. Il permet fort bien d'évaluer ce qu'est aujourd'hui la situation de l'homme en Allemagne.

On verra qu'elle est à peu près désespérée. Il n'en serait pas nécessairement ainsi si l'étranger le voulait. Je crois qu'il est dans l'intérêt de l'étranger de vouloir qu'elle soit moins désespérée. Il pourrait ainsi faire l'économie, non de la guerre, il est trop tard, mais de quelques années de guerre. Car les Allemands de bonne volonté qui cherchent à défendre leur paix et leur liberté personnelles défendent du même coup, sans le savoir, autre chose encore : la paix et la liberté du monde.

C'est pourquoi il me semble qu'il vaut encore la peine d'attirer l'attention du monde sur ce qui se passe dans cette Allemagne inconnue.

Ce livre veut simplement raconter, non prêcher la morale. Pourtant, il a bel et bien une morale qui, tel cet "autre thème plus important" des variations *Enigma* d'Elgar, "traverse et domine l'ensemble" – un thème muet. Il me serait égal qu'une fois la lecture terminée on oublie toutes les aventures et tous les incidents dont j'ai parlé. Mais je serais très heureux que l'on n'oublie pas la morale que j'ai tue.

2

Avant que l'Etat totalitaire ne m'agresse avec ses exigences et ses menaces, m'apprenant ce que signifie vivre l'histoire en direct, j'avais déjà subi une quantité non négligeable de ce qu'on appelle des "événements historiques". Tous les Européens de la génération actuelle peuvent en dire autant, et les Allemands certainement plus que les autres.

Il va de soi que ces événements historiques ont laissé des traces, chez moi comme chez tous mes compatriotes : si on ne comprend pas cela, on ne comprend pas ce qui a pu advenir par la suite.

Mais il existe une différence importante entre les événements antérieurs à 1933 et ceux qui se sont produits depuis. Avant, les événements passaient et nous dépassaient ; on se sentait concerné, touché, certains y ont laissé leur vie et d'autres leur fortune, mais nul ne s'est trouvé placé devant des cas de conscience ultimes. La sphère la plus intime restait intacte. On faisait ses expériences, on se forgeait des convictions, mais on restait soi-même. Aucun de ceux qui, volontairement ou malgré soi, se sont trouvés happés par la machine du Troisième Reich ne peut en dire autant sans tricher. L'histoire, à l'évidence, est plus ou moins intense. Il peut arriver qu'un "événement historique" ne laisse presque pas de trace dans la réalité vraie, c'est-à-dire dans la vie la plus authentique, la plus intime de l'individu. Il peut, au contraire, la ravager jusqu'à n'en rien laisser intact. L'historiographie traditionnelle ne permet pas de faire la distinction. "1890 : Guillaume II renvoie Bismarck." C'est certainement une date importante, inscrite en gros caractères dans l'histoire de l'Allemagne. Mais il est peu probable qu'elle ait "fait date" dans l'histoire d'un Allemand, en dehors du petit cénacle des gens directement concernés. La vie suivit son cours. Pas de famille déchirée, pas d'amitié brisée, pas de départ pour l'exil. Pas même l'annulation d'un rendez-vous galant ou d'une soirée à l'opéra. Les amours malheureuses n'en furent pas moins malheureuses, les amours heureuses pas moins heureuses, les pauvres restèrent pauvres et les riches restèrent riches. Et maintenant, en regard, cette autre date : "1933, Hindenburg nomme Hitler chancelier." Un séisme ébranle soixante-six millions de vies humaines ! Je le répète, l'historiographie scientifique et pragmatique ne dit rien de cette différence d'intensité. Pour l'appréhender, il faut lire des biographies, non pas celles des hommes d'Etat, mais celles, trop rares, de citoyens ordinaires inconnus. On y verra que tel "événement historique" passe sur la vie privée – qui est la vraie vie – comme un nuage au-dessus d'un lac : rien ne bouge, on aperçoit tout juste un reflet fugitif. Tel autre agite l'eau à la façon d'un ouragan, au point que le paysage en devient méconnaissable. Quant au troisième, il sera peut-être capable d'assécher tous les lacs.

Je crois qu'on ne peut comprendre correctement l'histoire si on oublie cette dimension – et on l'oublie presque toujours. Qu'on me permette donc, pour le plaisir, de raconter vingt ans d'histoire allemande vue par le bout de ma lorgnette, avant d'en arriver au sujet proprement dit : l'histoire de l'Allemagne comme partie intégrante de mon histoire personnelle. Ce ne sera pas long, permettra de mieux comprendre la suite, et nous ferons ainsi plus ample connaissance.

3

Mon éveil à la vie consciente eut la brutalité d'un coup de tonnerre. Il date de la Première Guerre mondiale, dont l'annonce me surprit, comme la plupart des Européens, au beau milieu des vacances d'été. La guerre me gâcha mes vacances. C'est là, précisons-le tout de suite, la pire catastrophe dont j'eus personnellement à souffrir de son fait.

La brutalité avec laquelle la guerre précédente éclata était une véritable bénédiction comparée à la lenteur torturante des préliminaires de celle qui s'annonce. Le 1er août 1914, nous venions de décider de ne pas prendre l'affaire au tragique et de rester dans notre villégiature. Nous séjournions en Poméranie dans un domaine situé loin de tout, environné de forêts que le petit garçon que j'étais connaissait et aimait plus que tout au monde. Devoir quitter ces forêts pour rentrer en ville, tous les ans vers la mi-août, était pour moi une tragédie insoutenable, comparable tout au plus à ce moment où, après les fêtes du Nouvel An, on brûlait l'arbre de Noël dépouillé. Le 1er août, deux semaines encore nous séparaient de la rentrée – une éternité.

Certes, les jours précédents avaient été inquiétants. Les journaux avaient des manchettes, ce qui ne s'était jamais vu. Mon père, le visage grave, consacrait à leur lecture un temps plus long que d'ordinaire et, quand il avait fini, il s'en prenait aux Autrichiens. Un jour, les journaux titrèrent tout simplement : "La guerre !" J'entendais sans cesse des mots nouveaux dont je devais me faire expliquer en détail le sens inconnu : "ultimatum", "mobilisation", "alliance", "l'entente". Un commandant qui séjournait également au domaine, père de deux filles avec lesquelles je ne cessais de me chamailler, reçut soudain un "ordre de route", encore une de ces expressions nouvelles, et partit précipitamment. Un des fils du maître de maison fut incorporé lui aussi. Quand le break de chasse l'emmena à la gare, tout le monde l'escorta en criant "Courage !", "Porte-toi bien !", "Reviens vite !". Quelqu'un cria "Flanque une pile aux Serbes !", sur quoi, me souvenant de ce que disait mon père quand il avait lu le journal, j'ajoutai : "Et aux Autrichiens !" Tout le monde se mit à rire, ce qui m'étonna beaucoup.

Je fus plus affecté quand j'appris que les plus beaux chevaux du domaine, Hanns et Wachtel, allaient partir eux aussi, parce qu'ils faisaient partie de la "réserve de cavalerie" – encore une de ces expressions qu'il fallait m'expliquer. J'aimais chacun des chevaux, et de voir brusquement s'en aller les deux plus beaux me fendait le cœur.

Mais, le pire de tout, c'était qu'on ne cessait de parler de "départ". "Peut-être faudra-t-il partir dès demain." Pour moi, c'était comme si on avait dit : "Peut-être faudra-t-il mourir dès demain." Demain, et non après deux semaines d'éternité !

La radio, c'est bien connu, n'existait pas encore, et le journal atteignait nos forêts avec vingt-quatre heures de retard. Il contenait d'ailleurs bien moins d'informations que les journaux d'aujourd'hui. Les diplomates de l'époque se montraient beaucoup plus discrets… Et c'est ainsi qu'il advint que, le 1er août 1914, nous pûmes décider que la guerre n'aurait pas lieu et que nous resterions où nous étions.

Jamais je n'oublierai ce 1er août 1914, et le souvenir de cette journée s'accompagne toujours d'un profond sentiment d'apaisement, de détente, de "tout va bien maintenant". Voilà de quelle façon étrange on peut "vivre l'histoire en direct".

C'était un samedi, avec tout ce qu'un samedi à la campagne peut comporter de merveilleuse sérénité. Le travail terminé, l'air vibrait des sonnailles des troupeaux qui rentraient, l'ordre et le calme régnaient sur le domaine ; dans leurs chambres, valets et servantes s'apprêtaient pour aller danser. Mais en bas, dans la grande salle aux murs décorés de bois de cerfs, aux étagères garnies d'ustensiles en étain et d'assiettes de grès étincelantes, je trouvai mon père et le maître de maison plongés dans une profonde conversation, évoquant tous ces événements avec sérénité. Bien sûr, je ne comprenais pas grand-chose de ce qu'ils disaient, et je n'en garde aucun souvenir. Je me souviens très bien en revanche de leurs voix calmes et apaisantes, le timbre plus clair de mon père et la basse profonde de son interlocuteur ; je me souviens que la fumée odorante des cigares qu'ils savouraient lentement montait devant eux en colonnes minces et que son parfum inspirait confiance ; je me souviens qu'au fur et à mesure qu'ils parlaient tout s'éclaircissait, s'arrangeait, s'apaisait. Et finalement, on comprenait que la guerre était absolument impossible, cette certitude s'imposait avec une évidence lumineuse, et par conséquent nous n'allions pas nous laisser intimider, mais rester ici jusqu'à la fin des vacances, comme toujours.

Sans en écouter davantage, je sortis, le cœur gonflé de soulagement, de joie, de reconnaissance, et c'est avec une sorte de ferveur que je vis le soleil se coucher sur les forêts qui m'étaient désormais rendues.

Quand on me réveilla le lendemain matin, on était en train de faire les bagages. Tout d'abord, je ne compris pas ce qui était arrivé : le mot "mobilisation", qu'on avait pourtant tenté de m'expliquer quelques jours auparavant, ne me disait absolument rien. Mais on n'avait guère le temps de m'expliquer quoi que ce fût. Car il fallait partir dès midi avec armes et bagages – impossible de savoir si nous aurions encore un train plus tard. "Aujourd'hui, c'est zéro virgule cinq", disait notre robuste servante, locution dont le sens précis m'échappe encore maintenant, mais qui signifiait en tout cas que tout allait de travers et que chacun devait être sur ses gardes. C'est bien pour cela que je pus m'éclipser sans être vu et filer dans la forêt – où on me retrouva juste à temps pour pouvoir m'emmener, assis sur une souche, la tête dans les mains, sanglotant désespérément et totalement hermétique aux exhortations qui me répétaient que c'était la guerre et que tout le monde devait faire des sacrifices.

On finit par réussir à me fourrer dans la voiture, et nous voilà en route au trot de deux chevaux bais – non plus Hanns et Wachtel, déjà partis, suivis d'un sillage de poussière qui cachait tout. Jamais je n'ai revu les forêts de mon enfance.

Ce fut la première et la dernière fois que la guerre eut pour moi une réalité, et que je l'appréhendai en proie à la douleur naturelle de celui à qui on a pris quelque chose pour le détruire. Sur le chemin du retour, déjà, tout changea ; c'était une aventure excitante, une sorte de fête. Le voyage en chemin de fer ne dura pas sept heures, comme d'habitude, mais douze. On s'arrêtait partout, des trains remplis de soldats nous dépassaient, et à chaque fois tout le monde se ruait aux fenêtres en agitant les mains, avec des appels tonitruants. Nous ne voyagions pas comme d'habitude dans un compartiment réservé, mais debout dans le couloir ou assis sur nos valises, coincés entre des gens qui n'arrêtaient pas de bavarder et de discourir, comme s'ils se connaissaient de longue date. Leur conversation tournait le plus souvent autour des espions. Au cours de ce voyage, j'appris tout sur le périlleux métier des espions, dont je n'avais encore jamais entendu parler. Nous passions très lentement sur les ponts, ce qui provoquait chez moi un agréable frisson d'épouvante à l'idée qu'un espion pouvait avoir posé des bombes sous le pont. Il était minuit quand nous arrivâmes à Berlin. Jamais de ma vie je n'avais veillé aussi tard ! Et l'appartement n'était pas prêt à nous recevoir : les meubles étaient couverts de housses, les lits non faits. On improvisa pour moi une couche dans le bureau de mon père, qui fleurait bon le tabac. Pas de doute : la guerre avait aussi bien des aspects réjouissants !

Les jours suivants, j'appris un nombre incroyable de choses en un temps incroyablement bref. Moi, un garçon de sept ans, qui naguère savait à peine ce qu'est une guerre, sans même parler d'un "ultimatum", d'une "mobilisation", d'une "réserve de cavalerie", voilà que je savais, comme si je l'avais toujours su, absolument tout sur la guerre : non seulement quoi, comment et où, mais même pourquoi. Je savais qu'il y avait la guerre parce que les Français ne pensaient qu'à se venger, que les Anglais nous enviaient notre commerce, que les Russes étaient des barbares, et je ne tardai pas à affirmer tout cela sans la moindre hésitation. Un beau jour, je me mis tout simplement à lire le journal, en m'étonnant de le comprendre si facilement. Je me fis montrer la carte de l'Europe, vis au premier regard que "nous" viendrions facilement à bout de la France et de l'Angleterre, et si j'éprouvai une vague terreur devant l'immensité de la Russie, je fus soulagé d'apprendre que les Russes compensaient leur angoissante multitude par leur incroyable bêtise, leur saleté et l'abus de vodka. J'appris – là encore, aussi vite que si je l'avais toujours su – les noms des généraux, la force des armées, l'état des armements, le tirant d'eau des navires, l'emplacement des forts stratégiques, la position des fronts – et je saisis bientôt que le jeu qui se déroulait là était de nature à rendre la vie plus intéressante, plus fascinante qu'elle ne l'avait jamais été. Mon enthousiasme passionné pour ce jeu resta intact jusqu'à la catastrophe finale.

Qu'on ne soupçonne surtout pas ma famille de m'avoir égaré l'esprit. Mon père avait souffert de la guerre dès le début ; l'enthousiasme des premières semaines l'avait laissé de marbre, et la haine psychotique qui suivit l'écœurait profondément, encore qu'il souhaitât bien évidemment, en loyal patriote, la victoire de l'Allemagne. Il faisait partie de ces nombreux esprits libéraux de sa génération qui, sans le dire, étaient profondément convaincus que les conflits entre Européens appartenaient au passé. La guerre le voyait totalement désemparé – et il dédaignait de se monter la tête comme tant d'autres. Je l'entendis plusieurs fois prononcer des paroles amères et sceptiques – et plus seulement à propos des Autrichiens – qui déconcertaient mon enthousiasme belliqueux tout frais. Non, si j'étais devenu en l'espace de quelques jours un chauvin fanatique, un combattant de l'arrière, ce n'était pas la faute de mon père, ni celle d'aucun de mes proches.

La responsabilité en incombait à l'atmosphère ; à cette ambiance anonyme et omniprésente, perceptible à mille détails ; à l'entraînement de cette masse homogène qui comblait d'émotions inouïes quiconque se jetait dans son flot, fût-ce un enfant de sept ans – tandis que celui qui restait sur la berge, isolé, abandonné, suffoquait dans le vide. J'éprouvais pour la première fois, avec un plaisir naïf, sans la moindre trace de doute et en toute sérénité, l'effet de l'étrange talent de mon peuple à provoquer des psychoses de masse. (Talent qui est peut-être le pendant de son peu d'aptitude au bonheur individuel.) Je n'imaginais même pas qu'il fût possible de ne pas participer à la fête de cette folie collective. Et je ne soupçonnais pas le moins du monde qu'une chose qui rendait si manifestement heureux et provoquait une ivresse aussi exceptionnelle que festive pût présenter des aspects néfastes ou dangereux.

Il faut dire que, pour un écolier berlinois, la guerre était une chose parfaitement irréelle : irréelle comme un jeu. Il n'y avait ni attaques aériennes, ni bombes. Il y avait bien des blessés, mais des blessés lointains aux bandages pittoresques. On avait, c'est vrai, des parents au front, et çà et là on recevait une annonce de décès. Mais on était enfant, on s'habituait vite à leur absence, et si un jour cette absence devenait définitive, cela ne faisait plus aucune différence. Les vraies difficultés et les désagréments tangibles ne comptaient guère. On mangeait mal, et alors ? Plus tard, il n'y eut pas assez à manger, les chaussures eurent des semelles de bois bruyantes, on porta des costumes retournés, l'école organisa des collectes d'os et de noyaux de cerises. Curieusement, on était souvent malade. Mais je dois avouer que tout cela ne m'importait guère. Non pas que je le supportasse "en vrai petit héros". Mais je n'avais pas grand-chose à supporter. Je ne pensais pas plus à la nourriture qu'un fan de football n'y pense lors de la finale de la coupe. Les nouvelles du front m'intéressaient davantage que le menu.

La comparaison avec le fan de football est très pertinente. Enfant, j'étais vraiment un fan de la guerre. Je noircirais le tableau en prétendant que je fus une authentique victime de la propagande de haine qui, dans les années 1915 à 1918, était censée ranimer l'enthousiasme défaillant. Je ne haïssais pas plus les Français, les Anglais et les Russes que les supporters de Portsmouth ne haïssent les joueurs de Wolverhampton. Il va de soi que je leur souhaitais la défaite et l'humiliation, mais comme l'inévitable revers de la victoire et du triomphe de mon parti.

Ce qui comptait, c'était la fascination exercée par ce jeu belliqueux : un jeu dans lequel, suivant des règles mystérieuses, le nombre de prisonniers, les territoires conquis, les forteresses enlevées et les vaisseaux coulés jouaient à peu près le même rôle que les buts marqués au football ou les points au cours d'un combat de boxe. Je ne me lassais pas d'établir mentalement le score. Je lisais avec passion les communiqués du front et refaisais les calculs

suivant des règles elles aussi mystérieuses, irrationnelles, qui stipulaient
par exemple que dix prisonniers russes
équivalaient à un prisonnier français,
ou cinquante avions à un cuirassé. S'il
avait existé des statistiques concernant
les tués, je n'aurais certainement eu
aucun scrupule à "recalculer" les morts,
sans me représenter la réalité que
recouvraient les chiffres. C'était un jeu
sinistre, énigmatique, dont l'attrait pervers ne s'épuisait jamais et qui annihi-
lait tout le reste, réduisait à rien la vie
réelle, c'était une drogue comme la roulette ou l'opium. Mes camarades et moi
avons joué à ce jeu tout au long de la
guerre, quatre années durant, impunément, en toute tranquillité – et c'est ce
jeu-là, non pas l'inoffensive "petite
guerre" à laquelle il nous arrivait de
jouer à l'occasion dans la rue ou au
square, qui nous a tous marqués de son
empreinte redoutable.

4

On trouvera peut-être inutile de présenter avec autant de détails les réactions manifestement inadéquates d'un

enfant confronté à la Première Guerre mondiale. Et ce serait certainement inutile s'il s'agissait d'un cas particulier. Mais ce n'est pas un cas particulier. C'est d'une façon identique ou similaire que toute une génération d'Allemands a vécu la guerre dans son enfance ou sa prime jeunesse – et il est révélateur que ce soit cette génération-là qui prépare aujourd'hui la prochaine.

L'impact et les conséquences de cette expérience ne sont pas moindres du fait que ceux qui la vécurent étaient des enfants ou de jeunes garçons. Bien au contraire ! L'âme collective et l'âme enfantine réagissent de façon fort semblable. Les idées avec lesquelles on nourrit et ébranle les masses sont puériles à n'y pas croire. Pour devenir une force historique qui mette les masses en mouvement, une idée doit être simplifiée jusqu'à devenir accessible à l'entendement d'un enfant. Et une chimère puérile forgée dans le cerveau immature de dix classes d'âge, où elle reste ancrée durant quatre ans, peut très bien faire vingt ans plus tard son entrée sur la scène politique, costumée en idéologie délétère.

La guerre est un grand jeu excitant, passionnant, dans lequel les nations s'affrontent ; elle procure des distractions plus substantielles et des émotions plus délectables que tout ce que peut offrir la paix : voilà ce qu'éprouvèrent quotidiennement, de 1914 à 1918, dix générations d'écoliers allemands. Cette vision positive est la base même du nazisme. C'est de cette vision qu'il tire son attrait, sa simplicité ; c'est elle qui parle à l'imagination, provoque l'envie et le plaisir d'agir. Mais elle est aussi à l'origine de son intolérance et de sa cruauté envers l'adversaire politique, parce que celui qui refuse de jouer le jeu n'est pas ressenti comme un "adversaire", mais comme un mauvais joueur. Enfin, c'est de cette vision que le nazisme tire son attitude tout naturellement belliqueuse envers l'Etat voisin : parce qu'un autre Etat, quel qu'il soit, n'est jamais reconnu en tant que "voisin", mais se voit imposer *nolens volens* le rôle de l'adversaire – sans quoi le jeu ne pourrait avoir lieu.

Bien des éléments ont contribué plus tard à la victoire du nazisme et en ont modifié l'essence. Mais c'est là que se trouvent ses racines. Non, comme on pourrait le croire, dans l'expérience des tranchées, mais dans la guerre telle que l'ont vécue les écoliers allemands. La génération des tranchées dans son ensemble a fourni peu de véritables nazis ; aujourd'hui encore, elle fournit plutôt les mécontents et les râleurs. Cela est facile à comprendre, car quiconque a éprouvé la réalité de la guerre porte le plus souvent sur elle un jugement différent. (A quelques exceptions près : les éternels combattants, qui ont toujours trouvé et trouvent encore dans la guerre, quelles qu'en soient les horreurs, la seule forme d'existence qui leur convienne – et les éternels ratés, que la guerre a remplis d'allégresse justement parce qu'elle est horrible et destructrice, leur permettant ainsi de prendre leur revanche sur une vie qu'ils sont incapables d'assumer. Parmi les premiers, on trouve peut-être Göring, parmi les seconds, sûrement Hitler.) La génération nazie proprement dite est née entre 1900 et 1910. Ce sont les enfants qui ont vécu la guerre comme un grand jeu, sans être le moins du monde perturbés par sa réalité.

Sans être perturbés le moins du monde ! On rétorquera qu'ils ont au moins eu faim. C'est exact, mais j'ai déjà dit que la faim ne suffisait pas à gâcher le jeu. Elle lui était même peut-être favorable. Les gens repus et bien nourris ne sont guère enclins aux visions et aux fantasmes. Quoi qu'il en soit, la faim ne parvenait pas à tuer l'illusion. On la digérait, si je puis dire. Ce qu'il en reste est une certaine résistance à la sous-alimentation – peut-être un des traits les plus sympathiques de cette génération.

Nous avons été habitués très tôt à nous contenter d'un minimum de nourriture. La plupart des Allemands actuellement vivants ont connu trois périodes de sous-alimentation : la première pendant la guerre, la deuxième pendant l'inflation, la troisième maintenant, aux cris de "notre beurre pour des canons". A ce point de vue, ils ont un certain entraînement et ne sont pas très exigeants.

Une opinion très répandue affirme que les Allemands ont demandé l'armistice parce qu'ils avaient faim. Je doute fort de son bien-fondé. En 1918, les Allemands avaient faim depuis trois longues années, et 1917 avait été pire que 1918. Selon moi, les Allemands ont demandé l'armistice non parce qu'ils avaient faim, mais parce qu'ils considéraient que la guerre était définitivement perdue sur le plan militaire. Quoi qu'il en soit, ce n'est pas la faim qui contraindra les Allemands à mettre un point final au nazisme ou à la Deuxième Guerre mondiale. Ils estiment aujourd'hui qu'avoir faim est plus ou moins une obligation morale, et en tout cas que ce n'est pas si grave. Depuis le temps, ils ont quasiment honte de leur appétit naturel et, paradoxalement, le fait qu'ils ne donnent rien à manger aux gens est pour les nazis un moyen de propagande indirect.

En effet, si quelqu'un proteste, ils lui font publiquement la réputation de protester parce qu'il n'a ni beurre, ni café. Or, si on proteste beaucoup en Allemagne, c'est moins souvent à cause du manque de nourriture que pour des motifs tout différents – et en général bien plus honorables –, et ceux qui protestent auraient honte de le faire parce qu'ils mangent mal. Les protestations pour raison de restrictions alimentaires sont beaucoup moins fréquentes en Allemagne que les journaux nazis ne voudraient le faire croire. Mais les journaux nazis savent parfaitement ce qu'ils font en agissant ainsi : car l'Allemand mécontent aime mieux se taire que d'avoir la réputation de protester pour cause de gloutonnerie.

Mais je répète que je tiens cela pour un des traits les plus sympathiques de l'Allemand d'aujourd'hui.

5

Au long de ces quatre années de guerre, je perdis progressivement le sens de ce que pouvait être la paix. Mes souvenirs des années précédant la guerre s'estompaient peu à peu. Je ne pouvais plus imaginer un jour sans communiqué du front. C'est que ce jour-là aurait perdu presque tout son charme. De quoi était faite la journée, à part cela ? On allait à l'école, on apprenait à écrire et à compter, plus tard le latin et l'histoire, on jouait avec ses camarades, on allait se promener avec ses parents, mais est-ce que cela pouvait remplir une existence ? Ce qui faisait le sel de la vie et donnait au jour sa couleur, c'étaient les opérations militaires. Si une vaste offensive était en cours, avec des prisonniers par centaines de milliers, des forts enlevés et "des prises considérables en matériel de guerre", alors c'était la fête, on pouvait faire travailler sans fin son imagination, on vivait intensément, comme plus tard quand on serait amoureux. S'il n'y avait que de fastidieuses batailles défensives, "à l'ouest rien de nouveau", voire "un repli stratégique effectué conformément aux prévisions", la vie tout entière prenait une coloration grise, jouer à la guerre entre camarades ne présentait aucun charme, et les devoirs étaient deux fois plus ennuyeux.

Chaque jour, je me rendais au commissariat de police distant de quelques rues. Le communiqué du front y était affiché au tableau noir, plusieurs heures avant qu'il ne parût dans le journal. Une étroite feuille blanche, plus ou moins longue, semée de majuscules sautillantes qui émanaient manifestement d'une machine à reproduire extrêmement fatiguée. Pour tout déchiffrer, il fallait que je me dresse sur la pointe des pieds en renversant la tête en arrière. Je le faisais avec dévotion, chaque jour.

J'ai dit que je n'avais plus d'idée précise de la paix ; en revanche, j'avais une idée de la "victoire finale". La Victoire finale, la grosse somme qu'on trouverait inévitablement un jour en additionnant toutes les victoires partielles contenues dans le communiqué du front : à l'époque, c'était pour moi ce qu'est pour le chrétien croyant le Jugement dernier et la Résurrection de la chair, ce qu'est pour le juif croyant la venue du Messie. C'était une inimaginable amplification de toutes les victoires annoncées, dans laquelle le nombre de prisonniers, les conquêtes territoriales et les prises de guerre étaient si énormes qu'ils s'annulaient eux-mêmes. J'attendais la victoire finale avec une sorte de passion farouche et cependant contenue ; elle viendrait un jour, c'était inéluctable. La seule chose qu'on pouvait se demander, c'est ce que la vie pourrait encore offrir ensuite.

Même entre juillet et octobre 1918, j'attendais encore la victoire finale, bien que j'eusse assez de bon sens pour remarquer que les communiqués du front étaient de plus en plus pessimistes et que j'attendais envers et contre toute raison. Pourtant, la Russie n'était-elle pas battue ? Est-ce que l'Ukraine n'était pas à "nous", prête à fournir tout ce qui était nécessaire pour gagner la guerre ? Est-ce que "nous" ne tenions pas encore des positions avancées en France ?

Il est vrai que, même moi, je ne pouvais plus ignorer à ce moment que beaucoup de gens, vraiment beaucoup, presque tous, s'étaient peu à peu forgé une autre idée de la guerre que moi, bien que mon opinion ait été à l'origine l'opinion de tous – si elle était devenue mienne, c'est précisément parce que c'était l'opinion commune ! C'était particulièrement fâcheux que tout le monde, ou presque, se fût apparemment lassé de la guerre juste au moment où un petit effort supplémentaire aurait été nécessaire pour sortir les communiqués du marasme des "tentatives de déploiement avortées" et des "retraits en bon ordre sur des positions de verrouillage préparées à l'avance", et les ramener dans la sphère rayonnante des "avancées de trente kilomètres", des "positions ennemies anéanties", des "trente mille prisonniers" !

Devant les boutiques où j'attendais mon tour pour avoir du miel de synthèse ou du lait écrémé – car ma mère et la bonne n'y suffisaient plus et je devais à l'occasion faire la queue moi aussi –, j'entendais les femmes récriminer et proférer des paroles déplaisantes, qui manifestaient leur totale incompréhension. Je ne me contentais pas toujours d'écouter. J'élevais sans crainte la voix, une voix encore impubère, pour leur représenter la nécessité de "tenir". La plupart du temps, les femmes commençaient par rire, puis s'étonnaient et – c'était touchant – il leur arrivait même de perdre leur assurance et de ne plus oser parler. Je quittais le théâtre de cette bataille oratoire en brandissant victorieusement un quart de litre de lait écrémé. Mais les communiqués ne s'amélioraient pas.

Puis, à partir d'octobre, la révolution commença de gronder. Elle se prépara comme l'avait fait la guerre : l'air ambiant fut soudain plein de termes et de concepts nouveaux, et pourtant, comme la guerre, la révolution survint presque par surprise. Mais ici s'arrête l'analogie. Quoi que l'on puisse dire de la guerre, elle avait formé un tout, quelque chose qui marchait, au moins au début, un succès dans son genre. On ne peut en dire autant de la révolution.

Malgré l'épouvantable malheur qu'elle a entraîné, la déclaration de guerre est restée pour presque tout le monde liée à quelques jours inoubliables d'édification et d'enthousiasme, alors que la révolution de 1918, qui a pourtant fini par apporter la paix et la liberté, est un mauvais souvenir pour presque tous les Allemands. Cela a pesé lourdement sur le destin ultérieur de l'Allemagne. La guerre a éclaté au cœur d'un été rayonnant, alors que la révolution s'est déroulée dans l'humidité froide de novembre, et c'était déjà un handicap pour la révolution. On peut trouver cela ridicule, mais c'est vrai. Plus tard, même les républicains l'ont senti : ils n'ont jamais vraiment voulu qu'on leur rappelle le 9 novembre, et ils n'en ont jamais fait une fête officielle. Les nazis ont toujours eu beau jeu d'opposer août 14 à novembre 18. Novembre 18 : la guerre finissait, les femmes retrouvaient leurs maris, les hommes retrouvaient leur vie, mais, curieusement, cette date n'évoque nulle idée de fête, bien au contraire ; elle est synonyme d'aigreur, de défaite, de peur, de fusillades absurdes, de confusion – et bien sûr de mauvais temps.

La révolution proprement dite, je n'en ai pas vu grand-chose. Le samedi, le journal fit savoir que l'empereur avait abdiqué. Je fus un peu surpris qu'on n'en fît pas plus de cas. C'était juste une manchette, et j'en avais vu de plus grosses pendant la guerre. En réalité, il n'avait même pas encore vraiment abdiqué que nous lûmes la nouvelle dans le journal. Et quand il le fit pour de bon, peu après, cela n'avait presque plus d'importance.

Il y eut plus bouleversant que le titre "Abdication de l'empereur" : dès le dimanche, la *Tägliche Rundschau** s'appelait *Die Rote Fahne***, grâce à quelques ouvriers imprimeurs gagnés à la révolution. Quant au contenu, il n'avait guère changé, et quelques jours plus tard le journal retrouva aussi son titre.

* "L'Observateur quotidien."
** "Le Drapeau rouge" (voir la note, p. 184).

Une anecdote qui pourrait presque servir de symbole à toute la révolution de 1918.

C'est aussi ce dimanche-là que j'entendis pour la première fois des coups de feu. De toute la guerre, je n'en avais entendu aucun. Mais, maintenant que la guerre se terminait, on commençait à tirer chez nous, à Berlin. Nous nous trouvions dans une des pièces qui donnaient sur la cour ; nous avons ouvert la fenêtre et entendu des salves de mitrailleuse, lointaines, mais perceptibles. J'étais oppressé. Quelqu'un nous expliqua comment différencier le son des mitrailleuses lourdes et des mitrailleuses légères. Nous nous demandions qui pouvait bien se battre, émettant des hypothèses. Les coups de feu venaient du quartier du château. La garnison se défendait-elle ? Les révolutionnaires avaient-ils des problèmes ?

Si j'avais conçu quelques espoirs à ce sujet – car j'étais, ce qui n'étonnera personne après ce que je viens de raconter, un farouche adversaire de la révolution –, ils furent déçus le lendemain. Il s'agissait d'une fusillade stupide entre différents groupes révolutionnaires, dont chacun se sentait le légitime propriétaire des écuries royales. La révolution avait manifestement vaincu.

Mais qu'est-ce que cela voulait dire ? La pagaille et la fête, tout sens dessus dessous, l'aventure, une anarchie bariolée ? Nullement. Au lieu de cela, dès ce même lundi, le plus redouté de nos professeurs, un tyran colérique, nous expliqua en roulant des yeux furibonds qu'"ici", c'est-à-dire au lycée, aucune révolution ne s'était produite, que l'ordre continuait à régner, et pour appuyer ses propos il allongea sur le banc ceux d'entre nous qui s'étaient particulièrement illustrés en jouant les révolutionnaires à la récréation, et leur administra une exemplaire volée de coups. Nous tous, qui assistions à cette correction, eûmes la vague intuition qu'il s'agissait là d'un symbole néfaste d'une grande portée prémonitoire. Une révolution n'était pas ce qu'elle aurait dû être si dès le lendemain, à l'école, des garçons se faisaient flanquer une raclée pour avoir joué à la révolution. Une révolution comme celle-là ne pouvait qu'avorter. Et, de fait, elle avorta.

Toutefois, la guerre n'était pas encore terminée. La révolution signifiait la fin de la guerre : je le comprenais comme tout le monde. Manifestement, la guerre ne se terminerait pas par une victoire finale, puisque le petit effort nécessaire, c'était incompréhensible, n'avait pas été fourni. Mais ce que serait une fin de guerre sans victoire finale, je n'en avais aucune idée ; il fallait que je le voie pour pouvoir l'imaginer.

Comme la guerre s'était déroulée au loin, quelque part en France, dans un monde irréel d'où seuls nous parvenaient les communiqués comme des messages de l'au-delà, sa fin n'avait pas non plus pour moi de réalité tangible. Rien ne changeait dans mon entourage immédiat, celui que percevaient mes sens. L'événement avait lieu exclusivement dans la sphère du grand jeu que j'avais rêvé pendant quatre ans... Il est vrai que cette sphère avait pour moi beaucoup plus d'importance que le monde réel.

Les 9 et 10 novembre, il y eut encore des communiqués dans le style coutumier : "Tentatives de percées ennemies repoussées", "... après une courageuse défense, nos troupes se sont retirées sur des positions préparées à l'avance"... Le 11 novembre, il n'y avait pas de communiqué au commissariat quand je m'y présentai à l'heure habituelle. Le tableau noir béait sur le vide, et je fus terrifié en imaginant ce que serait ma vie si cet endroit où j'avais pendant des années puisé la nourriture de mon esprit et le contenu de mes rêves ne m'offrait désormais plus rien qu'un tableau noir vide, pour toujours, pour l'éternité. Pourtant, je poursuivis mon chemin. Il devait bien y avoir quelque part des nouvelles du front. En admettant que la guerre soit terminée (ce qu'il fallait envisager), sa fin devait bien avoir eu lieu quelque part, quelque chose comme le coup de sifflet signalant la fin du match, matière à communiqué. Il y avait un autre commissariat quelques rues plus loin. J'y trouverais peut-être un bulletin.

Il n'y en avait pas non plus. La police avait donc été contaminée par la révolution, et l'ordre ancien était détruit. Mais je ne pouvais me résigner. Je continuai à traîner dans les rues, trempé par la pluie fine de novembre, à la recherche d'une nouvelle quelconque. Je parvins dans des endroits que je connaissais moins bien.

Je trouvai quelque part un petit attroupement devant l'étalage d'un marchand de journaux. Je pris la queue, la remontai en catimini, et pus enfin lire ce que tous lisaient dans un silence accablé. C'était un journal sorti plus tôt que l'heure habituelle, et qui annonçait : "L'armistice est signé." Ce titre était suivi des conditions, une longue liste. Je la lus, et me figeai en la lisant.

A quoi comparer ce que je ressentis – ce que ressent un garçon de onze ans qui voit s'écrouler tout son monde imaginaire ? J'ai beau réfléchir, il est difficile de trouver un équivalent dans la vie réelle, dans la vie normale. Car certaines catastrophes oniriques ne sont possibles que dans un univers onirique. Si quelqu'un demande à voir un extrait de son compte après avoir porté pendant des années de grosses sommes à la banque et apprend que, loin de posséder une fortune, il est accablé de dettes énormes, il doit ressentir la même chose. Seulement voilà, ce n'est possible qu'en rêve.

Ces conditions ne parlaient pas le langage lénifiant des derniers bulletins. Elles parlaient la langue impitoyable de la défaite. Cette langue que les communiqués n'employaient que pour parler des défaites ennemies. Que cela pût nous arriver, à "nous", et non pas incidemment, mais comme le résultat final d'une longue suite de victoires – mon entendement se refusait à l'admettre.

Je lus plusieurs fois les conditions, la tête renversée en arrière, comme j'avais lu pendant quatre ans les communiqués du front. Je m'arrachai enfin à la foule, et m'en fus au hasard. Le quartier où je m'étais égaré à la recherche de nouvelles m'était presque inconnu, et j'arrivai dans un autre que je connaissais encore moins bien ; j'allais à la dérive dans des rues que je n'avais jamais vues. Une petite pluie de novembre tombait.

Le monde entier était devenu pour moi distant et hostile comme ces rues inconnues. Outre les règles fascinantes que je connaissais, le grand jeu, manifestement, en avait d'autres qui m'avaient échappé. Il devait avoir eu quelque chose de fallacieux et de faux. Mais où trouver un appui, la sécurité, la foi et la confiance si le cours du monde était à ce point perfide, si les victoires s'ajoutaient aux victoires pour conduire à la défaite finale, si les vraies règles du jeu n'étaient pas énoncées, mais ne se révélaient qu'après coup dans un résultat accablant ? J'entrevoyais des abîmes. La vie m'épouvantait.

Je ne crois pas que la défaite de l'Allemagne ait pu porter à quiconque un coup plus terrible qu'à ce garçon de onze ans qui errait dans les rues mouillées de novembre, sans savoir où, sans remarquer la petite pluie fine qui le transperçait peu à peu. En particulier, je ne crois pas que la douleur du caporal Hitler ait pu être plus profonde, lui qui à peu près à la même heure, à l'hôpital militaire de Pasewalk, ne put supporter d'entendre la nouvelle de la défaite. Il est vrai qu'il réagit de façon plus théâtrale que moi. "Il me fut impossible de rester là, écrit-il. Tandis qu'un voile noir s'abattait à nouveau sur mes yeux, je regagnai le dortoir à tâtons, en titubant, me jetai sur ma couche et enfouis ma tête brûlante dans la couverture et l'oreiller." Sur quoi il décida de se lancer dans la politique.

Une attitude curieusement plus puérile et en même temps plus provocante que la mienne. Et pas seulement l'attitude. Quand je compare les conséquences de cette douleur commune chez Hitler et chez moi – chez le premier, rage, défi, et la résolution d'entrer en politique ; chez le second, doute quant à la validité des règles du jeu et épouvante prémonitoire devant le caractère aléatoire de l'existence –, je ne puis m'empêcher de trouver la maturité du garçon de onze ans supérieure à celle de l'homme de vingt-neuf.

Quoi qu'il en soit, dès cet instant, il était écrit que je ne serais pas en bons termes avec le Reich hitlérien.

6

Toutefois, dans un premier temps, ce n'est pas au Reich hitlérien que j'eus

affaire, mais à la révolution de 1918 et
à la république de Weimar.

La révolution eut sur moi et mes
contemporains un effet inverse de celui
de la guerre. La guerre avait laissé
notre vie de tous les jours intacte jusqu'à l'ennui, tout en fournissant à notre
imagination une nourriture riche et
inépuisable. La révolution apporta de
nombreux changements dans la réalité
quotidienne, et toutes ces nouveautés
étaient – je m'apprête à en parler – aussi
variées que passionnantes. Mais elle
laissait l'imagination en friche. Contrai-
rement à la guerre, elle ne se présentait
pas avec cette simplicité lumineuse qui
permet de classer les événements. Toutes
ses crises, ses grèves, ses fusillades, ses
putschs et ses cortèges de manifestants
restaient incohérents et confus. Jamais on
ne savait exactement ce qui était en jeu.
Impossible de s'enthousiasmer. Impossible même de comprendre.

On sait que la révolution de 1918
n'était pas une opération organisée et
planifiée. C'était un effet secondaire de
l'effondrement militaire. Le peuple – le
peuple, vraiment ! Il n'y avait presque
pas d'encadrement –, se sentant trahi
par ses chefs militaires et politiques, les
avait fait fuir. Fait fuir ; on ne peut même
pas dire qu'il les avait chassés. Car, au
premier geste menaçant qui faisait mine

de vouloir les effaroucher, tous, à commencer par l'empereur, avaient disparu sans crier gare ni laisser de traces, à peu près comme le feraient plus tard, en 1932-1933, les leaders de la république. Les politiciens allemands, qu'ils soient de droite ou de gauche, ne sont pas versés dans l'art de perdre.

Le pouvoir était tombé dans la rue. Parmi ceux qui le ramassèrent ne se trouvaient que très peu d'authentiques révolutionnaires, et même ceux-ci, quand on les considère avec le recul, ne savaient que confusément ce qu'ils voulaient et comment ils prétendaient l'obtenir. Il faut bien dire que si presque tous furent passés par les armes en l'espace de six mois, cela n'est pas seulement le signe d'un manque de chance, mais aussi d'un manque de dispositions.

La plupart des nouveaux dirigeants étaient de braves gens bien empêtrés, installés de longue date dans les habitudes confortables d'une opposition loyale, accablés par ce pouvoir qui leur tombait du ciel et anxieux de s'en débarrasser avec élégance le plus rapidement possible.

Enfin, il y avait parmi eux un certain nombre de saboteurs, décidés à "récupérer" la révolution, entendez : à la trahir. Le sinistre Noske* est le plus célèbre de ceux-ci.

Le jeu qui en résulta, c'est que les véritables révolutionnaires organisèrent en dilettantes quelques putschs mal préparés, et que les saboteurs leur opposèrent la contre-révolution, ce qu'on appelait les "corps francs" qui, déguisés en troupes gouvernementales, firent en l'espace de quelques mois un sort sanglant à la révolution.

Impossible, avec la meilleure volonté, de découvrir dans tout ce spectacle quoi que ce fût d'enthousiasmant. Jeunes bourgeois qui, pour couronner le tout, venaient d'être arrachés de façon plutôt brutale à quatre années d'ivresse patriotique et belliqueuse, nous ne pouvions bien évidemment qu'être "contre" les rouges : contre Liebknecht** Rosa Luxemburg*** et leur Spartakusbund,

---

* Gustav Noske (1868-1946), social-démocrate, principal responsable du massacre des spartakistes (janvier 1919).
** Karl Liebknecht (1871-1919) appartint d'abord à l'aile gauche du parti social-démocrate avant de fonder avec Rosa Luxemburg son propre mouvement, le Spartakusbund ("Ligue spartakiste"), à l'origine de la révolution de novembre.
*** Rosa Luxemburg (1871-1919), théoricienne de l'aile gauche du parti social-démocrate, cofondatrice avec Karl Liebknecht du Parti communiste allemand (KPD) en 1918.

dont nous ne savions confusément qu'une seule chose : il voulait "tout nous prendre", sans doute tuer nos parents s'ils avaient de l'argent, et installer un régime terrible, "comme en Russie". Nous étions donc, bon gré mal gré, "pour" Ebert*, Noske et leurs corps francs. Mais il était malheureusement impossible d'éprouver une vraie sympathie pour ces personnages. Le spectacle qu'ils offraient était trop manifestement repoussant. Le parfum de trahison qui leur collait à la peau était trop pénétrant : il parvenait même aux narines des enfants de dix ans. (Je voudrais souligner encore une fois que la réaction politique des enfants est tout à fait intéressante pour l'historien : ce que "tous les enfants savent" est en général la quintessence ultime et irréfutable d'un processus politique.) Les corps francs, avec toute leur cruauté martiale, nous aurions peut-être aimé les voir ramener Hindenburg et l'empereur. Mais ils combattaient avec ostentation pour "le gouvernement", donc pour Ebert et Noske, et il y avait là quelque chose de pourri. Car Ebert et Noske étaient à l'évidence des traîtres

* Friedrich Ebert (1871-1925), social-démocrate, fut le premier chancelier, puis le premier président de la république de Weimar.

à leur propre cause et, d'ailleurs, c'est exactement de cela qu'ils avaient l'air.

En outre, depuis que les événements s'étaient à ce point rapprochés de nous, ils étaient devenus beaucoup plus embrouillés et difficiles à comprendre qu'à l'époque où ils se déroulaient sur le sol de la lointaine France et où les bulletins du front les replaçaient chaque jour dans une lumière convenable. Il arrivait maintenant que l'on entendît des coups de feu presque quotidiens, mais on n'apprenait pas toujours ce que cela signifiait, il s'en faut de beaucoup.

Un jour il n'y avait pas d'électricité, le lendemain les tramways ne roulaient pas, mais on ne savait pas trop si c'était pour le compte des spartakistes ou pour celui du gouvernement qu'on devait s'éclairer au pétrole ou aller à pied. On vous fourrait de force des tracts dans la main ou on lisait des affiches décorées du titre "L'heure du règlement de comptes approche !", et il fallait se frayer un chemin à travers de longs paragraphes bourrés d'insultes et de reproches indéchiffrables avant de comprendre si les "traîtres", les "étrangleurs du prolétariat" et autres "abuseurs sans scrupules" étaient cette fois

Ebert et Scheidemann* ou bien Liebknecht et Eichhorn**. On voyait défiler
chaque jour des manifestations. A l'époque, les manifestants avaient l'habitude
de crier "Hourra !" ou "A mort !" en
réponse à un toast porté par un des
participants. A quelque distance, on
entendait uniquement les "Hourra !" ou
"A mort !" scandés en chœur par des
milliers de voix, mais le soliste qui avait
donné le ton était inaudible. Une fois
encore, on ne savait pas où on en était.

Il en alla ainsi, avec quelques interruptions, pendant un peu plus de six
mois, puis les choses commencèrent à
se tasser après que la situation fut devenue absurde depuis longtemps. Au
fond, le sort de la révolution fut scellé
– il va de soi que je ne le savais pas
encore à l'époque – le 24 décembre,
lorsque les ouvriers et les matelots,
après avoir remporté la victoire dans
un combat de rue devant le château, se
dispersèrent et rentrèrent chez eux pour
fêter Noël. La fête finie, ils retournèrent

* Philipp Scheidemann (1865-1939), social-
démocrate, avait proclamé la république le 9 novembre 1918.
** Emil Eichhorn, USPD (Parti social-démocrate
indépendant), fut préfet de police de novembre
1918 à janvier 1919.

bien sur le sentier de la guerre, mais, entre-temps, le gouvernement avait rassemblé suffisamment de corps francs. Durant quinze jours, il n'y eut pas de journaux à Berlin, mais seulement des coups de feu proches et lointains – et des rumeurs. Puis les journaux reparurent, le gouvernement avait gagné, et le jour suivant on apprit que Karl Liebknecht et Rosa Luxemburg avaient été abattus, tous deux alors qu'ils tentaient de s'enfuir. Pour autant que je le sache, c'est là l'acte de naissance de cette façon de traiter les adversaires politiques qui est devenue depuis la règle à l'est du Rhin : on les abat alors qu'ils tentent de s'enfuir. Elle était à l'époque si peu familière que nombre de gens prirent l'expression à la lettre et y ajoutèrent foi. C'étaient des temps civilisés.

Ainsi, le sort avait joué contre la révolution, mais le calme ne fut pas rétabli pour autant, bien au contraire. Les affrontements les plus rudes ne se produisirent à Berlin qu'en mars (et à Munich en avril), alors que la seule question à régler était, si l'on peut dire, les funérailles de la dépouille de la révolution. Les combats éclatèrent à Berlin quand la Volksmarinedivision, première troupe révolutionnaire, fut tout simplement dissoute par Noske en bonne et due forme. Elle refusa de se laisser dissoudre, elle se rebiffa, les ouvriers du nord-est de Berlin volèrent à son secours, et les "masses égarées", qui ne pouvaient comprendre que leur propre gouvernement lançât contre eux leurs ennemis, menèrent huit jours durant un combat farouche, désespéré, perdu d'avance. Dès le départ, l'issue ne faisait aucun doute, et la vengeance des vainqueurs fut terrible. Il est remarquable qu'à cette époque, au printemps 1919, alors que la révolution de gauche s'efforçait en vain de prendre forme, la future révolution nazie, sans Hitler il est vrai, était déjà achevée, déjà puissante. Les corps francs, à qui Ebert et Noske durent leur salut, étaient exactement la même chose que les futures troupes de choc nazies.

Composés parfois des mêmes personnes, ils avaient surtout les mêmes opinions, le même comportement, le même style de combat. Ils avaient imaginé d'abattre les ennemis en fuite, ils possédaient une science de la torture déjà très avancée, et – préfiguration du 30 juin 1934* –, lorsqu'il s'agissait de

* La Nuit des longs couteaux, assassinat des SA et de leur leader Ernst Röhm, accusé de putsch mais dont Hitler craignait en vérité l'ambition politique.

coller indistinctement leurs adversaires au poteau sans trop se poser de questions, ils ne reculaient pas devant le nombre. Ils avaient la pratique, il ne manquait plus que la théorie. Hitler allait la livrer.

7

A la réflexion, je dois dire que même les Jeunesses hitlériennes existaient déjà à l'époque. Dans notre classe, par exemple, nous avions fondé un club qui s'appelait le Rennbund Altpreussen* et dont la devise était "Contre Spartakus, pour le sport et la politique !". La politique consistait à administrer sur le chemin du lycée une rossée occasionnelle à quelques malheureux qui se déclaraient favorables à la révolution. Pour le reste, notre occupation principale était le sport : nous organisions des courses dans la cour de récréation ou dans les jardins publics, ce qui nous donnait le sentiment de nous opposer radicalement aux spartakistes, nous étions imbus de notre importance et

* "Ligue des coureurs de la Vieille Prusse."

de notre patriotisme et courions pour la patrie. Quelle différence avec les futures Jeunesses hitlériennes ? Il n'y manquait que quelques traits qu'ajouteraient plus tard les penchants personnels de Hitler, par exemple l'antisémitisme. Nos condisciples juifs mettaient à courir la même ardeur patriotique et anti-spartakiste ; un juif était même notre champion. Je puis certifier qu'ils ne faisaient rien pour saper l'unité nationale.

Durant les combats de mars 1919, les activités habituelles du Rennbund Alt-preussen furent momentanément interrompues, parce que nos terrains de sport s'étaient transformés en champs de bataille. Notre quartier se trouva au cœur des combats. Notre lycée devint un quartier général des troupes gouvernementales, tandis que, quel symbole, une école primaire voisine servait de base aux "rouges" ; plusieurs jours durant, on lutta pour le contrôle des bâtiments. Notre directeur, resté dans son logement de fonction, fut tué d'un coup de feu ; quand nous revîmes notre façade, elle était criblée d'impacts et, plusieurs semaines après la reprise des cours, une tache de sang indélébile se trouvait encore sous mon banc. Nous eûmes plusieurs semaines de vacances imprévues, et reçûmes durant cette période en quelque sorte notre baptême du feu. Car nous saisissions toutes les possibilités de nous échapper de chez nous pour rechercher les endroits où l'on se battait afin de "voir quelque chose".

Nous ne vîmes pas grand-chose – les combats de rue eux-mêmes se présentaient comme "le désert putride du champ de bataille". Mais il y avait d'autant plus de choses à entendre : le son des fusils-mitrailleurs, de l'artillerie de campagne, voire du feu de tirailleurs, cessa bientôt de nous surprendre. Pour que cela devînt intéressant, il fallait distinguer la voix des mortiers et de l'artillerie lourde.

Nous nous fîmes un sport de pénétrer dans des rues barrées en traversant les maisons, les cours et les caves, pour surgir brusquement dans le dos des troupes de barrage, loin derrière les panneaux "Halte ! quiconque avance sera abattu". On ne nous abattit pas. Personne ne nous faisait rien.

Les barrages étaient loin de remplir toujours parfaitement leur office, et dans les rues la vie civile normale se mêlait aux opérations de combat d'une façon qui ne pouvait qu'éveiller le sens du grotesque. Je me souviens d'un beau dimanche, l'un des premiers dimanches chauds de l'année, avec des foules de promeneurs déambulant le long d'une large avenue ; tout était parfaitement paisible, on n'entendait même pas tirer. D'un seul coup, la foule reflua à droite et à gauche dans les porches des immeubles : des chars arrivaient à grand fracas, on entendait tout près de terribles détonations, des mitrailleuses se réveillèrent brusquement ; pendant cinq minutes, ce fut l'enfer. Puis les chars s'en furent, s'éloignèrent, le feu des mitrailleuses s'éteignit. Nous fûmes les premiers à nous risquer hors d'une entrée d'immeuble. Un étrange spectacle s'offrait à nos yeux : toute l'avenue avait été balayée de son contenu humain, mais devant chaque maison se trouvaient de plus ou moins gros tas de débris de verre : les carreaux des fenêtres n'avaient pas supporté l'ébranlement causé par les détonations proches. Puis, comme plus rien ne se passait, les gens sortirent timidement de leurs abris et, quelques minutes plus tard, un flot de promeneurs printaniers déferlait à nouveau dans la rue comme si rien ne s'était passé.

Tout cela était étrangement irréel. Et les événements n'étaient jamais expliqués. Par exemple, je n'ai jamais appris le sens de cette fusillade. Les journaux n'en dirent rien. En revanche, ils nous apprirent que ce même dimanche, tandis que nous nous promenions sous le ciel bleu, dans le faubourg de Lichtenberg distant de quelques kilomètres, plusieurs centaines (ou plusieurs milliers ? Les chiffres avancés étaient variables) d'ouvriers prisonniers avaient été rassemblés et fusillés en série. Cela nous terrifia. C'était tellement plus proche, tellement plus réel que tout ce qui s'était passé des années auparavant bien loin en France.

Mais comme rien ne s'ensuivit, qu'aucun d'entre nous n'avait de relation parmi les morts, et que le jour suivant les journaux avaient d'autres nouvelles à annoncer, cette terreur fut oubliée elle aussi. L'année s'avançait, le bel été approchait. Le lycée rouvrit ses portes, et le Rennbund Altpreussen reprit ses fructueuses activités patriotiques.

8

Curieusement, la république se maintenait. Curieusement – c'est le cas de le dire si l'on considère qu'au moins à partir du printemps 1919 sa défense fut exclusivement aux mains de ses ennemis.

Car, à ce moment, toutes les organisations révolutionnaires militantes étaient démantelées, leurs dirigeants morts, leurs troupes décimées, et seuls les corps francs étaient armés – ces corps francs qui, en réalité, étaient déjà de bons nazis auxquels il ne manquait que le nom. Pourquoi ne renversèrent-ils pas leurs chefs impuissants pour fonder dès cette époque un Troisième Reich ? Ce n'aurait sans doute pas été difficile.

Oui, pourquoi ne le firent-ils pas ? Pourquoi déçurent-ils l'espoir que beaucoup, c'est sûr, mettaient en eux, et pas seulement nous autres membres du Rennbund Altpreussen ?

Sans doute pour cette même raison irrationnelle qui ferait que la Reichswehr allait décevoir l'espoir de tous ceux, et ils étaient nombreux, qui pensèrent dans les premières années du Troisième Reich qu'elle mettrait un terme à l'effroyable menace que Hitler faisait peser sur ses idéaux et ses objectifs à elle : parce que les militaires allemands manquent de courage civique.

Le courage civique – c'est-à-dire le courage de décider soi-même en toute responsabilité – est d'ailleurs une vertu rare en Allemagne, comme Bismarck le remarquait déjà dans une formule célèbre*. Mais cette vertu fait totalement défaut à l'Allemand dès lors qu'il endosse un uniforme. Le soldat, l'officier allemand, qui fait sans nul doute preuve d'une bravoure exemplaire sur le champ de bataille, et qui est presque toujours prêt à tirer sur ses compatriotes civils sur l'ordre de ses chefs, devient couard comme un lièvre sitôt qu'on lui demande de s'opposer à l'autorité. Rien que d'y penser, il se voit déjà face au peloton d'exécution, et cette effroyable perspective le paralyse totalement. Certes, il ne craint pas la mort. Mais il craint de mourir ainsi, il le craint terriblement. Et cette circonstance rend toute désobéissance, toute tentative de coup d'Etat impossible une fois pour toutes aux militaires allemands – quel que soit le gouvernement en place.

Le seul contre-exemple apparent ne fait en réalité que confirmer cette affirmation : le putsch de Kapp de mars 1920**, tentative de coup d'Etat lancée par une poignée d'outsiders antirépublicains. Bien qu'une partie des cadres

* Le mot *Zivilcourage* a été forgé par Bismarck en 1864, à l'adresse des militaires, auxquels il souhaitait cette qualité en temps de paix.
** Wolfgang Kapp (1858-1922) faisait partie de l'opposition d'extrême-droite.

de l'armée républicaine leur fût acquise entièrement et le reste à moitié, bien que l'administration dévoilât immédiatement ses faiblesses et ne se hasardât pas à résister pour son compte, bien que des chefs militaires aussi prestigieux que Ludendorff fussent de leur côté, finalement, seule une partie de la troupe, celle qu'on a appelée la brigade Ehrhardt, participa à l'entreprise. Tous les autres corps francs maintinrent leur "loyauté à l'égard du gouvernement", si bien que cette tentative de putsch, encore qu'initiée par la droite, se termina par une correction administrée à la gauche.

C'est une triste histoire, et elle n'est pas longue à raconter. Un samedi matin, tandis que la brigade Ehrhardt franchissait la porte de Brandebourg, le gouvernement alla se mettre en sûreté après avoir hâtivement appelé les ouvriers à la grève générale.

Kapp, l'instigateur du putsch, proclama la république nationale sous le drapeau noir-blanc-rouge, les ouvriers se mirent en grève, l'armée resta "fidèle au gouvernement", l'administration nouvelle ne put se mettre en place, et cinq jours plus tard Kapp abdiquait.

Le gouvernement revint et pria les ouvriers de se remettre au travail. Mais ceux-ci réclamèrent leur salaire, et tout d'abord la disparition de certains ministres trop ouvertement compromis, entre autres le tristement célèbre Noske – sur quoi le gouvernement fit donner contre eux ses troupes fidèles, et celles-ci firent une fois de plus un beau travail sanglant, surtout en Allemagne de l'Ouest, où eurent lieu de véritables batailles.

Des années plus tard, j'entendis un ancien des corps francs évoquer ces affrontements auxquels il avait participé. "C'était la fleur de la jeunesse ouvrière", répétait-il avec une mélancolie pensive. C'était manifestement la formule qui résumait ces événements dans sa mémoire. "Des garçons courageux, en partie, poursuivait-il sur un ton approbateur. Pas comme en 1919 à Munich, où il n'y avait que des filous, des juifs et des fainéants qui ne m'inspiraient pas la moindre pitié. Mais en 1920 dans la Ruhr, c'était vraiment la fleur de la jeunesse ouvrière. J'étais vraiment désolé pour certains d'entre eux. Mais c'étaient des têtes de bois, ils ne nous laissaient pas le choix, il fallait bien qu'on les fusille. Quand nous voulions leur donner une chance, nous leur demandions au cours de l'interrogatoire : «Bon, alors comme ça, vous vous êtes laissé entraîner ?...» et ils criaient «Non», et «A bas les assassins et les traîtres au peuple». Alors bon, il n'y avait plus rien à faire, il a bien fallu les fusiller, douzaine par douzaine. Le soir, notre colonel a dit qu'il n'avait jamais été aussi profondément navré. Oui, c'était bien la fleur de la jeunesse ouvrière, qui est tombée dans la Ruhr en 1920."

Au moment où ces événements se produisaient, j'en ignorais évidemment tout. Il faut dire qu'ils se déroulaient au loin, dans la Ruhr ; à Berlin, les choses étaient moins dramatiques, moins sanglantes, presque pacifiques. Après les fusillades sauvages de 1919, ce mois de mars 1920 était d'un calme presque inquiétant. L'inquiétant, c'était justement que rien ne se passait ; simplement, la vie s'était arrêtée. Etrange révolution. Je vais en dire quelques mots.

Cela se passait un samedi soir. A midi, dans la boulangerie, les gens se disaient les uns aux autres que l'empereur, paraît-il, allait revenir. L'après-midi, au lycée – nous avions souvent classe l'après-midi* ; la moitié des locaux était fermée à cause du manque de charbon, et deux établissements partageaient un bâtiment unique qu'ils occupaient en

* Normalement, les écoliers allemands ne vont en classe que le matin.

alternance le matin et l'après-midi –, les cours furent supprimés et, comme il faisait beau, nous jouâmes dans la cour aux rouges et aux nationaux, ce qui n'était pas facile, personne ne voulant être un rouge. Tout cela était tout à fait plaisant, encore qu'un peu incroyable ; c'était arrivé tout d'un coup, et on ne savait aucun détail.

On n'en apprit pas davantage, car dès ce soir-là il n'y avait plus de journaux, ni d'ailleurs, comme nous allions le constater, d'électricité. Le matin suivant, l'eau était coupée ; c'était la première fois. Le courrier n'était pas distribué. Les transports ne fonctionnaient pas. Les magasins étaient fermés. En un mot, il n'y avait absolument rien.

Dans notre quartier, on trouvait encore à quelques coins de rue d'antiques fontaines qui ne dépendaient pas du circuit officiel de distribution de l'eau. Elles connurent leur heure de gloire : les gens faisaient la queue par centaines, munis de bidons et de seaux, pour s'approvisionner en eau, tandis que pompaient quelques jeunes gens robustes. On rentrait en portant ses seaux avec précaution pour ne pas répandre une goutte du précieux liquide.

Mais, à part cela, il ne se passait rien. Et même moins que rien : même pas ce qui se passait tous les jours ordinaires. Ni fusillades, ni cortèges, ni attroupements, ni discussions en pleine rue. Rien.

Le lundi, il n'y avait pas classe non plus. A la grande satisfaction des lycéens, satisfaction toutefois mêlée d'une légère inquiétude due à l'étrangeté de la situation. Notre professeur de gymnastique, qui était très "national" (tous les professeurs étaient "nationaux", mais nul plus que les professeurs de gymnastique), déclara bien plusieurs fois d'un ton convaincu : "On voit bien qu'une tout autre équipe a pris les choses en main." Mais, pour dire la vérité, on ne voyait rien du tout, et je suppose qu'il disait cela surtout pour se consoler de ne rien voir.

Nous quittâmes le lycée pour nous rendre Unter den Linden*, poussés par le sentiment obscur qu'aux grands jours de la patrie il faut se trouver Unter den Linden, et aussi dans l'espoir d'en voir ou d'en apprendre davantage. Mais il n'y avait rien à voir ni rien à apprendre. Quelques soldats s'ennuyaient derrière des mitrailleuses superflues. Personne ne faisait mine de les attaquer. L'ambiance était curieusement dominicale,

* "Sous les tilleuls", grande avenue au centre de Berlin.

méditative et paisible. Cela était dû à la grève générale.

Les jours suivants, cela devint tout simplement ennuyeux. La queue devant la fontaine, qui n'avait plus le charme de la nouveauté, ne tarda pas à être aussi pénible que l'absence de fonctionnement des W.-C., le manque de toute nouvelle et même de lettres, la difficulté de se procurer de la nourriture, l'obscurité totale qui régnait le soir, tout cet interminable dimanche. Et sans rien qui pût, pour compenser, susciter l'enthousiasme des patriotes : pas de parades, pas d'allocutions "à mon peuple", rien, absolument rien. Si seulement on avait eu la radio ! Une fois, une seule, apparurent des affiches : "L'étranger n'interviendra pas." Même pas cela !

Puis, un beau jour, on apprit que Kapp avait démissionné. Il n'y eut pas de détails, mais comme le jour suivant des coups de feu retentirent çà et là, on put voir que le bon vieux gouvernement était revenu. Les canalisations se remirent à ronfler et à siffler. Puis les cours reprirent, dans un lycée où tout le monde semblait un peu penaud. Enfin, les journaux reparurent.

Après le putsch de Kapp, nous cessâmes, tous tant que nous étions, de nous intéresser à la politique du moment. Toutes les tendances s'étaient discréditées, le domaine tout entier perdait son attrait. Le Rennbund Altpreussen fut dissous. Nombre d'entre nous cherchèrent d'autres centres d'intérêt : collections de timbres, piano, théâtre. Seuls quelques-uns restèrent fidèles à la politique, et je remarquai pour la première fois qu'il s'agissait, curieusement, surtout des plus bêtes, des plus brutaux, des plus antipathiques. Ils adhérèrent à de "vraies" associations, par exemple l'Union des jeunesses nationalistes ou le Bismarckbund (les Jeunesses hitlériennes n'existaient pas encore), et ne tardèrent pas à exhiber au lycée des coups-de-poing, des matraques, voire des casse-tête ; ils se vantaient de prendre des risques la nuit en collant des affiches ou en les arrachant, et se mirent à parler un jargon bien à eux qui les distinguait de tous les autres. Et ils commencèrent à molester ceux de nos camarades qui étaient juifs.

Peu après le putsch, je vis l'un d'entre eux griffonner des signes bizarres sur son cahier, pendant un cours ennuyeux. Toujours la même chose : quelques traits qui s'ordonnaient de façon inattendue et plaisante pour former un ornement symétrique et carré. Je fus tout de suite tenté de l'imiter. "Qu'est-ce que c'est ?" demandai-je, à voix basse, car c'était pendant un cours. Un cours ennuyeux, mais un cours. "L'insigne antisémite, fut la réponse elliptique et chuchotée. Les troupes d'Ehrhardt le portaient sur leur casque. Faut connaître." Et il continua de griffonner avec aisance.

Ce fut ma première rencontre avec la croix gammée, seul héritage du putsch. On la revit plus souvent par la suite.

9

Ce n'est que deux ans plus tard que la politique redevint soudain intéressante, et cela grâce à l'entrée en scène d'un seul homme : Walther Rathenau*.

Jamais, ni avant ni depuis, la république allemande n'a produit un homme politique aussi fascinant pour l'imagination des masses et de la jeunesse.

* Walther Rathenau (1867-1922), industriel et écrivain, membre du Parti démocratique allemand (DDP), ministre de la Reconstruction de mai à novembre 1921, puis ministre des Affaires étrangères de février à juin 1922.

Stresemann* et Brüning**, qui restèrent en place plus longtemps et dont la politique a marqué deux courtes périodes, n'eurent jamais le même ascendant personnel. Tout au plus peut-on d'une certaine façon lui comparer Hitler, et encore, avec une restriction : Hitler est depuis si longtemps l'objet d'un tel tapage publicitaire concerté qu'il est devenu à peu près impossible de faire la part entre le charisme et l'imposture.

Du temps de Rathenau, la politique-spectacle n'existait pas encore, et lui-même ne faisait rien pour se mettre en valeur. Il est l'exemple le plus frappant que j'aie jamais connu de cette alchimie mystérieuse qui se produit quand un "grand homme" apparaît sur la scène publique : contact avec la foule, même à distance ; on tend l'oreille, on prend le vent, tous les sens en alerte ; les choses sans intérêt deviennent intéressantes, on ne peut faire abstraction de

---

* Gustav Stresemann (1878-1929), président du Parti national allemand (DVP), chancelier et ministre des Affaires étrangères d'août à novembre 1923, puis ministre des Affaires étrangères jusqu'à sa mort en 1929.
** Heinrich Brüning (1885-1970), du parti du centre (Zentrum), chancelier de mars 1930 à mai 1932.

lui ni s'empêcher de prendre passionnément parti ; une légende surgit et grandit ; surgit et grandit le culte de la personnalité ; amour, haine. Tout cela involontaire, inévitable, presque inconscient. C'est l'effet que produit un aimant sur un tas de limaille de fer : la raison n'y a point de part, on n'y échappe pas, on ne l'explique pas.

Rathenau fut d'abord ministre de la Reconstruction, puis des Affaires étrangères – et, d'un seul coup, on sentit que la politique existait à nouveau. Quand il se rendait à une conférence internationale, on retrouvait le sentiment que l'Allemagne était représentée. Il conclut un accord sur les réparations en nature avec Loucheur*, un pacte d'amitié avec Tchitcherine**, et bien que personne ou presque n'ait eu auparavant l'idée de ce qu'était une réparation en nature, bien que le texte du traité russe fût bourré de formules diplomatiques hermétiques à la plupart, les deux étaient

* Louis Loucheur (1872-1931), ministre de la Reconstitution industrielle et député du Nord, responsable de la reconstruction de 1919 à 1922.
** Gueorgui Vassilievitch Tchitcherine (1872-1936), commissaire du peuple aux Affaires étrangères de 1918 à 1930, signa avec l'Allemagne le traité de Rapallo (16 avril 1922).

l'objet de conversations animées chez l'épicier et le marchand de journaux, et nous nous battions entre potaches parce que les uns trouvaient les traités "géniaux" tandis que pour les autres ils émanaient d'un "juif traître au peuple".

Mais il n'y avait pas que la politique. On voyait son visage dans les magazines, comme celui de tous les autres politiciens, et tandis qu'on oubliait les autres, le sien vous poursuivait, fixant sur vous des yeux sombres pleins d'intelligence et de tristesse. On lisait ses discours et, au-delà de leur contenu, il était impossible d'ignorer ces accents qui accusaient, adjuraient, promettaient : les accents d'un prophète. Beaucoup prenaient connaissance de ses livres, et je le fis moi aussi. On y retrouvait cet appel obscur et pathétique, quelque chose d'à la fois contraignant et persuasif, qui tenait de l'exigence et de la sollicitation. Cette simultanéité faisait leur attrait. Ils étaient tout ensemble prosaïques et fantastiques, désenchantés et enthousiastes, sceptiques et pleins de foi. Ils prononçaient les paroles les plus audacieuses d'une voix timide et à peine audible.

Il est surprenant que Rathenau n'ait pas encore trouvé le biographe qu'il mérite. Il fait sans nul doute partie des cinq ou six plus grandes personnalités de ce siècle. C'était un aristocrate révolutionnaire, un économiste idéaliste ; juif, il fut un patriote allemand ; patriote allemand, il fut un citoyen du monde aux idées libérales ; bien que citoyen du monde aux idées libérales, il attendait le Messie, et se montrait un austère serviteur de la Loi (c'est-à-dire, dans le seul sens sérieux du terme, juif). Il était assez cultivé pour dédaigner la culture, assez riche pour dédaigner la richesse, assez homme du monde pour dédaigner le monde. On sentait que s'il n'avait pas été ministre allemand des Affaires étrangères en 1922 il aurait pu être un philosophe allemand en 1800, un roi de la finance internationale en 1850, un grand rabbin ou un anachorète. Il conciliait en lui l'inconciliable, d'une façon dangereuse et quelque peu angoissante, qui n'était possible que cette seule fois. La synthèse de tout un faisceau de cultures et d'idées s'incarnait en lui, non sous les espèces d'une pensée, non sous les espèces d'une action, mais sous les espèces d'un homme.

Est-ce là l'aspect d'un chef ? demandera-t-on. Etrangement, la réponse est oui. La masse – je n'entends pas par là le prolétariat, mais cette collectivité anonyme dans laquelle tous autant que nous sommes, petits et grands, nous

nous retrouvons toujours à certains moments –, la masse réagit plus vivement à ce qui lui est le plus dissemblable. Un homme ordinaire, s'il s'entend à son ouvrage, peut être populaire. Mais l'extrême amour et la haine extrême, l'adoration et la détestation ne peuvent s'adresser qu'à ce qui existe de plus extra-ordinaire, à un homme tout à fait hors de portée de la masse, qu'il se trouve loin en dessous ou loin au-dessus d'elle. Si mon expérience de l'Allemagne m'a appris quelque chose, c'est bien cela. Rathenau et Hitler sont les deux phénomènes qui ont le plus excité l'imagination des masses allemandes, le premier par son immense culture, le second par son immense vulgarité. Tous deux, c'est là le point décisif, sortaient de contrées inaccessibles, localisées dans quelque au-delà. Le premier venait de cette sphère de quintessence spirituelle où fusionnent les civilisations de trois millénaires et de deux continents, l'autre d'une jungle située bien en dessous du niveau de la littérature la plus obscène, d'un enfer d'où montent les démons engendrés par les remugles mêlés des arrière-boutiques, des asiles de nuit, des latrines et des cours de prisons. Tous deux étaient, grâce à l'au-delà dont ils émanaient et indépendamment de leur politique, de véritables thaumaturges.

Il est difficile de dire où la politique de Rathenau aurait conduit l'Allemagne et l'Europe s'il avait eu le temps de la mener à son terme. On sait que, le temps, il ne l'a pas eu, ayant été assassiné après six mois d'exercice.

J'ai déjà dit que Rathenau suscitait dans la masse un véritable amour et une haine véritable. Cette haine était une haine viscérale, farouche, irrationnelle, fermée à toute discussion et telle qu'un seul politicien allemand l'a suscitée depuis : Hitler. Il va de soi que les contempteurs de Rathenau et ceux de Hitler s'opposent comme s'opposent ces deux personnalités. "Il faut saigner le cochon" – c'est ainsi que s'exprimaient les adversaires de Rathenau. Pourtant, on fut surpris de voir un jour les journaux de midi annoncer sans la moindre fioriture : "Assassinat du ministre Rathenau." On avait l'impression de sentir le sol se dérober sous les pas, et ce sentiment s'accentuait quand on lisait les circonstances d'un attentat qui s'était déroulé avec une grande facilité, sans la moindre peine et comme allant de soi.

Tous les matins à heure fixe, Rathenau quittait en automobile découverte sa villa du Grunewald* pour se rendre à la Wilhelmstrasse**. Un matin, une autre voiture qui stationnait dans cette paisible rue résidentielle démarra derrière celle du ministre, la dépassa et, au cours de la manœuvre, ses occupants, trois jeunes gens, déchargèrent au même moment et presque à bout portant leur revolver sur la tête et la poitrine de la victime. Et s'enfuirent à toute allure. Aujourd'hui, une plaque marque l'emplacement de leur exploit.

Ce ne fut pas plus compliqué que cela. L'œuf de Colomb, en quelque sorte. C'est ici que cela s'est produit, chez nous, à Berlin-Grunewald, non pas à Caracas ni à Montevideo. On peut voir l'endroit : une rue de banlieue semblable à toutes les autres. Les coupables, on l'apprit bientôt, étaient des garçons comme nous, l'un d'eux un élève de seconde. Ç'aurait pu tout aussi bien être tel ou tel de nos condisciples, qui avait parlé peu auparavant de "saigner le cochon". A l'indignation, à la colère, à la douleur se mêlait l'effet presque comique provoqué par la

* Bois et quartier résidentiel à l'ouest de Berlin.
** C'est dans la Wilhelmstrasse que se trouvaient notamment le ministère des Affaires étrangères et la chancellerie.

réussite de cette impudente gaminerie. Bien sûr, c'était tout simple, tellement simple qu'on n'y aurait jamais pensé. De cette façon, il devenait facile, "terriblement" facile, d'accomplir un geste historique. De toute évidence, l'avenir n'appartenait pas aux Rathenau qui se donnaient la peine de devenir des personnalités hors du commun, mais aux Techow et autres Fischer* qui apprenaient tout simplement à conduire et à tirer.

Pour l'heure, ce sentiment était bien sûr masqué par un mélange irrésistible de tristesse et de rage. L'exécution de mille ouvriers à Lichtenberg en 1919 avait moins ému les masses que l'assassinat de ce seul homme. La magie exercée par sa personnalité lui survécut quelques jours, et pendant ces quelques jours régna ce que je n'avais encore jamais connu, une ambiance vraiment révolutionnaire. Plusieurs centaines de milliers de personnes assistèrent aux obsèques sans qu'on les eût forcées ni menacées. Après quoi, au lieu de se disperser, elles parcoururent les rues pendant des heures, en cortèges interminables, muettes, sombres, revendicatives. On sentait que si ce jour-là on avait incité ces masses à en finir avec ceux qu'on

* Les assassins de Rathenau.

appelait encore des "réactionnaires" et qui, en réalité, étaient déjà des nazis elles l'auraient fait sans hésiter, rapidement, de façon décisive et totale.

Personne ne les y incita. On les incita au contraire à maintenir l'ordre et la discipline. Le gouvernement discuta durant de longues semaines une "loi sur la protection de la République", qui prévoyait une peine d'emprisonnement légère pour crime de lèse-ministre et sombra rapidement dans le ridicule. Quelques mois plus tard, il s'écroula sans tambour ni trompette et céda la place à un gouvernement de droite.

La dernière impression laissée par le bref passage de Rathenau confirmait l'enseignement des années 1918-1919 : rien ne réussit de ce qu'entreprend la gauche.

10

Vint l'année 1923. C'est sans doute cette année délirante qui a marqué les Allemands d'aujourd'hui de ces traits que le reste de l'humanité dans sa totalité considère avec une incompréhension mêlée d'angoisse, et qui sont étrangers au caractère normal du peuple allemand : cynisme débridé, nihilisme qui cultive avec délectation l'impossible pour lui-même, mouvement devenu but en soi. Toute une génération d'Allemands a ainsi subi l'ablation d'un organe psychique, un organe qui confère à l'homme stabilité, équilibre, pesanteur aussi, bien sûr, et qui prend diverses formes suivant les cas : conscience, raison, sagesse, fidélité aux principes, morale, crainte de Dieu. En 1923, toute une génération a appris – ou cru apprendre – qu'on peut vivre sans lest. Les années précédentes avaient été une bonne école de nihilisme. L'an 1923 allait en être la consécration.

Aucun peuple au monde n'a connu une expérience comparable à ce que fut celle des Allemands en 1923. Tous ont connu la guerre mondiale, la plupart d'entre eux ont connu des révolutions, des crises sociales, des grèves, des revers de fortune, des dévaluations. Mais aucun n'a connu l'exagération délirante et grotesque de tous ces phénomènes à la fois telle qu'elle eut lieu en Allemagne en 1923. Aucun n'a connu ces gigantesques et carnavalesques danses macabres, ces saturnales extravagantes et sans fin où se dévaluaient toutes les valeurs, et non seulement l'argent. De l'année 1923, l'Allemagne allait sortir mûre non pas précisément pour le nazisme, mais pour n'importe quelle aventure abracadabrante. Les racines psychologiques et politiques du nazisme sont plus profondes, nous l'avons vu. Mais il doit à cette année folle ce qui fait sa démence actuelle : son délire glacé, sa détermination aveugle, outrecuidante et effrénée d'atteindre l'impossible, en proclamant "Ce qui est juste, c'est ce qui est utile" et "Le mot «impossible» n'existe pas". Des expériences de ce genre passent manifestement les limites de ce qu'un peuple peut endurer sans traumatisme psychique. Je frissonne en pensant qu'après la guerre toute l'Europe connaîtra une année 1923 en plus grand – à moins que la paix ne soit conclue par des hommes d'une très grande sagesse.

L'année 1923 commença par une exaltation patriotique qui rappelait celle de 1914. Poincaré occupait la Ruhr, le gouvernement appela à la résistance passive, et dans la population allemande le sentiment de l'humiliation nationale et du danger – sentiment sans doute plus authentique et plus sérieux qu'en 1914 – fit taire les fatigues et les déceptions amoncelées. Le peuple se souleva, bandant son âme de toutes ses forces et montrant qu'il était prêt – à quoi ? au sacrifice ? à la lutte ? ce n'était pas très clair. On n'attendait rien de lui. La guerre de la Ruhr n'était pas une guerre. Personne ne fut mobilisé. Il n'y eut pas de communiqués du front. Faute de but, l'humeur guerrière s'estompa. Partout, des jours durant, des foules entonnèrent le serment du Rütli de *Guillaume Tell**.

A force d'être arborée dans le vide, cette attitude prit peu à peu un caractère ridicule et honteux. Hors de la Ruhr, il ne se passait absolument rien. Dans la Ruhr elle-même, c'était une sorte de grève payée. Non seulement les ouvriers étaient payés, mais aussi les employeurs – et ceux-ci ne l'étaient que trop bien, on ne tarda pas à le savoir. Amour de la patrie, ou dédommagement ? Quelques mois plus tard, la guerre de la Ruhr, commencée de façon si prometteuse par le serment du Rütli, exhalait l'odeur caractéristique de la corruption. Bientôt, plus personne ne s'en émut. Personne ne se souciait

---

* Le Rütli est une prairie au bord du lac des Quatre-Cantons où, selon la tradition, les représentants des trois cantons primitifs d'Uri, Schwyz et Unterwald jurèrent, en août 1291, une alliance éternelle contre l'oppresseur. La formule du serment est due à Schiller dans son *Guillaume Tell* (1804).

de la Ruhr, car il se passait ailleurs des choses bien plus démentes.

Cette année-là, le lecteur des journaux put se livrer à une variante de ce jeu arithmétique passionnant qui l'avait occupé pendant la guerre, lorsque les manchettes affichaient le nombre des prisonniers et le montant des prises. Cette fois, et bien que l'année eût commencé de façon fort belliqueuse, les chiffres ne se rapportaient pas à des événements guerriers, mais à une affaire boursière généralement sans intérêt : le cours du dollar. Les oscillations du dollar étaient le baromètre qui permettait de lire, en proie à un mélange d'angoisse et d'excitation, le cours du mark. On pouvait faire des observations supplémentaires : plus le dollar montait, plus nos envolées dans le royaume de l'imagination se faisaient hardies.

La dévaluation du mark n'avait en soi rien de nouveau. Dès 1920, la première cigarette que j'avais fumée en cachette coûtait cinquante pfennigs. A la fin de 1922, les prix étaient de dix à cent fois plus élevés qu'avant la guerre, et le dollar valait environ cinq cents marks. Mais cela s'était produit progressivement ; les salaires, les traitements et les prix avaient augmenté ensemble. Les calculs n'étaient pas commodes, mais à part cela il ne se passait rien d'extraordinaire. Beaucoup de gens parlaient encore simplement d'augmentation. Il y avait des choses plus intéressantes.

Mais voilà que le mark perdait la raison. Peu après la guerre de la Ruhr, le dollar monta en flèche à vingt mille, s'arrêta un instant, grimpa à quarante mille, hésita un peu, puis se mit à égrener, avec quelques petites oscillations périodiques, la litanie des dix mille et des cent mille. Personne ne savait au juste comment cela se faisait. Nous suivions le déroulement des opérations en nous frottant les yeux, comme s'il s'était agi d'un phénomène naturel remarquable. Le dollar devint le sujet de conversation favori, puis un jour nous nous avisâmes que cet événement avait détruit notre vie quotidienne.

Quiconque possédait un compte d'épargne, une hypothèque ou un placement quelconque le vit disparaître d'un jour à l'autre. Bientôt, il n'y eut plus de différence entre les petits épargnants et les grosses fortunes. De nombreuses personnes modifièrent vivement leurs placements, pour voir que cela ne servait absolument à rien. Elles comprirent bientôt que quelque chose s'était produit qui faisait fondre leur avoir et devait détourner leurs pensées vers un phénomène beaucoup plus pressant.

Le coût de la vie avait commencé de s'envoler, car les commerçants suivaient le dollar de près. Une livre de pommes de terre qui coûtait la veille cinquante mille marks en coûtait cent mille aujourd'hui ; la paie de soixante-cinq mille marks touchée le vendredi ne suffisait pas le mardi pour acheter un paquet de cigarettes.

Que faire ? Certaines personnes découvrirent brusquement un îlot de sécurité : les actions. C'était la seule forme de placement qui restait plus ou moins dans la course. Pas régulièrement, pas toutes dans la même mesure, mais elles parvenaient à peu près à suivre le rythme. On alla donc acheter des actions. Chaque petit fonctionnaire, chaque employé, chaque ouvrier devint actionnaire. On payait ses achats quotidiens en achetant des actions. Les jours de paie, les banques étaient prises d'assaut, et le cours des actions s'envolait comme une fusée. Les banques nageaient dans l'opulence. De nouvelles banques inconnues poussaient comme des champignons et faisaient des affaires en or. Chaque jour, la population tout entière se jetait sur les cours de la Bourse. Il arrivait que certaines actions tombent, entraînant des milliers de gens dans leur course à l'abîme. On se refilait des tuyaux dans les boutiques, dans les usines, dans les écoles.

Les vieillards et les rêveurs étaient les plus mal lotis. Beaucoup furent réduits à la mendicité, beaucoup acculés au suicide. Les jeunes et les petits malins se portaient bien. D'un jour à l'autre, ils se retrouvaient libres, riches, indépendants. La conjoncture affamait et punissait de mort les esprits lents et ceux qui se fiaient à leur expérience, et récompensait d'une fortune subite la rapidité et l'impulsivité. Les vedettes du jour étaient des banquiers de vingt et un ans, des lycéens qui suivaient les conseils financiers de camarades un peu plus âgés. Ils portaient des lavallières à la Oscar Wilde, traitaient leurs amis au champagne et entretenaient leur père quand il se trouvait dans la gêne.

Parmi tant de souffrance, de désespoir, de misère, brûlait une fièvre ardente et juvénile ; la concupiscence régnait dans une ambiance de carnaval généralisée. Voici que d'un seul coup l'argent se trouvait aux mains des jeunes et non plus des vieux ; en outre, sa nature s'était modifiée au point qu'il ne conservait sa valeur que durant quelques heures ; on le dépensait comme jamais, et pour des choses que les vieilles gens n'achètent pas.

Ce fut une véritable explosion de bars et de boîtes de nuit. De jeunes couples tourbillonnaient dans les rues où l'on s'amuse, comme dans un film sur les grandes familles. L'amour, l'amour jouisseur et hâtif, était la grande affaire de tous. Car l'amour lui-même avait pris un caractère inflationniste. Il fallait saisir l'occasion que procurait une offre massive.

On découvrit le "nouveau réalisme" de l'amour. Explosion de légèreté joyeuse, insouciante, fiévreuse. Les affaires de cœur empruntaient une voie caractéristique, rapide et sans détour. Les jeunes gens qui apprenaient l'amour firent l'impasse sur le romantisme pour étreindre le cynisme. Les garçons de mon âge n'étaient pas du nombre. Avec nos quinze ou seize ans, nous étions trop jeunes de deux ou trois ans. Quelques années plus tard, contraints de jouer les amoureux avec vingt marks en poche, nous avons souvent jalousé en secret nos aînés, eux qui avaient eu leur chance plus tôt. Nous n'avions fait que jeter un coup d'œil furtif par le trou de la serrure : juste assez pour conserver l'air du temps dans nos narines. Juste assez pour être conviés à une fête

folle : la fatigue d'un petit dévergon-
dage précoce ; une légère gueule de
bois après un abus de cocktails ; les
histoires de garçons plus âgés dont les
traits trahissaient étrangement leurs
nuits débridées ; le baiser soudain,
ensorcelant, d'une fille outrageusement
maquillée.

Il y avait un revers à ce tableau. Les
mendiants se mirent à pulluler, ainsi
que les suicides relatés par la presse et
les avis de "recherche pour vol avec
effraction" placardés par la police sur
les colonnes Morris, car les vols et les
délits se multipliaient. Je vis un jour
une vieille femme – je devrais peut-
être dire "une vieille dame" – assise sur
un banc dans un parc ; elle était étrangement raide. Un petit attroupement
s'était formé autour d'elle. "Morte", dit
quelqu'un. "Morte de faim", ajouta un
autre. Cela ne me surprit pas outre
mesure. Chez nous aussi, nous avions
parfois faim.

Car mon père était de ceux qui ne
comprenaient pas l'époque, ou qui
refusaient de la comprendre, comme il
s'était déjà refusé à comprendre la
guerre. Enfermé dans la devise "Un
fonctionnaire prussien ne spécule pas",
il n'acheta pas d'actions. Je considérais
cette attitude comme la marque d'un

esprit étrangement borné, surprenante chez cet homme – un des plus intelligents que j'eusse connus. Aujourd'hui, je le comprends mieux. Rétrospectivement, je puis ressentir un peu du dégoût que lui inspirait "cette monstruosité", et l'aversion irritée qui se dissimulait derrière une platitude : ce qu'il ne faut pas faire, on ne le fait pas. Malheureusement, les conséquences pratiques de ces principes élevés dégénéraient parfois en farce. Et la farce aurait pu tourner à la tragédie si ma mère ne s'était adaptée, à sa manière, à la situation.

Voici à quoi ressemblait la vie de la famille d'un haut fonctionnaire prussien. Le 31 ou le 1er du mois, mon père touchait son traitement, qui représentait notre unique moyen d'existence, les bons de caisse et les bons d'épargne étant dévalorisés depuis longtemps. Il était difficile d'estimer la valeur de ce traitement, qui changeait d'un mois sur l'autre ; une fois, cent millions pouvaient représenter une somme respectable, peu de temps après, un demi-milliard n'était que de l'argent de poche. Quoi qu'il en fût, mon père essayait toujours d'acheter le plus rapidement possible une carte d'abonnement mensuel pour le métro, afin de pouvoir au moins assurer les trajets entre son lieu de travail et son domicile, bien que ce moyen de transport entraînât un détour considérable et une perte de temps. Puis on signait des chèques pour le loyer et les frais de scolarité, et l'après-midi toute la famille allait chez le coiffeur. L'argent qui restait était remis à ma mère. Le lendemain, tout le monde, y compris la bonne mais à l'exception de mon père, se levait à quatre ou cinq heures du matin pour se rendre en taxi au marché de gros. On achetait en grand, et une heure plus tard le traitement mensuel d'un conseiller au gouvernement était transformé en denrées alimentaires non périssables. On chargeait dans le taxi des fromages gigantesques, des jambons entiers, des quintaux de pommes de terre. S'il n'y avait pas assez de place, la bonne et l'un d'entre nous se procuraient une charrette à bras. Vers huit heures, avant le début des cours, nous rentrions à la maison, les provisions plus ou moins assurées pour tenir un siège d'un mois. Et c'était fini. Pendant tout un mois, on ne voyait plus un sou. Un aimable boulanger nous livrait du pain à crédit. Pour le reste, on vivait de pommes de terre, de viande fumée, de conserves, de bouillon en cubes. On touchait parfois un petit supplément de traitement inattendu, mais il était fort possible que l'on fût pauvre pendant un mois, pauvre comme le plus pauvre des pauvres, même pas en mesure de payer un ticket de tramway ou un journal. Je ne sais pas ce qui se serait produit si nous avions été frappés par une maladie grave ou quelque autre coup du sort.

Je suppose que pour mes parents ce fut une période pénible et difficile. Pour moi, elle était plus bizarre que désagréable. Comme mon père devait faire un détour compliqué pour se rendre à son travail, il était absent la plus grande partie de la journée, ce qui me procurait de longues heures de liberté absolue. Je n'avais plus d'argent de poche, mais mes camarades plus âgés étaient littéralement riches, et on ne les privait de rien en se faisant inviter à leurs fêtes extravagantes. Je parvenais à conserver une relative indifférence vis-à-vis de notre pauvreté et de la richesse de mes amis. Je ne déplorais pas plus la première que je n'enviais la seconde ; je trouvais les deux étranges et curieuses. En fait, seule une partie de moi-même vivait dans le présent, si excitant fût-il. Le monde des livres dans lequel je me plongeais était bien plus captivant, et il avait conquis la plus grande part de moi-même. Je lisais *Les Buddenbrook* et *Tonio Kröger, Niels Lyhne* et *Les Cahiers de Malte Laurids Brigge*, Verlaine, les poèmes du jeune Rilke, Stefan George et Hofmannsthal, *Novembre* de Flaubert, *Le Portrait de Dorian Gray**, *Flûtes et poignards* de Heinrich Mann.

Je me métamorphosai en quelque chose qui ressemblait aux héros de ces livres, en esthète fatigué, fin de siècle et décadent. Adolescent fagoté, pas très soigné, trop grand pour ses costumes et qui aurait eu besoin de se faire couper les cheveux d'urgence, je parcourais les rues fiévreuses et lépreuses du Berlin des années d'inflation avec l'attitude et les sentiments d'un patricien de Thomas Mann ou d'un dandy d'Oscar Wilde. Le fait que j'eusse le matin même chargé sur une charrette des sacs de pommes de terre et des cartons de fromage en compagnie de la bonne n'altérait en rien cette façon de sentir.

Etait-elle tout à fait injustifiée ? M'avait-elle été inoculée par mes seules lectures ?

* *Les Buddenbrook* et *Tonio Kröger*, roman (1901) et nouvelle (1903) de Thomas Mann ; *Niels Lyhne*, roman (1880) de l'écrivain danois Jens Jacobsen ; *Les Cahiers de Malte Laurids Brigge*, roman (1910) de Rainer Maria Rilke ; *Le Portrait de Dorian Gray*, roman (1890) d'Oscar Wilde.

Outre qu'un garçon de seize ans est enclin entre l'automne et le printemps à la fatigue, à l'ennui, à la mélancolie – n'en avions-nous pas vu suffisamment, moi et mes semblables, pour nous permettre de porter sur l'existence un regard las, sceptique, blasé, légèrement narquois, et de découvrir en nous quelque chose de Thomas Buddenbrook et de Tonio Kröger ?

Nous avions vécu le grand jeu de la guerre et le choc de sa fin ; nous avions subi les leçons décevantes de la révolution, nous assistions quotidiennement à l'effondrement de toutes les règles, à la banqueroute de l'âge et de l'expérience. Nous étions passés par toute une série de convictions contradictoires. D'abord pacifistes, puis nationalistes, nous étions passés sous la férule de l'éducation marxiste (processus qui présente de nombreux points communs avec l'éducation sexuelle : toutes deux sont clandestines et quelque peu illégales, toutes deux utilisent des méthodes de choc, toutes deux commettent l'erreur de prendre pour le tout une partie importante, mais officiellement décriée et ignorée pour des raisons de convenances, à savoir l'amour dans un cas et l'histoire dans l'autre). La fin de Rathenau nous avait enseigné que même les grands hommes sont mortels, la guerre de la Ruhr que les nobles intentions et les affaires crapuleuses peuvent être digérées avec la même facilité. Existait-il encore quelque chose qui pût nous enthousiasmer ? (Car l'enthousiasme est le sel de la jeunesse.) Rien, si ce n'est la contemplation de la beauté intemporelle qui irradie les poèmes de George et de Hofmannsthal, l'arrogance du sceptique, et, n'ayons garde de l'oublier, les rêves de l'amour.

Je n'avais pas encore éprouvé d'amour pour une fille, mais pour un garçon qui partageait mes idéaux et mon goût pour les livres. C'était une de ces amitiés passionnées, pudiques, éthérées, presque pathologiques, telles qu'elles n'existent qu'entre adolescents avant qu'une fille n'entre dans leur vie, et dont on n'est pas capable longtemps. Après la classe, nous parcourions les rues pendant des heures, nous consultions quelque part le cours du dollar pour tomber d'accord sur la situation politique avec un minimum d'idées et de paroles condescendantes, avant de nous mettre à parler livres. Nous étions convenus de consacrer chaque promenade à l'analyse détaillée d'un livre nouveau, et nous le faisions. Timidement, nous explorions l'âme de l'autre avec une ferveur angoissée, cependant qu'autour de nous la fièvre faisait rage, que la société se délitait de façon quasi tangible, que le Reich s'écroulait. Tout cela n'était que l'arrière-plan de nos profondes considérations sur, par exemple, l'essence du génie et la question de sa compatibilité avec la faiblesse morale et la décadence.

Et quel arrière-plan : imprévisible – inoubliable.

En août, le dollar atteignit le million. Cette annonce nous coupa le souffle comme l'aurait fait celle d'un record incroyable. Quinze jours plus tard, nous aurions pu en rire, car le dollar, comme s'il avait puisé une énergie nouvelle en franchissant la barre du million, décupla sa vitesse et se mit à grimper par paliers de cent millions, puis de milliards. En septembre, le million n'avait plus de valeur pratique ; on comptait par milliards. Fin octobre par billions. Entre-temps, il se produisit quelque chose de terrible. La Reichsbank cessa d'imprimer des coupures. Présentés aux guichets, certains de ses billets – de dix millions ? de cent millions ? – n'avaient pu suivre le rythme des événements. Le dollar et l'évolution des prix les avaient devancés. Il n'existait rien qui pût jouer le rôle de l'argent pour les besoins pratiques. Quelques jours durant, le commerce s'arrêta ; dans les quartiers pauvres, les gens, privés de tout moyen de paiement, se servirent de leurs poings et pillèrent les épiceries. Une fois encore, l'ambiance était à la révolution.

A la mi-août, la chute du gouvernement s'accompagna de violentes émeutes. Peu après, on abandonna la guerre de la Ruhr. Nous n'y pensions plus du tout. Il y avait belle lurette que l'occupation de la Ruhr nous avait fait jurer d'être un peuple de frères ! Au lieu de cela, nous attendions maintenant la chute de l'Etat, voire la dissolution du Reich – quelque événement politique épouvantable qui fût le pendant de notre vie quotidienne. Jamais il n'y avait eu autant de rumeurs : la Rhénanie avait fait sécession, la Bavière avait fait sécession, l'empereur était revenu, les Français étaient entrés en Allemagne. Les "ligues" politiques de gauche comme de droite, qui avaient végété pendant des années, se mirent à s'activer fiévreusement. Elles s'entraînaient au maniement des armes dans les forêts qui entourent Berlin ; des bruits transpiraient à propos d'une "armée noire", on entendait abondamment parler du "grand soir".

Il était difficile de faire la part du possible. Il y eut bel et bien durant quelques jours une République rhénane. En Saxe, un gouvernement communiste s'installa pour plusieurs semaines ; le gouvernement envoya la Reichswehr pour le combattre. Et un beau jour le journal fit savoir que la garnison de Küstrin avait entrepris de marcher sur Berlin.

C'est à cette époque que se répandit la formule "Les traîtres sont jugés par un tribunal secret". Sur les colonnes Morris, des affiches concernant des personnes disparues ou assassinées côtoyèrent les avis de recherche pour vol apposés par la police. Les gens disparaissaient par douzaines. C'était presque toujours des personnes qui avaient des contacts avec les "ligues". Des années plus tard, on déterra leurs ossements dans les forêts autour de Berlin ou à proximité. Les ligues avaient pris l'habitude d'éliminer sans autre forme de procès les camarades douteux ou suspectés, et de les enfouir quelque part.

Lorsqu'on en entendait parler, cela ne semblait pas aussi incroyable que cela l'aurait été à une époque normale et civilisée. Peu à peu, l'ambiance était devenue franchement apocalyptique. Des centaines de rédempteurs sillonnaient les rues de Berlin, des hommes aux cheveux longs, vêtus de haires, qui se déclaraient envoyés par Dieu pour sauver le monde et trouvaient le moyen de vivre de cette mission. Le plus heureux était un certain Häusser, qui faisait de la réclame par voie d'affiches, rassemblait les foules et avait de nombreux adeptes. D'après les journaux, son pendant munichois était un nommé Hitler, lequel toutefois se distinguait du premier par ses discours dont la vulgarité provocante atteignait des sommets vertigineux dans la menace paroxystique et la cruauté affichée. Tandis que Hitler prétendait établir un royaume millénaire en anéantissant les juifs, en Thuringe, un certain Lamberty voulait atteindre le même but en généralisant la pratique de la danse populaire, du chant et du saut. Chaque rédempteur avait son style personnel. Rien ni personne n'était surprenant ; on avait depuis longtemps oublié la surprise.

En novembre, l'entreprise inouïe du Häusser munichois, je veux dire de Hitler, fit les gros titres durant deux jours : il avait prétendu faire la révolution dans une brasserie. En réalité, le cortège révolutionnaire avait été brutalement dispersé par une ronde de police sitôt après avoir quitté la brasserie, ce qui avait mis un terme à la révolution. Toutefois, les gens crurent sérieusement toute une journée que c'était la révolution attendue. En entendant la nouvelle, notre professeur de grec, guidé par un sûr instinct, nous prédit gaiement que nous serions tous soldats quelques années plus tard. Et le fait qu'une telle aventure pût se produire n'était-il pas en soi beaucoup plus intéressant que son échec ? Les rédempteurs avaient manifestement leur chance. Rien n'était impossible. Le dollar valait un billion. Et on avait manqué le paradis d'un cheveu.

C'est alors que se produisit un phénomène étrange. Un jour, une nouvelle incroyable se mit à circuler : on retrouverait bientôt une "monnaie stable". Un peu plus tard, ce fut une réalité. Des petits billets vert-de-gris, laids, portant l'inscription *1 Rentenmark*. Quand quelqu'un payait avec pour la première fois, il attendait avec curiosité de voir ce qui allait se passer. Il ne se passait rien. Les billets étaient bel et bien acceptés et il touchait sa marchandise – une marchandise qui valait un billion. La même chose se produisait le lendemain, et le surlendemain, et le jour suivant. Incroyable.

Le dollar cessa de monter. Les actions aussi. Et quand on les convertissait en *Rentenmark*, voilà qu'elles ne valaient plus rien, comme tout le reste. Donc personne n'avait plus rien. Mais, soudain, les salaires et les traitements furent payés en *Rentenmark*, et un peu plus tard, miracle sur miracle, apparurent des sous et des centimes, des pièces dures et brillantes. On pouvait les faire sonner dans sa poche et, en plus, elles gardaient leur valeur. Le jeudi, on pouvait encore acheter quelque chose avec l'argent qu'on avait touché le vendredi précédent. Le monde était plein de surprises.

Quelques semaines plus tôt, Stresemann était devenu chancelier. D'un seul coup, la politique connut une période plus calme. Personne ne parlait plus du déclin de la nation. Les ligues se retirèrent dans une hibernation réprobatrice, et nombre de leurs membres devinrent apostats. On n'entendait presque plus parler de personnes disparues. Les villes se vidèrent de leurs rédempteurs. La politique semblait consister exclusivement en une querelle de partis qui se disputaient la paternité du *Rentenmark*. Les nationalistes affirmaient qu'il avait été inventé par Helfferich, député conservateur et ancien ministre du Kaiser. Ce que la gauche contestait violemment : elle en tenait pour un certain Dr Schacht, démocrate à toute épreuve et républicain convaincu. C'étaient les jours qui suivaient le déluge. Tout était englouti, mais les eaux baissaient. Les vieux ne pouvaient pas encore en appeler à leur expérience, les jeunes étaient un peu douchés. Les banquiers de vingt et un ans devaient se remettre à chercher un emploi d'auxiliaire, les lycéens se contenter de vingt marks d'argent de poche. Bien sûr, il y eut quelques "victimes de la stabilisation monétaire" pour se suicider. Mais bien plus nombreux étaient ceux qui sortaient timidement de leur trou en se demandant si on pouvait se remettre à vivre.

L'ambiance était celle d'un lendemain de nouba, mais il s'y mêlait un certain soulagement. Pour les fêtes de la Nativité, tout Berlin se transforma en gigantesque marché de Noël. Tout coûtait dix pfennigs, et tout le monde achetait des crécelles, des animaux en pâte d'amandes et autres puérilités, rien que pour se convaincre qu'on pouvait de nouveau acheter quelque chose pour dix pfennigs. Peut-être aussi pour oublier l'année précédente, toute l'année précédente, et se sentir redevenir enfant.

Les échoppes arboraient des affiches : "Les prix de paix sont de retour." Pour la première fois, la paix semblait régner vraiment.

11

Et c'était bien le cas. La seule paix véritable que ma génération ait connue en Allemagne avait débuté. Un espace de six années, de 1924 à 1929, durant lesquelles la politique allemande fut dirigée par Stresemann depuis le ministère des Affaires étrangères. L'époque Stresemann.

On peut sans doute dire de la politique la même chose que des femmes : la meilleure est celle qui fait le moins parler d'elle. Si cela est vrai, la politique de Stresemann était excellente. C'est à peine si, de son temps, il y eut une discussion politique. Un peu les deux ou trois premières années : l'élimination des ravages causés par l'inflation, le plan Dawes, Locarno, Thoiry, l'entrée à la Société des nations furent des événements certes discutés, mais sans plus. D'un seul coup, la politique n'était plus un prétexte à casser les assiettes.

Après 1926, plus rien ne valut la peine qu'on en parle. Les journaux durent chercher leurs manchettes dans des contrées lointaines.

Chez nous rien de neuf, tout était en ordre, tout allait son cours paisible. Parfois le gouvernement changeait, le parti au pouvoir était tantôt de droite, tantôt de gauche. On ne voyait pas grande différence. Le ministre des Affaires étrangères s'appelait toujours Gustav Stresemann. Cela voulait dire la paix, pas de crise en perspective, *business as usual*.

L'argent rentrait dans le pays, il conservait sa valeur, les affaires marchaient bien, les vieilles gens sortirent leur expérience du débarras où ils l'avaient remisée, l'astiquèrent et l'exposèrent comme si elle avait toujours eu cours. Les dix dernières années furent oubliées comme un mauvais rêve. Le règne de Dieu s'éloigna, les messies et les révolutionnaires n'étaient plus demandés. Dans le secteur public, on n'avait plus besoin que d'administrateurs compétents ; dans le secteur privé, de commerçants industrieux. On avait tout ce qu'on pouvait raisonnablement désirer en fait de liberté, d'ordre et de paix ; le libéralisme le plus débonnaire régnait alentour, on gagnait bien sa vie, on mangeait bien, on s'ennuyait un peu. Chacun était rendu à son existence privée, cordialement invité à s'organiser comme il l'entendait et à faire son salut à sa façon*.

C'est alors que se produisit un phénomène étrange – et je pense révéler ici un des événements politiques les plus fondamentaux de notre époque, dont aucun journal n'a parlé. Cette invitation ne fut, dans l'ensemble, nullement suivie. On ne voulait pas. Il s'avéra que toute une génération d'Allemands ne savait que faire de cette liberté personnelle qu'on lui octroyait.

Environ vingt classes d'âges, les jeunes et les très jeunes, avaient eu l'habitude de voir la sphère publique leur livrer gratuitement la matière première de leurs émois véritables – amour, haine, allégresse et deuil –, mais aussi toutes les sensations qui chatouillaient leurs nerfs, nonobstant leur cortège de misère, de faim, de mort, de confusion, de danger. Maintenant que cette livraison cessait, ils se retrouvaient désemparés, appauvris, déçus et ennuyés. Ils n'avaient jamais appris à vivre sur leurs réserves, à organiser leur petite vie privée pour qu'elle soit grande, belle et féconde ;

---

* Allusion à une formule célèbre de Frédéric II de Prusse, qui exprimait ainsi sa tolérance en matière de religion.

108

ils ne savaient pas en profiter, ignoraient ce qui en fait l'intérêt. C'est pourquoi ils ne ressentirent pas la fin des tensions publiques et le retour de la liberté privée comme un cadeau, mais comme une frustration. Ils commencèrent à s'ennuyer, ils eurent des idées stupides, ils se mirent à ronchonner – et pour finir à appeler avidement de leurs vœux la première perturbation, le premier revers ou le premier incident qui leur permettrait de liquider la paix pour démarrer une nouvelle aventure collective.

Pour être précis – l'affaire demande de la précision, car, selon moi, elle fournit la clef de toute la période historique dans laquelle nous vivons –, tous ne réagirent pas ainsi parmi la jeune génération. Certains, à cette époque, apprirent pour ainsi dire à vivre. Un peu tard, un peu maladroitement. Ils prirent goût à une vie personnelle, se désintoxiquèrent des jeux belliqueux et révolutionnaires, et devinrent des individus. En fait, c'est à cette époque que commença de se creuser, de façon invisible et sans que nul en prît conscience, l'abîme qui divise aujourd'hui le peuple allemand en nazis et non-nazis.

J'ai déjà mentionné en passant que l'aptitude de mon peuple à la vie privée et au bonheur individuel est plus faible que celle d'autres peuples. J'eus plus tard l'occasion d'observer en France et en Angleterre, avec un certain étonnement et non sans envie, que l'intelligence et l'esprit qu'il met à boire et à manger, la joute oratoire entre hommes, l'amour qu'il cultive en esthète païen procurent au Français un bonheur aussi profus qu'inaltérable et une intarissable source de distractions, et que l'Anglais trouve la même satisfaction dans ses jardins, son amour des bêtes, les nombreux jeux et autres hobbies auxquels il s'adonne avec le sérieux d'un enfant. L'Allemand moyen n'a rien de comparable. Seule une élite cultivée – relativement nombreuse, mais bien sûr minoritaire – trouvait et trouve encore de quoi meubler et réjouir son existence dans les livres et dans la musique, dans une pensée autonome, dans l'élaboration d'une philosophie personnelle. Des échanges d'idées, des conversations sérieuses devant un verre de vin, quelques amitiés préservées et cultivées avec constance et un brin de sentimentalité, sans oublier une vie de famille profonde et intense, voilà les valeurs qui étaient celles de cette élite. La décennie 1914-1924 a presque tout bouleversé, presque tout détruit. La jeune génération a grandi dans un monde privé d'habitudes et de traditions.

Au-delà de cette élite cultivée, le grand danger qui guette les Allemands a toujours été et est encore le vide et l'ennui, excepté peut-être dans quelques régions marginales comme la Bavière et la Rhénanie, où l'on trouve une trace de romantisme et d'humour méridionaux. Les grandes plaines du Nord et de l'Est, avec leurs villes incolores, le zèle, le sérieux, le sens du devoir excessifs qui y président aux affaires et à l'organisation, ont toujours été menacées par la torpeur. Et aussi par cette horreur du vide qui appelle de ses vœux la délivrance : délivrance par l'alcool, par la superstition, ou mieux encore par une formidable, irrépressible et facile ivresse collective.

On constate donc qu'en Allemagne seule une minorité (qui ne se confond d'ailleurs ni avec l'aristocratie, ni avec la "classe possédante") entend quelque chose à la vie et se montre capable de lui donner un sens. Cet état de fait – qui, soit dit accessoirement, rend l'Allemagne fondamentalement impropre à la démocratie – s'est trouvé exacerbé de façon menaçante par les événements survenus entre 1914 et 1924. La vieille génération, ébranlée dans ses

idéaux et dans ses opinions, commençait à avoir envie de démissionner ; elle
flattait la jeunesse dont elle attendait
monts et merveilles. Et cette jeunesse
ne connaissait rien d'autre que le tapage
public, la sensation, l'anarchie et l'attrait dangereux de jeux irresponsables.
Elle n'attendait qu'une seule chose :
pouvoir mettre elle-même en scène
des spectacles plus grandioses encore
que ceux qu'on lui avait montrés, trouvant désormais toute forme de vie privée
"ennuyeuse", "bourgeoise" et "dépassée".
Les masses étaient elles aussi habituées
aux sensations que procure le désordre
– et leur ultime grande superstition
avait été ébranlée : la foi orthodoxe et
minutieusement ritualisée dans les pouvoirs magiques de l'omniscient saint Marx
et dans le caractère inéluctable de l'évolution par lui prophétisée.

C'est ainsi que sous la surface tout
était prêt pour la catastrophe.

Cependant que dans le monde visible
régnaient une paix dorée, le calme plat,
l'ordre, la bienveillance et la bonne volonté. Même les prodromes du malheur
à venir semblaient s'inscrire parfaitement dans ce tableau paisible.

12

L'un de ces signes avant-coureurs qui fut non seulement méconnu, mais encouragé et loué par les pouvoirs publics, fut la manie du sport qui, à l'époque, s'empara de la jeunesse allemande.

Dans les années 1924, 1925, 1926, l'Allemagne devint d'un seul coup une grande puissance sportive. Jamais jusqu'alors elle n'avait été un pays sportif. Dans ce domaine, elle n'a jamais fait preuve de créativité, n'a jamais rien inventé comme l'Angleterre et l'Amérique, et l'esprit du sport, cette façon de s'absorber entièrement dans un univers ludique fait de règles et de lois qui lui sont propres, est tout à fait étranger au tempérament allemand. Pourtant, au cours de ces années-là, le nombre des licenciés et des spectateurs fut multiplié par dix. Les boxeurs et les coureurs devinrent des héros nationaux, et les garçons de vingt ans avaient la tête farcie de résultats, de noms, et de ces hiéroglyphes chiffrés qui traduisent dans les journaux certains records de vitesse et d'adresse.

C'est la dernière grande folie collective allemande à laquelle j'ai moi-même succombé. Deux années durant, ma vie intellectuelle resta pratiquement au point mort ; je m'entraînais avec acharnement à la course sur moyenne et longue distance, et j'aurais sans hésiter vendu mon âme au diable pour pouvoir, rien qu'une fois, courir le huit cents mètres en moins de deux minutes. J'assistais à toutes les fêtes sportives, je connaissais tous les coureurs et leur meilleur temps, sans parler de la liste des records d'Allemagne et du monde que j'aurais pu débiter en dormant. Les reportages sportifs jouaient le même rôle que les communiqués militaires dix ans plus tôt ; les records et les temps avaient remplacé les prisonniers et les prises. "Houben court le cent mètres en 10,6 secondes" provoquait exactement les mêmes sentiments que naguère "vingt mille Russes faits prisonniers", et "Peltzer remporte le championnat d'Angleterre en battant le record du monde" correspondait à des événements qui, hélas, n'avaient jamais eu lieu pendant la guerre, par exemple "Paris tombe entre nos mains" ou "l'Angleterre demande la paix". Je rêvais jour et nuit d'égaler Houben et Peltzer. Je ne manquais aucun match. Je m'entraînais trois fois par semaine, je cessai de fumer, remplaçant la cigarette par des mouvements de gymnastique avant le coucher. Et j'éprouvais un bonheur total à me sentir parfaitement à l'unisson avec plusieurs dizaines, plusieurs centaines de milliers de personnes, que dis-je : avec tout le monde. Il n'était pas un garçon de mon âge, si différent, si fruste, si antipathique fût-il, avec qui je ne pusse m'entretenir brillamment et durant des heures dès notre première rencontre, à condition de parler sport. Tous avaient les mêmes chiffres en tête. Tous en pensaient la même chose, sans avoir à le dire tant cela allait de soi. C'était presque aussi beau que la guerre. C'était, une fois encore, le même grand jeu. Nous nous comprenions tous sans paroles. Notre esprit se nourrissait de chiffres, notre âme vibrait d'une excitation perpétuelle : Peltzer pourrait-il battre Nurmi ? Körnig atteindrait-il les 10,3 ? Un Allemand parviendrait-il enfin à courir le quatre cents mètres en moins de quarante-huit secondes ? Et tandis que nos pensées étaient tout entières tournées vers nos champions allemands présents sur les stades internationaux, nous nous entraînions, courant nos petites courses à nous, de même que pendant la guerre, armés de petits fusils et de sabres de bois, nous livrions nos petites batailles dans les squares et les rues en pensant à Hindenburg et à

Ludendorff. Quelle vie agréable et passionnante !

Curieusement, les hommes politiques de tout bord n'avaient pas assez de louanges pour saluer cet abrutissement soudain, manifeste et généralisé de la jeunesse. Non contents de nous livrer une fois de plus au vice de notre génération, la drogue des chiffres froids et sans contact avec la réalité, nous le faisions sous le regard attentif et unanimement approbateur de nos éducateurs. Les "nationaux", épais et stupides comme toujours, estimaient qu'un merveilleux instinct nous avait fait découvrir un superbe succédané du service militaire. Comme si nous nous étions souciés d'entraînement physique ! Les gens de gauche, finauds et au bout du compte presque encore plus bêtes que les nationaux (comme toujours), trouvaient merveilleux que nos instincts guerriers pussent se donner libre cours sur un gazon pacifique grâce à la course et à la gymnastique, et voyaient la paix universelle assurée. Ils ne remarquaient pas que les "champions allemands" arboraient sans exception des rubans noir-blanc-rouge, bien que les couleurs de la République fussent noir-rouge-or. Ils n'avaient pas l'idée que, bien loin de chercher un exutoire à nos instincts belliqueux, nous nous exercions à attiser la flamme du jeu guerrier, antique image du grand, du passionnant championnat des nations. Ils ne voyaient ni le rapport, ni la rechute.

Le seul à sentir apparemment que les forces qu'il avait libérées prenaient une direction vicieuse et dangereuse fut Stresemann lui-même. Il faisait à l'occasion des remarques déconcertantes sur la "nouvelle aristocratie du biceps", qui contribuaient à le rendre impopulaire. Il devait soupçonner ce qui se manifestait ici : les énergies et les passions aveugles auxquelles il avait fermé le chemin de la politique n'étaient pas mortes, elles cherchaient une soupape. La génération montante se refusait à apprendre à vivre honnêtement, humainement, et n'usait de sa liberté que pour organiser un chahut collectif.

Du reste, cette épidémie de sport ne dura qu'environ trois ans. (Pour ma part, je fus guéri plus tôt.) Il lui manquait, pour durer plus longtemps, ce que la "victoire finale" avait été à la guerre : un but et un terme. C'était au fond toujours la même chose : les mêmes noms, les mêmes chiffres, les mêmes sensations. Il n'y avait pas de raison que cela cesse. Mais cela ne pouvait occuper toujours l'imagination. Bien que l'Allemagne ait été seconde aux Jeux olympiques d'Amsterdam en 1928, la déception ne tarda pas à remplacer l'enthousiasme. Les résultats disparurent de la une des journaux pour être relégués dans les pages sportives. Les stades se vidèrent. Il n'était plus absolument certain que n'importe quel garçon de vingt ans connût le dernier temps de tous les coureurs de cent mètres. On en revit quelques-uns qui ne savaient même pas les records mondiaux par cœur.

Mais, parallèlement, ces ligues et ces partis qui faisaient de la politique comme on fait du sport et qui avaient été presque morts pendant quelques années commencèrent doucement, tout doucement, à se réveiller.

13

Non, l'époque Stresemann n'a pas été une grande époque. Ce n'était pas une réussite totale, pas même alors qu'elle durait encore. L'enfer grondait sous la surface, trop de démons maléfiques restaient perceptibles à l'arrière-plan, certes enchaînés et réduits au silence pour l'instant, mais non exterminés. Et aucun symbole puissant ne se dressait pour les conjurer. L'époque manquait de grandeur et de majesté, elle n'était pas pleinement convaincue de sa propre cause. Les vieilles idées bourgeoises et patriotiques, pacifiques et libérales étaient remises à l'honneur, mais faisaient bien sentir qu'il s'agissait d'une solution de remplacement, un bouche-trou placé là *faute de mieux** et "en attendant". Ce n'était pas une époque que l'on pourrait quelque jour, dans le rôle d'un "glorieux passé", opposer à un morne présent. Et pourtant…

Talleyrand affirme que quiconque n'a pas vécu avant 1789 n'a pas connu la douceur de vivre. Les Allemands de la vieille génération ont employé des formules similaires pour parler de l'époque antérieure à 1914. Il paraîtrait un peu ridicule de les appliquer à l'époque de Stresemann. Mais quoi qu'il en soit, pour notre génération, elle est, avec toutes ses faiblesses, la meilleure que nous ayons vécue. La seule douceur de vivre que nous connaissions lui est associée. Ce fut la seule époque où la tonalité fondamentale de notre existence cessa d'être une tonalité mineure

---

* En français dans le texte.

pour être une tonalité majeure – encore qu'un peu hésitante et voilée. La seule époque ou l'on pût vraiment vivre. La plupart, je l'ai dit, ne surent qu'en faire ou n'y parvinrent pas. Pour nous autres, elle représente notre plus précieux viatique.

Il est difficile de parler de choses qui ne se sont pas réalisées, de prémices restées au stade du "peut-être" et du "presque". Et pourtant, j'ai l'impression que l'Allemagne d'alors a vu germer, à côté de démons menaçants et de maléfices extra-humains, des plantes rares et précieuses. La majeure partie de la génération montante était irrémédiablement gâtée. Mais la minorité restante était peut-être plus riche de promesses qu'aucune génération des cent années précédentes. La décennie sauvage de 1914 à 1923 avait balayé tous les repères et toutes les traditions, mais aussi tous les miasmes et tout le fatras. La plupart étaient devenus des cyniques sans principes. Mais ceux qui surent apprendre à vivre avaient été admis d'emblée, pour ainsi dire, dans une classe supérieure – au-delà des illusions et des niaiseries dont se nourrit une jeunesse enfermée. Nous avions été exposés à tous les vents, mais non point confinés ; nous étions appauvris, privés même des valeurs traditionnelles de l'esprit, mais en revanche libres de préjugés ancestraux ; nous étions trempés et aguerris. Si nous échappions au risque de l'endurcissement, nous n'étions pas guettés par l'amollissement. Si nous échappions au cynisme, nous ne risquions pas de devenir rêveurs comme Parsifal. Un avenir très beau, très prometteur, se préparait chez l'élite de la jeunesse allemande entre 1925 et 1930 : un nouvel idéalisme au-delà du doute et de la désillusion ; un nouveau libéralisme plus vaste, plus riche, plus mûr que le libéralisme politique du XIXᵉ siècle ; voire les fondements d'une autre noblesse, d'une nouvelle aristocratie, d'une nouvelle esthétique de l'existence. Tout cela était encore bien loin de devenir réalité et de prendre le pouvoir. C'en était à peine au stade des idées et des mots quand les brutes arrivèrent pour tout piétiner.

Malgré tout, on sentait alors un air frais qui soufflait sur l'Allemagne et une remarquable absence de mensonge conventionnel. Les barrières entre les classes sociales étaient devenues minces et fragiles – peut-être un bénéfique effet secondaire de l'appauvrissement général. Beaucoup d'étudiants travaillaient durant leur temps libre, beaucoup de jeunes travailleurs consacraient leurs loisirs à l'étude. Les préjugés de classe et la morgue en col blanc n'étaient plus à la page. Les relations entre les sexes étaient plus ouvertes et plus libres que jamais – peut-être un bénéfique effet secondaire de ces longues années de désordre. Les générations qui n'avaient pu qu'adorer des vierges inaccessibles et se défouler avec des putains ne nous inspiraient même plus un sentiment de supériorité méprisante, mais tout juste un étonnement plein de compassion. Enfin, même les relations entre les nations virent se dessiner une nouvelle chance : davantage de spontanéité, un intérêt croissant pour l'autre, un vrai plaisir devant la diversité que le monde doit à l'existence de tant de peuples. Le Berlin de l'époque était une ville assez internationale. Bien sûr, il y avait déjà à l'arrière-plan ces sinistres nazis qui, le regard meurtrier, parlaient de la "racaille orientale" ou, avec une moue méprisante, d'"américanisation". Ils "nous" inspiraient un profond écœurement. "Nous", part indéfinissable de la jeunesse allemande dont les membres se reconnaissaient où qu'ils se rencontrassent, n'étions pas seulement xénophiles, mais véritablement xénolâtres. La vie était tellement plus intéressante, plus belle, plus riche grâce à tous ces gens qui n'étaient pas des Allemands ! Les étrangers étaient toujours les bienvenus, qu'ils soient venus librement comme les Américains et les Chinois, ou exilés comme les Russes. Il régnait une grande ouverture d'esprit, une sympathie pleine de délicatesse et de curiosité, le propos conscient d'apprendre à connaître et à aimer les civilisations les plus lointaines. On vit naître alors plus d'une amitié, plus d'un amour avec l'Extrême-Orient et l'Extrême-Occident.

Mes souvenirs les plus chers et les plus précieux sont liés à ce milieu à la fois international et familier, un petit coin d'univers en plein Berlin. C'était un petit club de tennis universitaire, dans lequel les Allemands étaient à peine plus nombreux que d'autres nationalités. Curieusement, les Anglais et les Français étaient rares, mais, à part cela, la planète entière était représentée : Américains et Scandinaves, Baltes et Russes, Chinois et Japonais, Hongrois et habitants des Balkans... il n'y manquait même pas un Turc drôle et mélancolique. Nulle part je n'ai retrouvé une atmosphère aussi ouverte, juvénile et détendue, si ce n'est au cours d'un bref passage à Paris, dans le Quartier latin. Je suis pris d'une profonde nostalgie quand je pense aux soirs d'été que nous passions au club-house après avoir joué, et qui se prolongeaient souvent jusque tard dans la nuit ; assis en costume de tennis dans des fauteuils de rotin, buvant et plaisantant, nous avions d'interminables et ardentes conversations bien différentes des débats politiques obstinés des années précédentes et suivantes. Nous les interrompions parfois pour jouer une partie de ping-pong ou danser au son du gramophone. Que d'innocence et de sérieux juvénile, que de rêves d'avenir, que d'ouverture, de sympathie universelle, de confiance ! Je dois me pincer quand j'y pense. Je ne sais ce qui est le plus incroyable aujourd'hui : penser que cela a existé en Allemagne voici à peine dix ans – ou que cela ait pu disparaître aussi totalement, sans laisser la moindre trace, en à peine dix ans.

C'est aussi dans ce milieu que j'ai connu mon amour le plus profond et le plus durable. Je crois que je puis en parler ici, car cela ne concerne pas que moi. Prétendre qu'"on n'aime vraiment qu'une seule fois" est certainement un mensonge romantique – encore qu'un des plus répandus et des plus populaires du siècle dernier –, et il est plutôt oiseux d'établir une hiérarchie entre des expériences amoureuses incomparables et de dire : "C'est telle ou telle que j'ai le plus aimée." La vérité, en revanche, c'est qu'il existe, généralement autour de la vingtième année, un moment dans la vie où l'amour et le choix qu'on en fait exercent sur le destin et sur le caractère une influence plus grande. Alors, dans la femme que l'on aime, on aime plus que cette femme : tout un aspect du monde, toute une conception de l'existence, un idéal si l'on veut – mais un idéal qui s'est fait chair, un idéal vivant. Le privilège du garçon de vingt ans – et encore : de certains seulement –, c'est d'aimer dans une femme ce que l'homme ressentira plus tard comme son étoile.

Aujourd'hui, je dois chercher des formules abstraites pour décrire ce que j'aime au monde, ce que je veux y voir conserver à tout prix, ce que l'on ne doit pas trahir sauf à brûler dans les flammes éternelles : la liberté et l'intelligence du cœur, le courage, la grâce, l'humour, la musique – et je ne sais même pas si l'on me comprend. A l'époque, un nom suffisait à exprimer la même chose, un nom qui n'était même qu'un surnom : Teddy, et je pouvais être sûr qu'au moins dans notre cercle tout le monde me comprendrait. Nous l'aimions tous, celle qui portait ce nom, une petite

Autrichienne aux cheveux couleur de miel, criblée de taches de rousseur, vive comme une flamme ; elle nous apprenait la jalousie et nous la désapprenait ; elle suscitait des comédies et de menues tragédies, nous inspirait des hymnes et des dithyrambes, et nous éprouvâmes que la vie est belle quand on la mène avec intelligence et courage, avec grâce et liberté, quand on sait prêter l'oreille à son humour et à sa musique. Nous avions, dans notre cercle, une déesse. La femme qui s'appelait alors Teddy a pu vieillir et s'humaniser, et nul d'entre nous, sans doute, n'est resté à la hauteur de son sentiment d'alors. Mais elle a existé, ce sentiment a existé, et cela est indélébile. Cela a exercé sur notre formation une influence plus puissante et plus durable que n'importe quel "événement historique".

Teddy disparut bientôt, comme c'est l'usage des déesses. Elle nous quitta dès 1930, pour Paris, et elle avait déjà l'intention de ne pas revenir. Elle fut peut-être la première exilée. Plus intuitive et plus sensible que nous, elle avait senti longtemps avant l'arrivée de Hitler la montée menaçante de la bêtise et du mal en Allemagne. Elle revenait chaque année nous voir en été, et trouvait à chaque fois l'air plus lourd et plus irrespirable. La dernière fois, c'était en 1933. Ensuite, elle ne revint plus.

Depuis longtemps, "nous" – ce "nous" indéfinissable sans nom, sans parti, sans organisation, sans pouvoir – étions devenus en Allemagne une minorité. Cette impression toute naturelle d'être universellement compris qui avait accompagné les jeux arithmétiques de la guerre et du stade avait depuis longtemps fait place à son contraire. Nous savions que nous ne pouvions échanger un mot avec nombre de nos contemporains, parce que nous parlions une autre langue. Nous sentions autour de nous surgir le langage des nazis : "engagement, garant, fanatique, frère de race, retour à la terre, dégénéré, sous-homme" – c'était un idiome exécrable dont chaque vocable recelait tout un univers de violence imbécile. Nous aussi, nous avions notre langage secret. Nous nous mettions rapidement d'accord quand il s'agissait de trouver les gens "sensés" ; cela n'impliquait pas que leur intelligence fût particulièrement efficace, mais qu'ils avaient une idée de ce qu'est la vie personnelle, et donc qu'ils étaient "des nôtres". Nous savions que les imbéciles avaient largement l'avantage du nombre. Mais tant que Stresemann était au pouvoir, nous avions la quasi-certitude qu'ils étaient tenus en échec. Nous évoluions parmi eux avec l'insouciance de promeneurs qui, dans un zoo moderne dont on a supprimé les cages, vont et viennent parmi les fauves en se fiant aux haies et aux fossés. Les fauves, de leur côté, devaient éprouver un sentiment correspondant : pour désigner l'ordre invisible qui leur assignait des limites tout en les laissant en liberté, ils introduisirent un terme révélateur de leur haine profonde : "le système".

Durant toutes ces années, ils ne tentèrent même pas d'assassiner Stresemann, et pourtant cela aurait été facile. Car il n'avait pas de gardes du corps, et il ne se claquemurait pas. Nous le voyions souvent se promener Unter den Linden, petit homme insignifiant coiffé d'un chapeau melon. "Est-ce que ce n'est pas Stresemann, sur le trottoir d'en face ?" demandait quelqu'un. Et c'était bien lui. On pouvait le voir par exemple arrêté devant un massif sur la Pariser Platz, soulever une fleur du bout de sa canne, la contempler pensivement de ses yeux saillants. Peut-être se demandait-il quel était son nom botanique.

Curieux : aujourd'hui, Hitler ne se montre que dans une automobile lancée à vive allure, entourée de dix ou douze autres occupées par des SS armés jusqu'aux dents. Sans doute a-t-il raison. En 1922, Rathenau, qui se passait d'escorte armée, fut promptement assassiné. Mais, entre-temps, Stresemann, sans armes et sans escorte, pouvait regarder les fleurs sur la Pariser Platz. Peut-être avait-il vraiment des pouvoirs magiques, cet homme épais, insignifiant, ni beau ni populaire, à la nuque de taureau et aux yeux saillants. Ou était-il justement protégé par son impopularité et son insignifiance ?

De loin, nous le suivions des yeux, nous le voyions, d'un pas lent et pensif, tourner dans la Wilhelmstrasse. Beaucoup de gens ne le reconnaissaient même pas, ne lui prêtaient aucune attention. D'autres le saluaient, et il leur rendait poliment leur salut, en ôtant son chapeau et non en tendant le bras ; il les saluait un par un, non en bloc – et nous nous demandions s'il était "sensé". Et quelle que fût la réponse, nous éprouvions une confiance paisible et une gratitude respectueuse envers ce personnage discret. Guère davantage. Il n'était pas homme à enflammer les passions.

C'est en mourant qu'il provoqua le sentiment le plus violent : une terreur

brutale. Il était souffrant depuis longtemps, mais on ne savait pas à quel
point. Certes, on se souvint après coup
que la dernière fois, Unter den Linden,
quatre semaines auparavant, il avait
semblé plus pâle et plus bouffi que
d'habitude. Mais il passait tellement
inaperçu. On ne lui avait pas prêté une
attention particulière. Et c'est aussi fort
discrètement qu'il mourut : au terme
d'une journée éprouvante, alors qu'il se
brossait les dents avant d'aller au lit,
comme n'importe quel citoyen ordinaire. Nous avons lu plus tard qu'il avait
soudain perdu l'équilibre, que le verre à
dents lui était tombé des mains… Le
jour suivant, les journaux titraient :
"Mort de Gustav Stresemann."

Et nous, en les lisant, fûmes glacés
de terreur. Qui, maintenant, dompterait
les fauves ? Ils venaient justement de
commencer à bouger, avec une initiative de plébiscite incroyable et insensée,
la première du genre : ils demandaient
que tous les ministres qui continue-
raient à conclure des traités sur la base
du "mensonge" qui imputait à l'Allemagne "la responsabilité de la guerre"
fussent passibles d'une peine de prison. Une aubaine pour les imbéciles.
Affiches et cortèges, rassemblements,
marches, çà et là une fusillade. La paix

était finie. Aussi longtemps que Stresemann avait été là, on n'y croyait pas
vraiment. Maintenant, on le savait.

Octobre 1929. Vilain automne après
un bel été, pluie, froidure et vent, et
dans l'air quelque chose d'oppressant
qui ne venait pas des conditions météo-
rologiques. Paroles de haine sur les
colonnes Morris ; pour la première fois
dans les rues, des uniformes couleur
d'excréments surmontés de visages
déplaisants ; les pétarades et les siffle-
ments d'une musique de marche inconnue, suraiguë et vulgaire. Embarras chez
les fonctionnaires, tumulte au Reichstag,
les journaux remplis d'une crise gou-
vernementale larvée, qui n'en finissait
pas. On connaissait tout cela, c'était
un mauvais souvenir qui sentait 1919
ou 1920. Et le pauvre Hermann Müller*
n'était-il pas redevenu chancelier comme
à l'époque ? Tant que Stresemann était
ministre des Affaires étrangères, on se
souciait assez peu du chancelier. Sa
mort était le début de la fin.

* Hermann Müller (1876-1931), social-démocrate. Ministre des Affaires étrangères, il signa
le traité de Versailles en 1919. Il fut chancelier
de mars à juin 1920, puis de 1928 à 1930.

131

14

Au printemps 1930, Brüning devint chancelier. Autant que nous puissions nous souvenir, c'était la première fois que l'Allemagne était dirigée d'une main ferme. De 1914 à 1923, tous les gouvernements avaient été faibles. Stresemann avait pris des mesures habiles et radicales, mais tout en souplesse, sans blesser personne. Brüning n'arrêtait pas de blesser tout le monde, c'était son style, il mettait un point d'honneur à être "impopulaire". Un homme dur, osseux, l'œil étréci et sévère derrière des lunettes sans monture. Il répugnait par nature au liant, à la rondeur. Ses succès – il en connut quelques-uns, c'est incontestable – avaient toujours le schéma "opération réussie, patient mort", ou "position maintenue, garnison massacrée". Pour poursuivre jusqu'à l'absurde le paiement des réparations, il mit l'économie allemande au bord de la faillite ; les banques fermèrent, le nombre des chômeurs atteignit six millions. Pour sauver le budget malgré tout, il appliquait avec une farouche rigueur la recette du père de famille sévère : "se serrer la ceinture". A intervalles réguliers, tous les six mois environ, sortait un décret-loi qui réduisait et réduisait encore les traitements, les retraites, les prestations sociales, et finit par réduire jusqu'aux salaires privés et aux intérêts. L'un entraînait l'autre, et Brüning, les dents serrées, en tirait chaque fois la douloureuse conséquence. Plusieurs des instruments de torture les plus efficaces de Hitler furent inaugurés par Brüning : c'est à lui que l'on doit la "gestion des devises", qui empêchait les voyages à l'étranger, l'"impôt sur la désertion", qui rendait l'exil impossible ; c'est lui aussi qui commença à limiter la liberté de la presse et à museler le Parlement. Et pourtant, étrange paradoxe, il faisait tout cela pour défendre la république. Mais les républicains commençaient peu à peu à se demander, et on les comprend, ce qui leur restait encore à défendre.

A ma connaissance, le régime de Brüning a été la première esquisse et pour ainsi dire la maquette d'une forme de gouvernement qui a été imitée depuis dans de nombreux pays d'Europe : une semi-dictature au nom de la démocratie et pour empêcher une dictature véritable. Quiconque se donnerait la peine d'étudier à fond le système de Brüning y trouverait tous les éléments qui font en fin de compte de ce mode de gouvernement, de façon presque inéluctable, le modèle de ce qu'il est censé combattre : c'est un système qui décourage ses propres adeptes, sape ses propres positions, accoutume à la privation de liberté, se montre incapable d'opposer à la propagande ennemie une défense fondée sur des idées, abandonne l'initiative à ses adversaires et finalement renonce au moment où la situation aboutit à une épreuve de force.

Brüning n'était pas vraiment suivi. Il était toléré. Il était le moindre mal : le maître sévère qui corrige ses élèves en affirmant "Cela me fait plus mal qu'à vous", face au bourreau sadique. On couvrait Brüning, parce qu'il semblait la seule protection possible contre Hitler. Il le savait, bien entendu. Et comme son existence politique était directement liée à sa lutte contre Hitler, et donc à l'existence de celui-ci, il ne devait en aucun cas l'anéantir. Il devait combattre Hitler, mais en même temps le conserver. Il ne fallait pas que Hitler parvienne au pouvoir, mais il devait rester dangereux. Difficile équilibre que Brüning, les dents serrées, impassible comme un joueur de poker, maintint pendant deux ans, et c'était déjà une performance. Il était inévitable que l'équilibre se rompît un jour. Qu'arriverait-il alors ? Question sous-jacente à toute la période Brüning : et après ? Ce fut une époque où seule la perspective d'un avenir d'épouvante tempérait la tristesse du présent.

Brüning lui-même n'avait rien d'autre à offrir au pays que la misère, la morosité, la limitation de la liberté et l'assurance qu'on ne pouvait rien obtenir de mieux. Tout au plus pouvait-il exhorter au stoïcisme. Mais il était trop austère de nature pour que même cette exhortation fût convaincante. Il ne lança à la nation ni une grande idée, ni un appel. Il ne faisait que la recouvrir d'une ombre chagrine.

Cependant que les énergies restées si longtemps en jachère se rassemblaient à grand bruit.

Le 14 septembre 1930 eurent lieu ces élections législatives qui propulsèrent à la deuxième place un petit parti ridicule : les nazis passèrent de douze mandats à cent sept. De ce jour, la figure phare de l'époque Brüning cessa d'être Brüning pour devenir Hitler. La question n'était plus : Brüning restera-t-il ? mais : Hitler viendra-t-il ? Les discussions politiques âpres et torturantes ne mettaient plus aux prises partisans et adversaires de Brüning, mais partisans et adversaires de Hitler. Et dans les faubourgs, où les fusillades avaient repris, on ne s'entre-tuait pas au nom de Brüning, mais au nom de Hitler.

Et pourtant la personne de Hitler, son passé, sa façon d'être et de parler pouvaient être d'abord un handicap pour le mouvement qui se rassemblait derrière lui. Dans de nombreux milieux, il était encore en 1930 un personnage plutôt fâcheux sorti d'un trouble passé : le rédempteur bavarois de 1923, l'homme du putsch grotesque perpétré dans une brasserie... Son aura personnelle était parfaitement révulsante pour l'Allemand normal, et pas seulement pour les gens "sensés" : sa coiffure de souteneur, son élégance tapageuse, son accent sorti des faubourgs de Vienne, ses discours trop nombreux et trop longs qu'il accompagnait de gestes désordonnés d'épileptique, l'écume aux lèvres, le regard tour à tour fixe et vacillant. Et le contenu de ces discours : plaisir de la menace, plaisir de la cruauté, projets de massacres sanglants. La plupart des gens qui l'acclamèrent en 1930 au Sportpalast auraient probablement évité de lui demander du feu dans la rue. Mais déjà se montrait ici un phénomène étrange : la fascination qu'exerce précisément, dans son excès même, la lie la plus écœurante. Nul n'aurait été surpris

si, dès le premier discours du personnage, un sergent de ville l'avait saisi au
collet pour le mettre au rancart dans
un endroit où l'on n'aurait plus jamais
entendu parler de lui et où il eût été
sans nul doute à sa place. Mais rien de
tel ne se produisit. Au contraire, cet
individu ne cessa de surenchérir, devenant de plus en plus dément, de plus
en plus monstrueux, et parallèlement
de plus en plus célèbre et de plus en
plus en vue, si bien que l'effet s'inversa :
le monstre se mit à fasciner. En même
temps qu'intervenait le mystérieux "effet
Hitler" : ses adversaires, étrangement
obnubilés et anesthésiés, ne comprenaient rien à ce phénomène et se trouvaient comme hypnotisés par le regard
d'un serpent, incapables de comprendre
que l'enfer en personne les provoquait.

Hitler, convoqué comme témoin
devant la Cour suprême, rugit à la face
des juges qu'un jour il prendrait le pouvoir en toute légalité, et que des têtes
tomberaient. Rien ne se produisit. Le
président de la cour, un vieillard aux
cheveux blancs, n'eut pas l'idée de faire
emmener le témoin. Hitler, candidat
contre Hindenburg aux élections prési-
dentielles, déclara que la campagne était
de toute façon décidée en sa faveur :
son adversaire avait quatre-vingt-cinq

ans, lui quarante-trois, il pouvait attendre. Rien ne se produisit. Quand il le répéta au cours de la réunion suivante, le public se mit à rire comme si on le chatouillait. Six SA avaient attaqué dans son lit un homme qui ne partageait pas leurs opinions, le piétinant à mort. Condamnés à mort pour cet acte, ils reçurent de Hitler un télégramme de félicitations. Rien ne se produisit. Ou plutôt si : les six assassins furent graciés.

C'était étrange d'observer cette surenchère réciproque. L'impudence déchaînée qui transformait progressivement en démon un petit harceleur déplaisant, la lenteur d'esprit de ses dompteurs, qui comprenaient toujours un instant trop tard ce qu'il venait de dire ou de faire – c'est-à-dire quand il l'avait fait oublier par des paroles encore plus insensées ou par un acte encore plus monstrueux –, et l'état d'hypnose où il plongeait son public qui succombait de plus en plus passivement à la magie de l'abjection et à l'ivresse du mal.

Au reste, Hitler promettait tout à tout le monde, ce qui lui valait bien sûr une vaste clientèle et un électorat nombreux recruté parmi les indécis, les déçus, les appauvris. Mais ce n'était pas là l'élément décisif. Au-delà de la simple démagogie et des points de son programme, il promettait deux choses : la reprise du grand jeu guerrier de 1914-1918, et la réédition du grand sac anarchique et triomphant de 1923. En d'autres termes : sa politique extérieure future, sa future politique économique. Il n'avait pas besoin de le promettre explicitement ; il pouvait même prétendre le contraire (comme dans ses "discours de paix" ultérieurs) : on le comprenait quand même. Et cela lui valut ses vrais disciples, le noyau dur du parti nazi. Il faisait jouer les deux grands moments vécus et assimilés par la jeune génération. Telle une étincelle électrique, il se propagea sur tous ceux qui en avaient la secrète nostalgie. Seuls restèrent en dehors ceux qui avaient, en leur for intérieur, fait précéder ces deux moments d'un signe négatif. Donc "nous".

Mais "nous" n'avions pas d'autre parti, pas de drapeau auquel nous rallier, pas de programme ni de devise. Qui aurions-nous suivi ? Outre les nazis, qui partaient favoris, il y avait ces bourgeois réactionnaires et civilisés rassemblés autour du Stahlhelm*, des gens qui exaltaient avec un enthousiasme un peu fumeux "l'expérience du front" et "le

---

* "Casque d'acier", association d'anciens combattants fondée en novembre 1918.

retour à la terre" et qui, sans avoir la vulgarité déchaînée des nazis, en partageaient les ressentiments stupides et l'attitude fondamentalement hostile à la vie. Il y avait les sociaux-démocrates, discrédités sur bien des fronts, vaincus longtemps avant la bataille. Enfin, il y avait les communistes avec leur dogmatisme sectaire et les défaites qu'ils traînaient comme une comète sa queue. (Curieux, quoi que les communistes entreprissent, ils étaient toujours, pour finir, battus – et abattus alors qu'ils tentaient de fuir. Cela semblait être une loi naturelle.)

Pour le reste, il y avait l'énigmatique Reichswehr, commandée par un général de cabinet porté sur l'intrigue, et la police prussienne, qui avait la réputation d'être un instrument du pouvoir républicain, fiable et bien entraîné. Sachant ce que l'on savait, cette réputation n'était pas sans inspirer une certaine méfiance.

Telles étaient les forces en jeu. Quant au jeu lui-même, il se traînait avec une pesante morosité, sans points culminants, sans tension dramatique, sans dénouement prévisible. L'atmosphère qui régnait alors en Allemagne rappelle à plus d'un égard celle qui règne aujourd'hui en Europe : attente engourdie de l'inéluctable, auquel on espère cependant, jusqu'à la dernière minute, échapper. Ce qu'est aujourd'hui en Europe la guerre qui se prépare, c'était alors en Allemagne la prise du pouvoir par Hitler et la "Nuit des longs couteaux*", dont les nazis parlaient par anticipation. Même les détails étaient semblables : la lente approche de la catastrophe, le désarroi des forces d'opposition, désespérément cramponnées aux règles que l'ennemi violait quotidiennement, la guerre unilatérale, l'état intermédiaire entre "l'ordre et la paix" et la "guerre civile" (il n'y avait pas de barricades, mais il y avait tous les jours des bagarres, des fusillades absurdes et puériles, des attentats dirigés contre les locaux des divers partis, et sans cesse de nouveaux morts). Même l'idée de l'*appeasement* était déjà dans l'air : des groupes puissants étaient partisans de "confier des responsabilités à Hitler" pour "l'empêcher de nuire". Il y avait des discussions politiques sans fin, hargneuses et stériles, partout : dans les salons de thé, les bistrots, les boutiques, les écoles, les familles. Et, n'ayons garde de l'oublier, les jeux arithmétiques étaient de nouveau à l'honneur. Car des élections

* Voir la note de la page 59.

plus ou moins importantes avaient lieu à tout bout de champ, et chacun avait en tête des suffrages et des mandats. Les chiffres des nazis montaient sans cesse. Ce qui n'existait plus, c'était la joie de vivre, la gentillesse, l'innocence, la bienveillance, la compréhension, la bonne volonté, la générosité et l'humour. Il n'y avait plus non plus de bons livres, et sûrement plus personne pour s'y intéresser. L'air d'Allemagne était rapidement devenu irrespirable.

Il le devint de plus en plus jusqu'à l'été 1932. Puis Brüning tomba, d'un jour à l'autre, sans raison, et ce fut l'étrange intermède Papen-Schleicher : un gouvernement d'aristocrates, dont personne ne savait au juste qui ils étaient, et six mois d'une cavalcade frénétique. On assista à la liquidation de la république, à la suspension de la constitution, à la dissolution de l'Assemblée, à de nouvelles élections suivies d'une nouvelle dissolution, à l'interdiction de plusieurs journaux, au renvoi du gouvernement prussien, au remplacement de tous les hauts fonctionnaires – et tout cela dans une atmosphère presque joyeuse, avec une insouciance poussée à son paroxysme. L'année 1939 a dans toute l'Europe le même goût que cet été 1932 en Allemagne : on n'était plus séparé

de la fin que par l'épaisseur d'un cheveu, ce que l'on redoutait pouvait intervenir d'un instant à l'autre. Dans leur
uniforme enfin autorisé, les nazis em-
plissaient les rues, lançaient déjà des
bombes, élaboraient déjà des listes de
proscription ; dès le mois d'août, on
négociait avec Hitler pour lui proposer
le poste de vice-chancelier et en
novembre, Papen et Schleicher s'étant
brouillés, on lui offrit même la chancellerie. Entre Hitler et le pouvoir, il n'y
avait plus désormais que la fortune de
quelques nobliaux qui faisaient de la
politique comme on joue à la roulette.
Tous les obstacles sérieux avaient été
éliminés. Plus de constitution, plus de
garanties juridiques, plus de république,
plus rien de rien, plus même de police
prussienne républicaine. De même,
aujourd'hui, la Société des nations a
disparu ainsi que la sécurité collective,
la valeur des traités et le sens des
négociations ; l'Espagne est tombée, et
l'Autriche, et la Tchécoslovaquie. Et
pourtant, à l'époque comme aujour-
d'hui, au dernier moment, le plus dangereux, le plus désespéré, se répandit
un optimisme pathologique et béat,
un optimisme de joueur, la certitude
confiante et joyeuse que tout s'arran-
gerait à la dernière minute. Les caisses

de Hitler n'étaient-elles pas vides ? Ne sont-elles pas vides ? Les anciens amis de Hitler eux-mêmes n'étaient-ils pas passés à la résistance ? Ne le sont-ils pas aujourd'hui encore ? la politique figée n'avait-elle pas recommencé à vivre et à bouger – comme dans l'Europe de 1939 ?

Alors comme aujourd'hui, on commençait juste à jouer avec l'idée que le pire était passé.

15

Nous sommes arrivés. Le trajet est terminé. Nous voici sur le pré. Le duel peut commencer.

LA RÉVOLUTION

16

MOI : AU DÉBUT DE 1933, ce "moi" était un jeune homme de vingt-cinq ans, bien nourri, bien habillé, bien élevé, aimable, correct, déjà un peu poli et lissé ; plus vraiment un étudiant immature et dégingandé, mais un homme qui ne s'était pas encore frotté au sérieux de l'existence. Dans l'ensemble, un produit standard de la bourgeoisie allemande cultivée, et pour le reste une page à peu près blanche. Si on excepte le fait que j'avais vécu jusqu'à présent dans un contexte historique plutôt intéressant et dramatique, ma vie n'avait rien eu de particulièrement dramatique ni intéressant. Le seul vécu personnel qui m'eût atteint plus profondément, laissant déjà quelques cicatrices, me valant une certaine expérience et modelant mon caractère, c'étaient ces épisodes amoureux heureux ou malheureux que connaissent tous les jeunes gens de cet âge. A l'époque, ils m'intéressaient bien davantage que quoi que ce fût d'autre ; ils étaient "la vraie vie". Pour le reste, j'étais encore – semblable là aussi à tous les jeunes Allemands du même âge et du même milieu – encore un fils de famille : bien nourri et bien habillé, mais à qui un père remarquable, vieillissant, intéressant, peu commode mais secrètement aimé, mesurait l'argent de poche par principe. Mon père tenait alors dans ma vie une place absolument prépondérante, même si je n'en étais pas toujours enchanté. Si je voulais me lancer dans quelque entreprise sérieuse ou prendre une décision importante, je ne pouvais faire autrement que de consulter mon père. Et si je veux décrire ce que j'étais à l'époque – ou plutôt ce que j'étais en passe de devenir –, je ne puis aujourd'hui encore faire autrement que de décrire mon père.

Mon père avait des opinions libérales, mais son attitude et son existence étaient celles d'un puritain prussien.

Il existe une variété de puritanisme spécifique à la Prusse, qui était avant

1933 une des forces intellectuelles dominantes dans la vie allemande et qui joue encore aujourd'hui un certain rôle sous-jacent. Elle est apparentée au puritanisme anglais classique, mais avec quelques différences caractéristiques. Son prophète est Kant et non Calvin, son grand modèle est Frédéric II, non Cromwell. Comme le puritanisme anglais, le puritanisme prussien exige rigueur, dignité, ascétisme, respect du devoir, un loyalisme et un sens de l'honneur poussés jusqu'à l'abnégation, le mépris du monde poussé jusqu'à l'austérité. Le puritain prussien, comme l'anglais, donne par principe peu d'argent de poche à ses fils et fronce le sourcil devant leurs juvéniles expériences érotiques. Mais le puritanisme prussien est sécularisé. Son culte, ses sacrifices ne s'adressent pas à Jéhovah, ils s'adressent au *roi de Prusse**. Les honneurs et le salaire terrestre qu'il en retire ne sont pas la fortune personnelle, mais des distinctions officielles. Et, ce qui est peut-être le plus important, le puritanisme prussien possède une issue dérobée qui donne sur l'indépendance et la liberté, et qui porte l'inscription *privé*.

On sait que l'austère et ascétique Frédéric II, figure emblématique du

* En français dans le texte.

puritanisme prussien, était dans le privé un libre penseur ami de Voltaire, qui faisait des vers et jouait de la flûte. Presque tous ses disciples, hauts fonctionnaires et officiers prussiens, eurent pendant deux siècles des occupations privées semblables. Le puritanisme prussien use volontiers de la formule imagée "écorce rude, cœur tendre". C'est le puritain prussien qui a inventé cette étrange façon de présenter les choses qu'ont les Allemands : "Si je vous parle en tant qu'homme, je dirai… Mais si je vous parle en tant que fonctionnaire, je dirai…" C'est le fondement d'un état de fait qui reste aujourd'hui encore incompréhensible à nombre d'étrangers : la Prusse – l'Allemagne prussienne – dans son ensemble agit et se présente comme une machine inhumaine, vorace et cruelle, mais dans le particulier, quand on s'y rend et qu'on entre personnellement en contact avec les Prussiens et les Allemands, ils donnent souvent l'impression d'être tout à fait sympathiques, humains, inoffensifs et gentils. Si la nation allemande mène une double vie, c'est que chaque Allemand, ou presque, mène une double vie.

Dans la sphère privée, mon père aimait passionnément la littérature, et la connaissait bien. Sa bibliothèque comportait quelques dizaines de milliers de volumes, et il ne cessa de l'enrichir et de la compléter jusqu'à sa mort. Et ces livres, il ne se contentait pas de les posséder – il les avait lus. Les grands noms du XIXᵉ siècle européen – Dickens et Thackeray, Balzac et Hugo, Tourgueniev et Tolstoï, Raabe et Keller (pour ne citer que ses préférés) – n'étaient pas seulement des noms pour lui, mais des amis intimes avec lesquels il avait mené de longues discussions muettes et passionnées. Et dans la conversation, il ne s'épanouissait jamais autant que lorsqu'il pouvait poursuivre ces discussions à voix haute.

Or, la littérature est un étrange passe-temps. Dans la sphère privée, on peut sans doute être impunément collectionneur ou botaniste, peut-être même amateur de tableaux ou mélomane. Mais le commerce quotidien avec l'esprit vivant ne reste jamais "privé". Il est facile d'imaginer qu'un homme qui, durant des années, explore "dans son privé" tous les sommets et tous les abîmes de la pensée et de la poésie européennes devient un beau jour tout simplement incapable d'être un fonctionnaire prussien étroit, rigoureux, scrupuleusement zélé. Ce n'était pas le cas de mon père. Il le resta. Mais sans briser le moule prussien et puritain, il s'appropria une philosophie empreinte d'un scepticisme libéral qui transforma peu à peu en masque son visage de fonctionnaire. Il combinait les deux aspects au moyen d'une ironie secrète extrêmement subtile et qui ne se manifestait jamais – il me semble d'ailleurs que c'est là l'unique façon d'anoblir et de légitimer le fonctionnaire, race dont l'existence pose des problèmes humains d'une grande complexité. La conscience, toujours en éveil, que le puissant dignitaire qui se trouve derrière le guichet et l'humble quémandeur qui se trouve devant ne sont tous deux que des hommes et rien d'autre ; qu'ils jouent un rôle dans une pièce ; que le rôle du fonctionnaire exige certes rigueur et froideur, mais aussi beaucoup de prudence, de bienveillance, de circonspection ; que rédiger une ordonnance dans le style administratif le plus dépouillé, pour peu qu'elle concerne une affaire épineuse, demande parfois plus de délicatesse que de composer un poème lyrique, plus de discernement et de pondération que de dénouer une intrigue. Au cours des promenades qu'il aimait à faire avec moi dans ces années-là, mon père tentait de m'initier prudemment à ces secrets ultimes de la bureaucratie.

Car il tenait à ce que je devinsse fonctionnaire. Il avait constaté, non sans une certaine stupéfaction, que son goût de la lecture et de la discussion montrait chez moi une tendance à dégénérer en goût pour l'écriture, et il ne m'avait pas spécialement encouragé. Bien entendu, il ne m'avait pas le moins du monde opposé d'interdictions grossières, il s'en faut. Je pouvais bien consacrer mes loisirs à écrire autant de romans, de nouvelles et d'essais que je le voulais, et s'ils étaient imprimés et assuraient ma subsistance, tant mieux. Mais, entre-temps, il convenait que je fisse des "études sérieuses" pour passer mes examens. Tout au fond de lui-même, il éprouvait une méfiance puritaine à l'encontre d'une existence qui consistait à fréquenter les cafés et à noircir des pages à des horaires irréguliers, cependant que sa sagesse libérale répugnait à laisser administrer l'Etat par des ronds-de-cuir qui se complaisaient dans la chicane et l'autoritarisme, gaspillaient le précieux capital de la souveraineté de l'Etat en tranchant et décrétant à tort et à travers, et qui de toute façon prenaient déjà le commandement dans toutes les administrations.

Il s'évertuait à faire de moi ce qu'il avait été : un fonctionnaire cultivé. Et sans doute croyait-il me rendre, ainsi qu'à la nation allemande, le meilleur des services.

J'avais donc fait des études de droit, et j'étais devenu "référendaire". En Allemagne, à la différence des pays anglo-saxons, le futur juge ou futur employé d'administration est entraîné à exercer une autorité sitôt ses études terminées, à l'âge de vingt-deux, vingt-trois ans. Le "référendaire", une espèce de stagiaire, accomplit auprès des tribunaux et des services publics le même travail qu'un juge ou un fonctionnaire gouvernemental, mais sans responsabilité propre, sans pouvoir décisionnaire, et accessoirement sans traitement. Quoi qu'il en soit, de nombreux jugements, signés par des juges, ont été rédigés par des stagiaires ; dans les conseils, le stagiaire n'a pas de voix délibérative, mais il a une voix consultative et exerce assez souvent une réelle influence ; dans le courant de ma formation, il est même arrivé deux fois que le juge, heureux de se décharger, me laisse diriger les débats… Pour un garçon qui n'a jamais rien été d'autre qu'un fils de famille, ce soudain exercice du pouvoir administratif est sans nul doute une expérience qui, en bien ou en mal, ne peut manquer de l'influencer considérablement. J'en ai retiré au moins deux choses : une façon de me tenir – une attitude de froideur, de calme et de sécheresse bienveillante que l'on ne peut peut-être acquérir que derrière un guichet –, et la faculté de penser selon une "logique de fonctionnaire", d'une certaine façon abstraite et juridique. La suite des événements ne me fournit guère d'occasions de faire de l'une et de l'autre l'usage prévu. Mais, quelques années plus tard, ces capacités – surtout la seconde – m'ont littéralement sauvé la vie ainsi qu'à ma femme. En faisant en sorte que je les acquière, mon père ne pouvait évidemment pas le soupçonner.

Cela mis à part, je ne puis avoir aujourd'hui qu'un sourire apitoyé quand on me demande comment j'étais préparé à l'aventure qui m'attendait. Je ne l'étais absolument pas. J'ignorais jusqu'à la boxe et au jiu-jitsu – et ne parlons pas d'autres sciences comme la contrebande, le passage des frontières, l'usage de signes secrets, etc., toutes choses qu'il m'aurait été fort utile de savoir dans les années suivantes. Mais mon esprit lui-même était très mal préparé à ce qui allait venir. Ne dit-on pas que les états-majors en temps de paix préparent toujours excellemment leurs troupes à la guerre précédente ? Je ne sais ce qu'il en est. Mais il est certain que toutes les familles consciencieuses élèvent toujours excellemment leurs fils en vue de l'époque qui vient de s'écouler. Je possédais tout l'équipement intellectuel nécessaire pour jouer convenablement mon rôle dans la société bourgeoise d'avant 1914, et en outre, grâce à une certaine expérience de l'histoire, je pressentais vaguement qu'il ne me servirait peut-être pas beaucoup. Mais c'était tout. Tout au plus avais-je flairé ce qui m'attendait, suffisamment pour être sur mes gardes – mais je ne pouvais assigner à cet avenir une place dans mon univers mental.

Bien sûr, ce n'était pas seulement le cas pour moi, mais en gros pour toute ma génération, et plus encore pour nos aînés. (Et il en va ainsi aujourd'hui encore pour les étrangers qui ne connaissent le nazisme que par les journaux et les actualités cinématographiques.) Toute notre pensée se mouvait à l'intérieur d'une certaine civilisation dont les bases allaient de soi, à tel point qu'on les avait déjà presque oubliées. Quand nous nous disputions sur des antithèses – par exemple liberté et engagement,

nationalisme et humanisme, individua-
lisme et socialisme – cela n'atteignait
en rien certaines évidences relevant
d'une civilisation chrétienne et humaniste, qui se trouvaient hors de toute discussion. Même ceux qui se firent nazis à
l'époque ne savaient pas tous exactement ce que cela impliquait ; ils pouvaient penser être pour le nationalisme,
pour le socialisme, contre les juifs, pour
14-18, et la plupart d'entre eux se
réjouissaient secrètement du retour des
aventures collectives et de 1923 – mais
cela conservait, c'est évident, les formes
"humaines" d'un "peuple civilisé". La
plupart d'entre eux auraient certainement ouvert de grands yeux effrayés,
leur eût-on demandé (pour ne nom-
mer que quelques institutions particulièrement visibles, qui ne représentent
certainement pas la quintessence de
l'horreur) s'ils étaient favorables à l'instauration de chambres de torture officielles permanentes et aux pogromes
institués. Il existe aujourd'hui encore
des nazis pour ouvrir de grands yeux
effrayés quand on leur pose ce genre
de questions.

Quant à moi, je n'avais pas à l'époque
d'opinions politiques définies. J'avais
même du mal à décider, pour ne mentionner que la distinction la plus générale,

157

si j'étais "de droite" ou "de gauche". Lorsqu'en 1932 quelqu'un me posa cette
question de conscience, je répondis,
interdit et en hésitant beaucoup : "… Plutôt de droite…" Sur les questions du
jour, je ne prenais intérieurement parti
qu'au cas par cas, et parfois pas du tout.
Aucun des partis politiques existants ne
m'attirait particulièrement, si grand que
fût le choix. Il faut ajouter, *ut exempla
docent*, que l'appartenance à aucun
d'entre eux ne m'aurait empêché de
devenir nazi.

Ce qui m'en garda, ce fut… mon nez.
Je possède un flair intellectuel assez
développé ou, autrement dit, un sens
des valeurs (et des antivaleurs !) esthé-
tiques d'une tendance ou d'une opinion humaine, morale ou politique. La
plupart des Allemands en sont hélas
totalement dépourvus. Les plus intelligents sont capables de s'abêtir tout à
fait à force de discussions abstraites et
de déductions sur la valeur d'une chose
dont on peut constater grâce à son nez
qu'elle sent mauvais. Pour ma part,
j'avais dès cette époque l'habitude de
me forger avec le nez mes rares convictions inébranlables.

En ce qui concerne les nazis, mon
nez n'hésita pas. Il était inutile de se
fatiguer à parler pour savoir lesquels

de leurs prétendus buts et intentions valaient une discussion, ou du moins présentaient une "justification historique", étant donné l'odeur qu'exhalait l'ensemble. Les nazis étaient des ennemis, des ennemis pour moi-même et pour tout ce qui m'était cher : là-dessus, je ne m'abusai pas un instant. Mais je ne savais pas qu'ils seraient des ennemis aussi redoutables. Sur ce point, je m'abusais entièrement. A l'époque, j'inclinais encore à ne pas les prendre tout à fait au sérieux – tendance répandue chez leurs adversaires inexpérimentés, qui les a beaucoup servis et les sert aujourd'hui encore.

Peu de choses sont aussi comiques que le calme souverain et détaché avec lequel mes semblables et moi-même contemplâmes, comme d'une loge de théâtre, les débuts de la révolution nazie en Allemagne – processus qui ne visait pourtant à rien d'autre qu'à nous exterminer. La seule chose qui soit peut-être plus comique encore, c'est que des années plus tard, avec notre exemple sous les yeux, l'Europe entière se soit offert la même attitude supérieure de spectateur passif et amusé, alors que les nazis étaient depuis longtemps occupés à lui bouter le feu aux quatre coins.

17

Il est vrai qu'à ses débuts cette révolution eut les allures d'un de ces "événements historiques" que nous ne connaissions que trop bien : c'était l'affaire des journaux et, tout au plus, une question d'atmosphère.

Les nazis célèbrent le 30 janvier comme jour de leur révolution. A tort. Le 30 janvier 1933 n'apporta pas de révolution, mais un changement de gouvernement. Hitler devint chancelier, d'ailleurs nullement en qualité de chef d'un cabinet nazi (outre lui, le gouvernement ne comportait que deux nazis), et prêta serment à la constitution de Weimar. Selon l'opinion générale, les vainqueurs du jour n'étaient en aucune façon les nazis, mais les gens de la droite bourgeoise, qui avaient réussi à "mettre les nazis dans leur poche" et occupaient tous les postes clefs du gouvernement. Au point de vue du droit constitutionnel, l'événement était bien plus normal et bien moins révolutionnaire que la plupart de ceux qui s'étaient produits au cours de l'année passée. Et la journée s'écoula sans le moindre signe extérieur de révolution, à moins qu'on ne tienne pour tel le cortège de nazis défilant aux flambeaux sur la Wilhelmstrasse et une escarmouche nocturne en banlieue.

Pour nous autres, le 30 janvier se résuma à la lecture des journaux et aux sentiments qu'elle nous inspira.

Le matin, ils titrèrent : "Hitler convoqué chez le président du Reich", et nous éprouvâmes une certaine irritation nerveuse et impuissante. Hitler avait déjà été convoqué chez le président en août et en novembre et s'était vu offrir le poste de vice-chancelier, puis de chancelier : chaque fois, il avait posé des conditions inacceptables, et, chaque fois, on avait solennellement déclaré : "Jamais plus…" Le "jamais plus" durait trois mois. Dès cette époque, en Allemagne, les adversaires de Hitler avaient cette manie, qu'a aujourd'hui le monde entier, de lui offrir ce qu'il désirait, obstinément et à vil prix, le lui imposant presque. A chaque fois, cet *appeasement* était solennellement abjuré, et dès que l'occasion se présentait il renaissait joyeusement de ses cendres – exactement comme aujourd'hui. Alors comme aujourd'hui, le seul espoir qui nous restait était l'aveuglement de Hitler lui-même. Ne finirait-il pas par épuiser même la patience de ses adversaires ? Alors comme aujourd'hui, on a pu voir qu'elle était inépuisable…

A midi, les journaux titraient : "Hitler exige trop." On hochait la tête, à demi rassuré. Très plausible. Exiger moins que trop n'aurait pas été conforme à sa nature. Le calice s'éloignait une fois de plus. Hitler, dernier rempart contre Hitler.

Vers cinq heures arrivaient les journaux du soir : "Gouvernement d'union nationale – Hitler chancelier."

Je ne sais pas exactement quelle fut la première réaction générale. La mienne fut la bonne pendant une minute environ : je fus glacé de terreur. Certes, c'était "dans l'air" depuis longtemps. Il fallait s'y attendre. Et pourtant, c'était tellement irréel. Tellement incroyable, maintenant qu'on le voyait noir sur blanc. "Hitler – chancelier…" L'espace d'un instant, je sentis presque physiquement l'odeur de sang et de boue qui flottait autour de cet homme, je perçus quelque chose comme l'approche à la fois dangereuse et révulsante d'un animal prédateur – une grosse patte sale qui plaquait ses griffes acérées sur mon visage.

Puis je me secouai, fis une tentative pour sourire et réfléchir, et trouvai en effet toutes les raisons de me rassurer.

Le soir, je discutai avec mon père des perspectives du nouveau gouvernement ; nous étions d'accord pour estimer qu'il aurait certainement l'occasion de faire pas mal de dégâts, mais guère de chances de se maintenir longtemps au pouvoir. Un gouvernement réactionnaire dans son ensemble, avec Hitler comme porte-parole. Ce supplément mis à part, il se distinguait peu des deux derniers qui avaient suivi Brüning. Même avec les nazis, il n'aurait pas de majorité parlementaire. D'accord, on pouvait toujours dissoudre le Reichstag. Mais, même dans la population, le gouvernement avait nettement la majorité contre lui, notamment le bloc des ouvriers qui, après les revers humiliants des sociaux-démocrates modérés, voterait probablement communiste. Bien sûr, on pouvait interdire les communistes. Ils n'en deviendraient que plus dangereux. Entre-temps, le gouvernement prendrait des mesures sociales et culturelles réactionnaires, comme avant, sans doute plus radicales qu'avant, et en outre des mesures antisémites pour complaire à Hitler. Ce n'est pas ainsi qu'il rallierait ses adversaires. Vis-à-vis de l'étranger, sans doute une politique arrogante et autoritaire, peut-être une tentative de réarmement. Si bien que, en plus des soixante pour cent d'Allemands opposés au gouvernement, l'étranger ne pourrait manquer de se liguer automatiquement contre lui. Et en plus, qui étaient ces gens qui s'étaient mis brusquement à voter nazi depuis trois ans ? Pour la plupart des indécis, des victimes de la propagande, une masse fluctuante. Dès les premières déceptions, ils se disperseraient. Non, tout compte fait, ce gouvernement n'était pas un motif d'inquiétude. On pouvait juste se demander ce qui viendrait après lui, et peut-être craindre qu'il n'aille jusqu'à la guerre civile. Les communistes étaient capables de frapper avant de se laisser interdire.

Le lendemain, il s'avéra que ce pronostic était aussi celui de la presse intelligente. Il est curieux que la lecture en paraisse convaincante encore aujourd'hui, alors qu'on sait ce qui s'est passé. Comment les choses ont-elles pu prendre un cours aussi différent ? Peut-être justement parce que tout le monde était convaincu que c'était impossible, que nous nous y sommes aveuglément fiés, et que nous n'avons rien envisagé pour, le cas échéant, empêcher que cela fût possible ?

Tout ce qui se produisit pendant le mois de février se limita, là encore, aux

nouvelles parues dans les journaux
– c'est-à-dire que les choses se jouaient
dans une sphère qui, pour quatre-vingt-
dix-neuf pour cent de la population,
perdrait toute réalité au cas où les journaux viendraient à manquer. Certes,
dans cette sphère, il se passait bien des
choses : le Reichstag fut dissous, puis
le parlement de Prusse, ce qui consti-
tuait de la part de Hindenburg une
violation flagrante de la constitution.
Les nazis firent valser les hauts fonctionnaires, et régner la terreur dans la
campagne électorale. Il faut avouer
qu'ils ne se gênaient plus : leurs troupes
faisaient régulièrement irruption dans les
réunions électorales des autres partis,
ils abattaient presque chaque jour un
ou deux adversaires politiques, dans
une banlieue de Berlin, ils mirent un
jour le feu à la maison d'une famille de
sociaux-démocrates, qui fut entièrement
détruite. Le nouveau ministre de l'Intérieur de Prusse, un certain capitaine
Hermann Göring, promulgua un décret
insensé qui prescrivait à la police, en
cas d'affrontement, de prendre automatiquement le parti des nazis sans
examiner les responsabilités et de tirer
sur les autres sans sommation ; peu
après, on prit des SA pour former une
"police auxiliaire".

Mais enfin, on lisait tout cela dans les journaux. Avec ses yeux et ses oreilles, on ne voyait ni n'entendait pas grand-chose de plus que ce qu'on avait vu et entendu les années précédentes. Des uniformes bruns dans les rues, des marches, des *Heil !* poussés à pleine gorge – et pour le reste *business as usual*. Au Kammergericht, la Cour suprême de Prusse où je travaillais comme référendaire, le cours de la justice n'était en rien modifié par les décrets ineptes du ministre de l'Intérieur. On pouvait bien, selon les journaux, faire fi de la constitution, mais chaque article du Code civil restait en vigueur, et on le passait au crible aussi minutieusement que jamais. Où était la réalité ? Le chancelier pouvait bien invectiver quotidiennement les juifs dans des discours haineux : un conseiller juif siégeait comme devant dans notre chambre, prononçait des sentences subtiles et consciencieuses, et ces sentences étaient valables, tout l'appareil d'Etat se mettait en branle pour les appliquer – même si son chef suprême traitait chaque jour leur auteur de "parasite", de "sous-homme" ou de "peste". Qui se rendait ridicule ? Contre qui se tournait l'ironie de la situation ?

Rien que ce fonctionnement imperturbable de la justice, mais aussi le fait que la vie continuait comme avant, j'avoue que j'avais tendance à ressentir cela comme un triomphe sur les nazis. Ils pouvaient bien se comporter comme de bruyants sauvages, ils ne faisaient tout au plus qu'agiter la surface politique ; l'océan de la vraie vie n'était pas perturbé en profondeur.

N'était-il vraiment pas perturbé ? N'y sentait-on pas déjà comme un frémissement causé par les tourbillons de la surface ? Les discussions politiques privées vibraient d'une tension nouvelle, soudain intransigeantes, prêtes à dégénérer en haine – et pourquoi ne pouvait-on s'empêcher de penser à la politique toujours et en tout lieu ? Il semblait que d'un seul coup ce fût déjà afficher ses opinions politiques que de prétendre mener une vie normale à l'écart de la politique. N'était-ce pas là une étrange influence de la politique sur la vie privée ?

Quoi qu'il en fût, je me cramponnais encore à cette vie normale à l'écart de la politique. Il n'existait pas de position à partir de laquelle j'eusse pu combattre les nazis. Au moins ne voulais-je pas me laisser déranger par eux. Il y avait même peut-être une certaine provocation à choisir ce moment pour me rendre à un grand bal masqué, bien que je n'eusse pas précisément l'humeur

carnavalesque. Mais on allait bien voir si
les nazis pouvaient troubler le carnaval !

18

Le carnaval de Berlin, comme tant
d'institutions berlinoises, a un côté arti-
ficiel, fabriqué et convenu. Il ignore le
rituel saugrenu vénéré dans les centres
catholiques, il n'a pas non plus le caractère spontané, bon enfant et entraînant du carnaval de Munich. Ses
caractéristiques essentielles sont, ce qui
est très berlinois, "animation" et "organisation". Un carnaval berlinois est en
quelque sorte une grande tombola
érotique, bariolée et remarquablement
organisée, avec des gros lots et des
billets perdants : l'occasion d'attraper
une fille comme un billet de loterie, de
l'embrasser et de parcourir avec elle en
l'espace d'une nuit tous les préliminaires d'une histoire d'amour. Cela se
termine généralement par un retour
commun en taxi à l'aube et l'échange de
deux numéros de téléphone. Après quoi
on sait le plus souvent si c'était le point
de départ d'une histoire qui promet
d'être jolie, ou si l'on n'a gagné qu'une

bonne gueule de bois. Le tout se joue
– et c'est là qu'intervient l'"animation" –
dans un décor bariolé et fantastique,
dans le vacarme de plusieurs orchestres
mêlés, à grand renfort d'accessoires
obligés tels que serpentins, lampions,
etc., avec l'aide d'autant d'alcool qu'on
peut s'en offrir, en contact étroit avec
quelques milliers de personnes tassées
comme sardines en boîte qui, puisqu'elles font toutes la même chose, n'ont
pas besoin d'avoir honte de ce qu'elles
font.

Le bal où je me rendis ce soir-là s'appelait je ne sais pourquoi *La Péniche*,
était organisé par je ne sais quelle école
d'art, et il était grand, bruyant, bariolé et
surpeuplé comme tous les bals de carnaval à Berlin. C'était un samedi soir,
le 25 février. J'arrivai assez tard ; le bal
battait déjà son plein, un tourbillon de
chiffons de soie colorés, d'épaules nues,
de jambes nues, une presse à ne pas
pouvoir bouger, pas de place au ves-
tiaire, pas de place aux buffets. La foule
faisait partie de l'animation.

En arrivant, je n'étais pas tout à fait
dans l'humeur convenable ; j'étais même,
au contraire, un peu abattu. L'après-
midi, j'avais entendu des rumeurs inquié-
tantes : la campagne ne se déroulait
pas comme on le souhaitait, les nazis

projetaient un coup d'Etat, arrestations en masse, terreur, il fallait s'attendre à tout dans les semaines à venir. Angoissant – mais, encore une fois, c'était de la matière pour les journaux. La réalité, n'est-ce pas, était ici, dans ces voix qui fusaient, ces éclats de rire, cette musique, le sourire généreux des filles.

Mais soudain, comme je me tenais sur une marche, indécis et distrait, regardant le tourbillon qui m'environnait – cette masse de visages brûlants, rayonnants, souriants, et d'une telle innocence, désireux seulement que le sort leur attribue une gentille petite amie, un gentil petit ami, pour une nuit ou pour un été, une goutte de douceur de vivre, une petite aventure, un souvenir pour plus tard –, soudain, je fus saisis d'un étrange vertige. Il me semblait être, avec ces milliers de jeunes gens aux costumes voyants, enfermé sans espoir d'en sortir dans un bateau gigantesque qui roulait et tanguait lourdement, et dans la cabine la plus retirée, grande comme un trou de souris, nous continuions à danser tandis que là-haut, sur le pont, il avait été décidé de noyer cette partie du bateau et nous avec, corps et biens.

C'est alors qu'un bras se glissa sous le mien, j'entendis une gentille voix connue, et je revins – où, au fait ? mettons : à la réalité. C'était une vieille connaissance de l'heureux temps du tennis, une jeune fille nommée Lisl, perdue de vue depuis longtemps, presque oubliée, revenue brusquement, un visage aimable et familier. Prête à rire et à me consoler, elle s'interposa résolument entre moi et mes idées noires, sa petite personne robuste me cacha Dieu, le monde et les nazis et me remit sur la voie de mon devoir du moment. Une heure plus tard, j'avais une partenaire, j'avais tiré mon lot : petite, les cheveux noirs, costumée en page turc, très mignonne à voir avec de grands yeux bruns au regard de femme. Au premier abord, elle rappelait un peu l'actrice Elisabeth Bergner*. C'était aussi son ambition. C'était en ce temps-là l'ambition de toutes les filles de Berlin. On ne pouvait rêver mieux.

Avec un geste encourageant, Lisl se perdit dans la cohue, et la fille qui ressemblait à Elisabeth Bergner devint mon amie d'une nuit. Pas seulement pour cette nuit-là, mais pour toute une

* Elisabeth Bergner, de son vrai nom Elisabeth Ettel (1897-1986), passée du théâtre au cinéma à la fin des années vingt, quitta l'Allemagne en 1933 en raison de ses origines juives.

sombre période à venir. Ce ne serait pas une amitié entièrement heureuse, mais qu'en savais-je ! Elle était légère comme une plume, c'était agréable de la sentir dans ses bras en dansant ; elle parlait gravement d'une petite voix haut perchée ; avec ce charme un peu brusque et narquois typiquement berlinois, elle faisait de petites remarques insolentes, et ses grands yeux, qui étaient plus vieux que son visage, se mettaient à briller. Elle était tout à fait charmante, j'étais satisfait de mon lot. Nous avons dansé un moment, sommes allés prendre un verre ensemble, puis nous promener, et dans une petite pièce où la musique ne nous parvenait qu'assourdie, nous nous sommes assis, avons essayé de deviner nos noms, puis trouvé préférable de nous en inventer. Elle me baptisa Peter, je la baptisai Charlie. Des noms parfaits pour des amoureux sortis d'un roman de Vicki Baum. On ne pouvait rêver mieux. En nous les donnant, nous nous apprêtions à devenir un gentil petit couple à la mode. A gauche et à droite, d'autres couples s'occupaient d'eux-mêmes. Ils ne nous dérangeaient pas. Puis un vieil acteur solitaire et autoritaire, planté au milieu du salon, nous appela "mes petits enfants" et commanda des cocktails pour tout le monde.

C'était presque une scène de famille. Peu à peu, l'envie de danser vous reprenait. J'avais aussi promis à Lisl de la retrouver. Mais les choses tournèrent autrement.

Je ne sais comment naquit la rumeur qu'il y avait une descente de police. On voyait périodiquement des gens éméchés qui cherchaient à se faire remarquer en lançant des plaisanteries plus ou moins réussies, chacun selon ses capacités. Quelqu'un avait peut-être crié : "Debout, voilà la police !" Je ne trouvai pas cela très drôle. Puis la rumeur se confirma. Quelques jeunes filles s'inquiétèrent, sautèrent sur leurs pieds, disparurent suivies de leurs cavaliers. Un jeune homme, habillé de noir des pieds à la tête, noir d'œil et de cheveu, se dressa comme un tribun au milieu de la pièce et aboya d'une voix farouche que nous ferions bien de partir tous tant que nous étions si nous ne voulions pas passer la nuit Alexanderplatz. (C'était là que se trouvaient la préfecture de police et la maison d'arrêt.) Il se comportait plus ou moins comme s'il était lui-même la police. En le regardant mieux, je me souvins qu'il était resté longtemps ici à bécoter une fille. La fille avait disparu. Quant à lui, il portait, je le voyais maintenant, un faisceau de licteur au chapeau, et son costume noir, mon Dieu, c'était un uniforme de fasciste ! Etrange costume ! Etrange comportement ! Le vieil acteur se leva lentement de son siège et quitta la pièce sans rien dire en titubant lourdement. Tout se mit à ressembler un peu à un rêve.

La lumière s'éteignit dans un salon voisin qui éclairait le nôtre, cependant que nous parvenait un concert de cris aigus. D'un seul coup, nous parûmes blêmes – un effet d'éclairage théâtral.

— C'est vrai, cette histoire de police ? demandai-je à l'homme en noir.

— C'est vrai, mon fils ! répondit-il d'une voix de stentor.

— Et pourquoi ? Que se passe-t-il ?

— Ce qui se passe ? cria-t-il. Tu dois pouvoir répondre toi-même. Il y a des gens qui n'aiment pas ce genre de spectacle – et, ce disant, il lança une grande claque bruyante sur la cuisse nue d'une fille qui se trouvait là. Je ne compris pas bien s'il prenait ainsi le parti de la police, ou s'il s'agissait dans son idée d'un geste de défi grossier. Je haussai les épaules :

— On va se rendre compte par nous-mêmes, hein, Charlie ?

Elle acquiesça et me suivit.

De fait, ce n'était partout qu'agitation fébrile, cohue, malaise et une légère panique. Quelque chose se passait. Il était peut-être arrivé un malheur, un accident, une bagarre ? Y aurait-il eu échange de coups de feu entre un nazi et un communiste ? Cela ne paraissait pas impossible. Nous nous frayâmes un chemin dans les salons. Là ! C'était vraiment la police. Shakos et uniformes bleus. Debout au milieu du tourbillon affolé des costumes comme des récifs dans le ressac. On allait tout savoir. Je me tournai vers un policier, un peu incrédule, souriant, confiant comme quand on demande un renseignement à un sergent de ville :

— Faut-il vraiment rentrer chez nous ?

— Vous *avez le droit* de rentrer chez vous, répliqua-t-il – et je faillis me figer sur place, tant son ton était menaçant. Il avait parlé d'une voix lente, glacée, perfide. Je le regardai, et me raidis une deuxième fois : quel visage c'était là ! Pas la bonne tête bien connue du brave sergent de ville. Ce visage-là semblait tout en dents. L'homme m'avait bel et bien montré les dents, il avait même découvert ses deux mâchoires, spectacle exceptionnel chez l'être humain ; ses dents étaient petites, pointues, méchantes comme celles d'un requin. Et sous le shako tout son visage blond et blême était celui d'un requin : les yeux morts, vitreux, incolores, les cheveux sans couleur, sans couleur la peau, et son nez avançait au-dessus de ses dents comme celui d'un brochet. Très "nordique", il faut en convenir – seulement ce n'était plus le visage d'un homme, mais plutôt celui d'un crocodile. Je frissonnai. J'avais vu le visage du ss.

19

Deux jours plus tard, le Reichstag brûlait.

Peu d'événements historiques m'ont aussi totalement échappé que l'incendie du Reichstag. Tandis qu'il avait lieu, j'étais en banlieue, chez un collègue et ami, et je parlais politique. Cet homme est aujourd'hui un haut fonctionnaire militaire, "rigoureusement apolitique" par conviction ; s'il s'occupe de la conquête de pays étrangers envisagée sous son aspect technique, c'est uniquement par devoir et conscience professionnelle. A l'époque, il était référendaire comme moi, un bon camarade, d'un tempérament un peu sec, ce dont il souffrait, trop bien protégé par des parents dont il était le fils unique et l'unique espoir, et incapable de se soustraire à la prison trop affectueuse de ce foyer. Le grand chagrin de sa vie, c'était ses échecs répétés dans le domaine amoureux. Il n'était pas nazi, pas le moins du monde. Les élections législatives qui allaient avoir lieu le mettaient dans l'embarras. Il était "national", mais partisan de l'Etat de droit. Il ne trouvait pas d'issue à ce conflit. Jusqu'alors, il avait voté pour le Parti national allemand, le DVP*, mais il sentait bien que cela n'avait plus vraiment de sens. Peut-être s'abstiendrait-il.

Ses visiteurs s'efforçaient de sauver son âme.

— Tu ne peux pas ne pas voir, dit l'un d'entre nous, que la politique nationale actuelle est sans ambiguïté. Comment peut-on encore hésiter ! C'est l'un ou l'autre. Et tant pis s'il faut prendre des libertés avec la loi !

Un autre lui opposait que les sociaux-démocrates avaient eu au moins le mérite d'"intégrer les travailleurs dans l'Etat", et que le gouvernement actuel

* Le Deutsche Volkspartei, fondé en 1918 par Gustav Stresemann, émanation de l'aile droite du parti national-libéral.

remettait en cause ce résultat obtenu à grand-peine. Je suscitai une certaine désapprobation en émettant la remarque "futile" que voter contre les nazis me semblait être une question de bon goût, quelles que fussent par ailleurs nos opinions politiques.

— Bon, alors vote au moins noir-blanc-rouge, dit avec bonhomie le champion des nazis.

Donc, pendant que nous buvions du vin de Moselle en échangeant ces propos sans intérêt, le Reichstag brûlait, on trouvait dans le bâtiment en feu le malheureux Van der Lubbe muni de tous les papiers qu'on pouvait désirer, Hitler, environné de flammes comme un Wotan wagnérien, prononçait devant le portail ces paroles immortelles : "Si les communistes sont coupables, *ce dont je ne doute pas*, alors que Dieu leur vienne en aide !" Nous n'en soupçonnions rien. La radio n'était pas allumée.

Vers minuit, somnolents, nous rentrâmes chez nous dans des autobus tardifs, tandis que de toutes parts des commandos d'intervention tiraient leurs victimes du lit, la première grande charrette destinée aux camps de concentration : députés de gauche, écrivains de gauche, médecins, fonctionnaires et avocats qui n'avaient pas l'heur de plaire.

C'est seulement le matin suivant que j'appris en lisant le journal que le Reichstag brûlait. C'est seulement à midi que j'appris les arrestations. C'est à peu près au même moment que fut affichée cette ordonnance de Hindenburg qui supprimait pour les personnes privées la liberté d'opinion, le secret postal et téléphonique, donnant à la police les pleins pouvoirs pour perquisitionner, confisquer, arrêter. L'après-midi, on vit dans les rues des gens transporter des échelles, de braves artisans, qui se mirent à recouvrir soigneusement de papier blanc des affiches apposées sur les colonnes et les barrières : toute propagande électorale venait d'être interdite aux partis de gauche. Les journaux, dans la mesure où ils paraissaient encore, relatèrent presque sans exception ces événements sur un ton attendri d'allégresse patriotique. Nous étions sauvés ! Victoire, l'Allemagne était libre ! Le samedi, les Allemands, le cœur gonflé de reconnaissance, célébreraient tous ensemble la fête du Réveil national. Sortez les flambeaux, sortez les drapeaux !

Voilà pour les journaux. Les rues avaient exactement leur aspect de tous les jours. Les cinémas passaient des films, les tribunaux disaient le droit. La révolution ? Pas trace. Les gens étaient chez eux, un peu désemparés, un peu intimidés, et tentaient de comprendre tout ce qui se passait. C'était dur, bien dur, en si peu de temps !

Donc, les communistes avaient bouté le feu au Reichstag. Ah bon ? C'était bien possible, c'était même tout à fait plausible. Un peu bizarre, il est vrai ; pourquoi justement le Reichstag, cette coquille vide dont la destruction n'apportait rien à personne ? Bon, il était peut-être vraiment prévu que ce serait le signal de la révolution, sur quoi l'intervention énergique du gouvernement avait empêché la révolution. C'est ce qui était écrit dans le journal, et c'était vraisemblable. Un peu bizarre aussi quand même que les nazis fissent tant d'affaires autour du Reichstag. Jusqu'alors, ils l'avaient toujours traité de "basse-cour", et voilà que tout d'un coup son incendiaire aurait comme qui dirait profané le saint des saints. Bon, ils disent ce qui les arrange – c'est ça, la politique, pas vrai, voisin ? Dieu merci, nous, nous n'y entendons rien. L'essentiel, c'est que le danger de la révolution communiste soit écarté ; nous pouvons aller nous coucher tranquillement. Bonne nuit.

Parlons sérieusement : l'aspect le plus intéressant de l'incendie du Reichstag fut peut-être que tout le monde, ou presque, admit la thèse de la culpabilité communiste. Même les sceptiques trouvaient au moins que ce n'était pas tout à fait impossible. C'était la faute des communistes eux-mêmes. Au cours des dernières années, leur parti était devenu de plus en plus puissant, ils n'avaient cessé de brandir leur "détermination", et en fait personne ne les croyait capables de se laisser interdire et exterminer sans défense. Durant tout le mois de février, on avait louché sur la gauche, attendant la riposte des communistes. Non pas celle des sociaux-démocrates – de ceux-là, personne n'attendait plus rien depuis que le 20 juillet 1932 Severing et Grzesinski, qui avaient pour eux la légalité et quatre-vingt mille policiers armés jusqu'aux dents, s'étaient "inclinés" devant "la force" d'une compagnie de la Reichswehr* –, mais celle des communistes. Les communistes étaient des gens décidés, à la

---

* Le 20 juillet 1932, le chancelier von Papen avait décrété l'état d'urgence en Prusse et à Berlin et déposé le gouvernement prussien. – Carl Severing (1875-1952), social-démocrate, fut ministre de l'Intérieur de Prusse de 1930 à 1932. – Albert Grzesinski (1879-1947), social-démocrate, était le préfet de police de Berlin entre 1930 et 1932.

mine sombre, qui saluaient en brandissant le poing ; ils avaient des armes – du moins faisaient-ils assez souvent le coup de feu lors des habituelles querelles de bistrot –, parlaient sans arrêt de leur force et de leur organisation, et on était sûr que les Russes leur enseignaient "la façon de s'y prendre". Les nazis en voulaient à leur vie, et ne laissaient planer là-dessus aucun doute. Donc, ils se défendraient. En fait, cela allait de soi. On s'étonnait de les voir rester si longtemps sans se défendre.

Il fallut beaucoup de temps aux Allemands pour comprendre que les communistes étaient des moutons déguisés en loups. Le mythe nazi du putsch communiste déjoué tomba sur un terrain de crédulité préparé par les communistes eux-mêmes. Qui pouvait savoir qu'il n'y avait rien derrière leurs poings brandis ? C'est aussi à cause d'eux qu'il existe aujourd'hui encore en Allemagne des gens assez naïfs pour avoir peur des communistes. Certes, ils ne sont plus très nombreux. La faillite des communistes allemands n'est plus un secret pour personne, ou presque. Même les nazis répugnent aujourd'hui à faire jouer cette corde. Si ce n'est tout au plus devant des étrangers distingués, à qui on peut encore faire croire n'importe quoi.

Il me semble donc impossible de reprocher à tous ces Allemands d'avoir cru à la thèse de l'incendie communiste. En revanche, on peut leur reprocher d'avoir estimé que l'affaire était close – manifestant, pour la première fois de l'époque nazie, leur terrible pusillanimité collective. On les privait, on privait chacun d'entre eux du petit peu de liberté personnelle et de dignité civique que leur garantissait la constitution, sous le seul prétexte que le Reichstag était un peu roussi – et ils l'acceptaient avec une soumission bêlante, comme une chose inévitable. Si les communistes avaient mis le feu au Reichstag, il était tout à fait normal que le gouvernement prît "des mesures énergiques" ! Le matin suivant, je discutai de ces événements avec quelques collègues. Tous se demandaient avec intérêt à qui incombait la responsabilité de l'incendie, et plus d'un laissait entendre, avec un clin d'œil, qu'il ne croyait pas trop à la version officielle. Mais aucun ne s'offusquait que l'on pût, à l'avenir, mettre son téléphone sur écoute, ouvrir son courrier et fracturer son bureau.

— Je ressens comme un affront personnel, dis-je, que l'on m'empêche, moi, de lire le journal que je veux parce qu'un communiste a soi-disant mis le feu au Reichstag. Pas vous ?

L'un d'eux répondit, avec une joyeuse innocence :

— Non. Pourquoi ? Est-ce que par hasard vous lisiez *Vorwärts !* et *Die Rote Fahne** ?

Au soir de ce mardi fertile en événements, j'eus trois conversations téléphoniques. Je commençai par appeler ma nouvelle amie Charlie pour lui fixer un rendez-vous. Un peu, peut-être, parce que j'étais amoureux, mais surtout par défi. Je ne voulais pas me laisser intimider. Surtout pas maintenant ! En plus, Charlie était juive.

Ensuite, j'appelai une école de jiu-jitsu pour lui demander ses prospectus et ses conditions. J'avais l'impression que les temps étaient proches où il faudrait savoir pratiquer le jiu-jitsu. (Peu après, il est vrai, je m'aperçus que les temps où le jiu-jitsu pouvait encore servir étaient déjà passés, et qu'il fallait plutôt s'exercer à une sorte de jiu-jitsu mental.)

---

* *Vorwärts !* ("En avant !"), hebdomadaire social-démocrate. – *Die Rote Fahne* ("Le Drapeau rouge"), quotidien, organe du Parti communiste allemand, avait été fondé en 1918 par Karl Liebknecht et Rosa Luxemburg.

Et enfin j'appelai la bonne Lisl. Pas pour lui fixer un rendez-vous, mais juste pour m'excuser de ne pas l'avoir revue le soir du bal, et lui demander comment elle s'en était sortie – question qui, pour une fois, n'était pas qu'une simple formule.

Mais Lisl donnait au téléphone l'impression de pleurer. Moi qui étais juriste, dit-elle, est-ce que j'avais une idée de ce qu'étaient devenus les gens arrêtés la nuit dernière ? La voix lui manqua, puis elle demanda durement si au moins ils vivaient encore. Elle n'était pas encore habituée à la suppression du secret téléphonique.

Son ami était du nombre – non un quelconque ami de carnaval, mais l'homme qu'elle aimait. C'était un médecin municipal très connu, un homme de gauche. Il avait organisé dans son district – un quartier ouvrier – un service médico-social célèbre pour son ampleur, et il avait publié des articles dans lesquels il prônait l'impunité de l'avortement dans les cas de détresse sociale. Il figurait sur la première liste des nazis.

Je parlai encore plusieurs fois à Lisl dans les semaines suivantes. Il m'était impossible de l'aider, et il devenait de plus en plus difficile de trouver des paroles de réconfort.

20

Qu'est-ce qu'une révolution ?

Les spécialistes du droit public répondent : la modification d'une constitution par d'autres moyens que ceux qu'elle prévoit. Si l'on souscrit à cette sèche définition, la "révolution" nazie de mars 1933 n'en était pas une. Car tout se passa dans la stricte légalité, avec les moyens prévus par la constitution : d'abord des "décrets-lois" du président et enfin une résolution qui transférait au gouvernement la totalité du pouvoir législatif, résolution votée par le Parlement à la majorité des deux tiers exigée pour les changements constitutionnels.

C'est là une imposture manifeste. Mais quand on voit les choses comme elles ont vraiment été, on peut encore se demander si ce qui s'est joué en mars mérite vraiment le nom de révolution. Pour le sens commun, l'essentiel d'une révolution semble résider dans le fait que des gens attaquent par la violence l'ordre existant et ses représentants : police, armée, etc., et l'emportent sur lui. Ce n'est pas toujours forcément magnifique et enthousiasmant, et cela peut fort bien être associé à des débordements, des violences, des brutalités de populace déchaînée ; on peut piller, tuer, brûler. Ce qu'on attend des gens qui se prétendent des révolutionnaires, c'est au moins qu'ils attaquent, fassent preuve de courage, mettent leur vie en jeu. Les barricades sont peut-être un peu démodées, mais une forme quelconque de spontanéité – insurrection, prise de risque, émeute – semble inhérente à l'essence de la révolution.

Rien de tel en mars 1933. Les événements étaient une décoction des ingrédients les plus bizarres, mais on aurait vainement attendu un acte de courage, de bravoure, d'audace de quelque côté que ce fût. Ce mois de mars produisit quatre choses qui auraient pour résultat final la domination incontestée des nazis : la terreur, des fêtes et des déclamations, la trahison, et pour finir un collapsus collectif – plusieurs millions d'individus s'effondrant simultanément. Beaucoup d'Etats européens, la plupart même, ont eu une naissance plus sanglante. Mais il n'en existe aucun dont la naissance eût été à ce point répugnante.

L'histoire européenne connaît deux formes de terreur : l'une est l'ivresse sanguinaire effrénée d'une masse révolutionnaire déchaînée, grisée par sa victoire ; l'autre est la cruauté froide, délibérée, d'un appareil étatique triomphant qui cherche à intimider, à manifester son pouvoir. Ces deux formes sont normalement réparties entre révolution et répression. La première est révolutionnaire ; elle s'excuse par l'émotion et la rage du moment, par l'emportement. La deuxième est répressive ; elle s'excuse par les représailles à l'encontre des atrocités de la révolution.

Les nazis ont eu le privilège de combiner les deux d'une façon qui n'admet aucune excuse. La terreur de 1933 fut bien exercée par une tourbe ivre de sang (à savoir les SA, les SS ne jouant pas encore le rôle qui serait le leur), mais les SA se présentaient comme une "police auxiliaire" ; ils agissaient sans la moindre émotion, sans la moindre spontanéité, et surtout sans prendre le moindre risque – mais bel et bien en toute sécurité, sur ordre et avec discipline. Le tableau externe était celui de la terreur révolutionnaire : populace hirsute pénétrant par effraction la nuit dans les maisons et traînant des gens sans défense dans une cave pour les torturer. Le processus interne était celui de la terreur répressive : gestion administrative froidement calculée, couverture policière et militaire totale. L'ensemble ne découlait pas de cette excitation qui suit la victoire, un grand danger auquel on a survécu – rien de tel ne s'était produit. Ce n'étaient pas non plus des représailles à l'encontre d'atrocités exercées par le parti adverse – il n'y en avait eu aucune. Ce qui se produisait, c'était l'inversion cauchemardesque des notions normales : brigands et assassins dans le rôle de la police, revêtus du pouvoir souverain ; leurs victimes traitées comme des criminels, proscrites, condamnées d'avance à mort. Un cas exemplaire, rendu public en raison des proportions prises : une nuit, un responsable syndical social-démocrate de Köpenick* se défendit, aidé de ses fils, contre une patrouille de SA qui avait pénétré chez lui et abattit, en état de légitime défense évidente, deux SA. Sur quoi, cette même nuit, ses fils et lui furent maîtrisés par une seconde patrouille plus nombreuse et pendus dans la remise de leur maison. Mais le jour suivant, en bon ordre, des SA en service commandé pénétrèrent chez tous les habitants de Köpenick connus pour être des sociaux-démocrates et les abattirent sur place. On n'a jamais su le nombre de morts.

Cette sorte de terreur avait un avantage : selon les cas, on pouvait hausser

* Faubourg de Berlin.

des épaules navrées en parlant des "inévitables conséquences fâcheuses de toute révolution" – c'était l'excuse de la terreur révolutionnaire – ou se référer à la rigueur de la discipline en démontrant que l'ordre et le calme régnaient, que seules avaient lieu les descentes de police indispensables, et que c'était précisément cela qui épargnait à l'Allemagne les troubles révolutionnaires – c'était l'excuse de la terreur répressive. Et les deux étaient effectivement invoquées à tour de rôle, suivant le public concerné.

Cette forme de publicité a contribué, et contribue toujours, à rendre la terreur nazie plus repoussante qu'aucune autre terreur connue dans l'histoire européenne. La cruauté elle-même peut avoir une ombre de grandeur quand elle s'affiche avec la grandiloquence d'une détermination suprême, quand ceux qui l'exercent revendiquent fougueusement leurs actes comme ce fut le cas lors de la Révolution française et des guerres civiles russe et espagnole. Les nazis, en revanche, n'ont jamais affiché autre chose que le rictus blême, lâche et craintif du meurtrier niant ses crimes. Tandis qu'ils torturaient et assassinaient systématiquement des êtres sans défense, ils affirmaient tous les jours avec des accents nobles et touchants qu'ils ne faisaient de mal à personne, et que jamais révolution ne s'était déroulée de façon aussi humaine et pacifique. Et quelques semaines après l'institution de l'épouvante, une loi menaçait d'une lourde peine quiconque affirmait, fût-ce entre ses quatre murs, qu'il se passait des choses atroces.

Il va de soi que cela n'avait pas pour but de tenir secrètes les horreurs. Car alors elles n'auraient pu atteindre leur but, qui était de provoquer chez tous crainte, effroi, soumission. Ce secret tendait au contraire à renforcer l'effet de la terreur par le danger qu'il y avait ne serait-ce qu'à en parler. L'exposition publique – par exemple à la tribune de l'orateur ou dans les journaux – de ce qui se passait dans les caves de la SA et dans les camps de concentration aurait peut-être pu provoquer même en Allemagne une riposte désespérée. Les nouvelles épouvantables chuchotées sous le manteau – "Faites bien attention, voisin ! Savez-vous ce qui est arrivé à X ?" – brisaient bien plus sûrement toutes les résistances.

D'autant plus qu'on était au même instant occupé et distrait par une série interminable de fêtes, de solennités, de célébrations nationales. On commença par fêter la victoire en grand avant les élections, le 4 mars, jour du "Réveil national". Marches gigantesques et feux d'artifice, tambours, trompettes, orchestres et drapeaux dans toute l'Allemagne, des milliers de haut-parleurs diffusant la voix de Hitler, serments et promesses – et tout cela alors qu'il n'était pas certain que les nazis n'allaient pas prendre une veste électorale. De fait, c'est bien ce qui se produisit : ces élections, les dernières à se dérouler en Allemagne, n'apportèrent aux nazis que quarante-quatre pour cent des voix (auparavant ils en avaient obtenu trente-sept) – la majorité votait toujours contre eux. Si l'on songe que la terreur battait déjà son plein, que les partis de gauche avaient été muselés dès la semaine décisive qui précédait le scrutin, il faut dire que le peuple allemand dans son ensemble s'est assez bien comporté. Mais les nazis n'en eurent cure. La défaite fut tout simplement célébrée comme une victoire, la terreur renforcée, les fêtes se multiplièrent. Quinze jours durant, les fenêtres restèrent pavoisées. Une semaine plus tard, Hindenburg abolissait les anciennes couleurs, et le drapeau à la croix gammée devenait, avec le noir-blanc-rouge, le "pavillon provisoire du Reich". Et chaque jour des défilés, des célébrations géantes, des manifestations de gratitude pour la libération nationale, de la musique militaire du matin au soir, honneurs rendus aux héros, consécration des couleurs, enfin, pour couronner le tout, la mise en scène boursouflée de la "journée de Potsdam", avec ce vieux félon de Hindenburg se recueillant sur la tombe de Frédéric le Grand, Hitler jurant pour la énième fois fidélité à je ne sais quoi, cloches sonnant à toute volée, cortège solennel des députés vers l'église, parade militaire, sabres au clair, enfants agitant des petits drapeaux, retraites aux flambeaux.

L'ineptie, l'absurdité sans bornes de ces manifestations continuelles étaient, selon toute vraisemblance, parfaitement concertées. Il fallait habituer la population à se réjouir et à se "réveiller", même si elle n'en voyait pas vraiment la raison. Chaque jour, chaque nuit, des gens qui s'abstenaient trop ostensiblement de participer – chut ! – étaient torturés à mort à coups de drille ou de fouet d'acier, et c'était déjà une raison suffisante. Réjouissons-nous donc, et hurlons avec les loups, *Heil, Heil !* Et on finissait par y trouver goût. En mars 1933, il faisait un temps magnifique. N'était-ce pas beau, sous le soleil printanier, de se mêler à une foule en liesse sur une place pavoisée, prêtant l'oreille à des propos sublimes où revenaient les mots de patrie et de liberté, de réveil et d'engagement sacré ? (En tout cas, cela valait mieux que de se retrouver à huis clos dans une caserne de SA, à se faire remplir d'eau les intestins.)

On se mit à participer – d'abord par crainte. Puis, s'étant mis à participer, on ne voulut plus que cela fût par crainte, motivation vile et méprisable. Si bien qu'on adopta après coup l'état d'esprit convenable. C'est là le schéma mental de la victoire de la révolution national-socialiste.

Pour la parachever, toutefois, une chose était indispensable : la lâche trahison de tous les chefs de partis et d'organisations auxquels s'étaient confiés les cinquante-six pour cent d'Allemands qui, le 5 mars 1933, avaient voté contre les nazis. Le monde n'a pratiquement pas pris conscience de cette évolution historique terrible et décisive. Les nazis n'avaient pas intérêt à la souligner, parce qu'elle ne pouvait que dévaluer considérablement leur "victoire" ; quant aux traîtres eux-mêmes, ils avaient tout intérêt à se taire. Pourtant, seule cette trahison explique le fait apparemment inexplicable qu'un grand peuple, qui ne se compose quand même pas exclusivement de poltrons, ait pu sombrer dans l'infamie sans résistance.

La trahison fut totale, générale et sans exception, de la gauche à la droite. J'ai déjà dit que les communistes, derrière les rodomontades de façade qui exaltaient leur "détermination" et mentionnaient des préparatifs de guerre civile, préparaient en vérité l'exil de leurs hauts fonctionnaires avant qu'il ne fût trop tard.

En ce qui concerne les cadres de la social-démocratie, à qui des millions de braves petites gens fidèles accordaient une confiance aveugle et loyale, ils avaient commencé de les trahir dès le 20 juillet 1932, quand Severing et Grzesinski s'étaient "inclinés devant la force". Les sociaux-démocrates s'étaient déjà terriblement humiliés au cours de la campagne électorale de 1933 en courant après les slogans des nazis pour souligner qu'ils étaient, eux aussi, de bons "nationaux". Le 4 mars, veille du scrutin, Otto Braun*, leur "homme fort", chef du gouvernement prussien, passa en automobile la frontière suisse ;

* Otto Braun (1872-1955), social-démocrate, à la tête du parti depuis 1911, ministre-président de Prusse entre 1925 et 1933.

il avait pris soin d'acquérir une maisonnette dans le Tessin. En mai, un mois avant la dissolution de leur parti, les députés sociaux-démocrates en étaient à accorder massivement leur confiance au gouvernement Hitler et à chanter le *Horst-Wessel-Lied**. (Le compte rendu des débats parlementaires note : "Applaudissements sans fin dans la salle et sur les tribunes. Le chancelier lui-même, tourné vers les sociaux-démocrates, applaudit.")

Le centre, ce grand parti bourgeois catholique qui, dans les dernières années, avait rallié une part de plus en plus importante de la bourgeoisie protestante, avait atteint ce stade dès le mois de mars. Ses voix assurèrent à Hitler la majorité des deux tiers qui lui confiait "légalement" la dictature. Il agissait sous la houlette de l'ancien chancelier Brüning. L'étranger l'a généralement oublié aujourd'hui, et Brüning y passe encore largement pour le possible successeur de Hitler. Mais qu'on me fasse confiance : les

* Chant de marche de la SA écrit sur une mélodie existante par le jeune *Sturmführer* (lieutenant) Horst Wessel (1907-1930). Celui-ci ayant trouvé la mort au cours d'une bagarre avec des communistes dans des circonstances mal élucidées, les nazis firent de lui un martyr et de son œuvre l'hymne officiel du parti.

Allemands, eux, ne l'ont pas oublié. Un homme qui croyait encore, le 23 mars 1933, pouvoir inféoder à Hitler, dans un vote d'importance vitale, le parti qui lui était confié, n'aura plus jamais la moindre chance en Allemagne.

Enfin, le parti national, la droite conservatrice qui revendiquait carrément l'"honneur" et l'"héroïsme" comme programme – Dieu ! qu'il était lâche et déshonorant, le spectacle que ses chefs infligèrent à leurs partisans en 1933 et par la suite ! Une fois déçue leur attente du 30 janvier, alors qu'ils espéraient avoir "mis les nazis dans leur poche" pour les "empêcher de nuire", on attendait au moins qu'ils "freinent" pour "éviter le pire". Que non ; ils participèrent à tout : à la terreur, aux pogromes, aux persécutions contre les chrétiens ; ils ne se laissèrent même pas émouvoir par l'interdiction de leur parti et l'arrestation de leurs partisans. Il est déjà navrant de voir des fonctionnaires socialistes s'enfuir en plantant là leurs électeurs et leurs sympathisants. Mais que dire d'officiers nobles qui, voyant fusiller leurs amis et leurs collaborateurs les plus proches – comme M. von Papen –, restent en place en criant *Heil Hitler* ?

Tels partis, telles fédérations. Il existait une Fédération des anciens combattants communistes, et, en ce qui concernait le Parti démocratique allemand, une Reichsbanner schwarz-rot-gold*, organisée militairement, non dépourvue d'armes, comptant des millions d'adhérents destinés expressément à tenir les SA en échec si le besoin s'en faisait sentir. Durant tout ce temps, on ne perçut rien de son existence, absolument rien, pas la moindre chose. Elle disparut sans laisser de trace, comme si elle n'avait jamais existé. Dans toute l'Allemagne, la résistance prenait tout au plus la forme d'un acte individuel désespéré – comme celui du syndicaliste de Köpenick. Les officiers de la Reichsbanner ne firent même pas mine de riposter quand les SA "reprirent" leurs locaux. Le Stahlhelm, l'armée des nationalistes, se laissa mettre au pas, puis dissoudre peu à peu, en récriminant, mais sans résister. Il n'y eut pas un seul exemple d'énergie défensive, de vaillance, de tenue. Il n'y eut que panique, fuite éperdue, apostasie. En mars 1933, des millions de personnes étaient encore prêtes au combat. Du jour au lendemain, elles se retrouvèrent sans chefs, sans armes, trahies. Une partie d'entre elles cherchèrent encore désespérément à rallier

* Voir la note de la page 298.

le Stahlhelm et les nationalistes quand il s'avéra que les autres ne se battaient pas. Le nombre de leurs adhérents enfla démesurément en l'espace de quelques semaines. Puis ils furent dissous eux aussi – et se rendirent sans combat.

Cette terrible capitulation morale des chefs de l'opposition est un trait fondamental de la "révolution" de mars 1933. Grâce à elle, les nazis eurent le triomphe facile. Il est vrai qu'en même temps elle remet en cause la valeur et la solidité de leur victoire. La croix gammée n'a pas été imprimée dans la masse allemande comme dans une matière récalcitrante, mais ferme et compacte. Elle l'a été comme dans une substance amorphe, élastique et pâteuse. Le jour venu, cette pâte est susceptible de prendre une autre forme, avec autant de facilité et sans plus de résistance. Il est vrai que depuis mars 1933 subsiste une question sans réponse : vaut-elle vraiment la peine d'être formée ? Car l'Allemagne a manifesté alors une faiblesse morale trop monstrueuse pour que l'histoire n'en tire pas un jour les conséquences.

Ailleurs, toute révolution, même si elle a laissé le peuple momentanément exsangue et affaibli, a toujours amené une remarquable potentialisation des énergies dans les deux camps en présence – aboutissant, à long terme, à l'émergence d'une nation considérablement plus forte. Qu'on considère la formidable quantité d'héroïsme, d'intrépidité, de grandeur humaine – mêlée sans doute à des débordements, des cruautés, des violences – qu'ont déployée dans la France révolutionnaire jacobins et royalistes, dans l'Espagne contemporaine franquistes et républicains ! Quelle que soit l'issue, la bravoure avec laquelle on a combattu demeure dans la conscience de la nation comme une inépuisable source d'énergie. A l'endroit où cette source devrait jaillir, les Allemands d'aujourd'hui n'ont que le souvenir de l'infamie, de la lâcheté, de la faiblesse. Cela ne peut manquer d'avoir des conséquences qui se manifesteront un jour, peut-être dans la dissolution de la nation allemande et de sa forme politique.

Le Troisième Reich est né de cette trahison de ses adversaires et du sentiment de désarroi, de faiblesse et de dégoût qu'elle a suscité. Le 5 mars, les nazis étaient encore minoritaires. Si de nouvelles élections avaient eu lieu trois semaines plus tard, ils auraient vraisemblablement eu la majorité. Ce n'était pas seulement l'effet de la terreur, ni de l'ivresse engendrée par les fêtes (les Allemands aiment à s'enivrer de fêtes patriotiques). L'élément décisif, c'est que la colère et le dégoût provoqués par la lâcheté et la traîtrise des chefs de l'opposition l'emportaient momentanément sur la colère et la haine à l'encontre du véritable ennemi. Dans le courant du mois de mars 1933, d'anciens opposants au parti nazi s'y rallièrent par centaines de milliers – les "victimes de mars", suspectées et méprisées par les nazis eux-mêmes. Surtout, pour la première fois, même des centaines de milliers d'ouvriers quittèrent leurs organisations sociales-démocrates ou communistes pour s'inscrire dans les "cellules" nazies ou s'enrôler dans la SA. Ils y étaient poussés par diverses raisons, et souvent plusieurs à la fois. Mais on aurait beau chercher longtemps, on n'en trouverait pas une seule dans le lot qui soit bonne, valable, inattaquable et positive – pas une seule de présentable. Le phénomène manifestait dans chaque cas particulier tous les symptômes d'une dépression brutale.

La raison la plus simple, qui s'avérait presque toujours, quand on creusait, la plus intime, c'était la peur. Frapper avec les bourreaux, pour ne pas être frappé. Ensuite, une ivresse mal définie, ivresse de l'unité, magnétisme de la masse. Puis, chez beaucoup, dégoût et ressentiment envers ceux qui les avaient laissés tomber. Puis un syllogisme étrange, typiquement allemand, qui déduisait : "Les adversaires des nazis se sont trompés dans toutes leurs prévisions. Ils ont affirmé que les nazis allaient perdre. Or, les nazis ont gagné. Donc, leurs adversaires avaient tort. Donc, les nazis ont raison." Puis, chez quelques-uns (en particulier chez les intellectuels), la conviction de pouvoir encore changer le visage du parti nazi et l'infléchir dans leur direction en y adhérant eux-mêmes. Ensuite, bien entendu, la soumission pure et simple, l'opportunisme. Enfin, chez les plus primitifs, les plus frustes, dominés par l'instinct grégaire, un phénomène tel qu'il a pu s'en produire dans les temps mythologiques, quand une tribu vaincue abjurait son dieu tutélaire manifestement infidèle pour se mettre sous la protection du dieu de la tribu victorieuse. On avait cru en saint Marx, il n'avait pas secouru ses fidèles. Saint Hitler était manifestement plus puissant. Brisons donc les statues de saint Marx placées sur les autels pour consacrer ceux-ci à saint Hitler. Apprenons à prier : "C'est la faute aux juifs", au lieu de : "C'est la faute au capitalisme." Peut-être est-ce là notre salut.

Comme on le voit, ce phénomène n'a rien que d'assez naturel ; il relève tout à fait du fonctionnement psychologique normal, et cela explique presque parfaitement ce qui semble inexplicable. La seule chose qui subsiste, c'est l'absence totale de ce qu'on nomme, chez un peuple comme chez un individu, de la "race" : à savoir un noyau dur, que les pressions et les tiraillements extérieurs ne parviennent pas à ébranler, une forme de noble fermeté, une réserve de fierté, de force d'âme, d'assurance, de dignité, cachée au plus intime de l'être et que l'on ne peut, précisément, mobiliser qu'à l'heure de l'épreuve. Cela, les Allemands ne le possèdent pas. Ils forment une nation inconstante, molle, dépourvue de squelette. Le mois de mars 1933 en a fourni la preuve. A l'instant du défi, quand les peuples de race se lèvent spontanément comme un seul homme, les Allemands, comme un seul homme, se sont effondrés ; ils ont molli, cédé, capitulé – bref : ils ont sombré par millions dans la dépression.

Le résultat de cette dépression généralisée fut le peuple uni, prêt à tout, qui est aujourd'hui le cauchemar du monde entier.

21

Tel est le processus évident, clair et
bien délimité qui se présente aujour-
d'hui, avec le recul, à l'observateur.
Tandis qu'il se déroulait, il m'était bien
sûr impossible de le voir dans son
ensemble. Je sentais bien, et c'était assez
terrible, que tout cela était écœurant
jusqu'à la nausée, mais j'étais incapable d'en saisir et d'en classer les éléments. Chaque fois qu'on essayait de
comprendre, on voyait s'interposer
comme un voile ces discussions infiniment oiseuses et stériles, toujours
recommencées, au cours desquelles
on s'efforçait de faire entrer les choses
dans un système de notions politiques
obsolètes qui ne leur était plus adapté.
Comme ces discussions paraissent incon-
sistantes aujourd'hui, quand un caprice
de la mémoire en fait remonter à la
surface des bribes et des lambeaux !
Avec toute notre culture historique bourgeoise, nous étions intellectuellement
démunis devant cette évolution qui ne
s'était jamais produite dans tout ce que
nous avions appris. Les explications
étaient absurdes, les tentatives de justification parfaitement stupides – mais les
constructions de fortune que la raison

tentait d'édifier autour de ce sentiment d'effroi et de dégoût qui ne trompait pas étaient aussi désespérément superficielles. Tous les -ismes qu'on mobilisait étaient d'une inanité qui me fait frissonner quand j'y pense.

En outre, la vie quotidienne était un obstacle à l'analyse lucide – la vie qui continuait, encore que définitivement irréelle et spectrale, chaque jour tournée en dérision par les événements dans lesquels elle s'inscrivait. J'allais encore au tribunal, comme avant ; on y disait toujours le droit, comme si ce mot signifiait encore quelque chose, et le conseiller juif qui faisait partie de ma chambre siégeait toujours tranquillement en toge derrière la barre. Il est vrai que ses collègues le traitaient déjà avec cette délicatesse pleine de doigté qu'on témoigne aux grands malades. Je continuais d'appeler au téléphone mon amie Charlie, nous allions au cinéma, buvions du chianti dans un bistrot à vin, allions danser quelque part. Je continuais à voir des amis, à discuter avec des camarades, à fêter des anniversaires en famille – mais alors qu'en février on pouvait encore se demander si tout cela ne signifiait pas le triomphe de la vraie vie, de la réalité indestructible sur les agissements des nazis, on devait désormais admettre que ce n'était plus, au contraire, qu'un mécanisme automatique et creux qui démontrait à chaque instant le triomphe des puissances ennemies qui le submergeaient de toute part.

Et pourtant, curieusement, c'était entre autres choses la poursuite machinale de la vie quotidienne qui s'opposait à une quelconque réaction énergique et vitale contre la monstruosité. J'ai déjà dit comment la trahison et la lâcheté de leurs chefs avaient empêché les équipes des autres groupes politiques de se mobiliser contre les nazis. Cela n'explique pas pourquoi il n'y eut pas, ici, là ou ailleurs, un individu pour se dresser et se défendre spontanément, sinon contre l'ensemble, du moins contre quelque injustice particulière, quelque scandale survenu non loin de lui. (Je n'ignore pas que cette question inclut un reproche à l'égard de moi-même.)

A cela s'opposait précisément le mécanisme de la vie courante. Il est probable que les révolutions, et l'histoire dans son ensemble, se dérouleraient bien différemment si les hommes étaient aujourd'hui encore ce qu'ils étaient peut-être dans l'antique cité d'Athènes : des êtres autonomes avec une relation à l'ensemble, au lieu d'être livrés pieds et poings liés à leur profession et à leur emploi du temps, dépendant d'une foule de choses qui les dépassent, éléments d'un mécanisme qu'ils ne contrôlent pas, marchant pour ainsi dire sur des rails et désemparés quand ils déraillent. La sécurité, la durée ne se trouvent que dans la routine quotidienne. A côté, c'est tout de suite la jungle. Tout Européen du XXe siècle le ressent confusément avec angoisse. C'est pourquoi il hésite à entreprendre quoi que ce soit qui pourrait le faire dérailler – une action hardie, inhabituelle, dont lui seul aurait pris l'initiative. D'où la possibilité de ces immenses catastrophes affectant la civilisation, telle que la domination nazie en Allemagne.

Certes, j'écumais de rage en ce mois de mars 1933. Certes, je faisais peur à ma famille avec des projets désordonnés : quitter la fonction publique, m'exiler, me convertir avec ostentation au judaïsme. Mais je me contentais de formuler ces intentions. Mon père, riche de l'expérience, point adaptée aux nouveaux événements, d'une vie qui s'était déroulée entre 1870 et 1933, minimisait, dédramatisait, tentait de contrer mes propos emphatiques par une discrète ironie. Il faut dire que j'étais habitué à son autorité, et pas encore très sûr de moi. En outre, le scepticisme tranquille m'a toujours convaincu davantage qu'une grandiloquence péremptoire ; j'ai mis longtemps à comprendre que dans ce cas particulier mon instinct de jeune homme avait effectivement raison contre la sagesse et l'expérience de mon père, et qu'il existe des choses que le scepticisme tranquille est impuissant à maîtriser. A l'époque, j'étais encore trop timide pour tirer les conséquences de mes intuitions.

Peut-être, n'est-ce pas, avais-je effectivement une vision déformée de la situation. Peut-être fallait-il l'endurer, laisser passer les choses. C'est seulement dans mon travail, protégé par les articles du Code civil et du Code de procédure civile, que je me sentais sûr de moi et mûr. Ces articles étaient toujours debout. Le palais de justice aussi. Son activité pouvait pour l'heure paraître vide de sens, mais elle ne s'était en rien modifiée. Peut-être qu'en fin de compte tout cela finirait par s'avérer durable et l'emporterait.

Donc, accomplir la routine quotidienne dans une expectative incertaine. Ravaler sa rage et son effroi ou les épancher à la table familiale en éclats stériles du plus haut comique. Vivant dans la même apathie que des millions d'autres individus, je laissais venir les choses.

Elles vinrent.

22

Fin mars, les nazis se sentirent assez forts pour démarrer le premier acte de leur véritable révolution, de cette révolution qui n'est pas dirigée contre un quelconque régime, mais contre les bases mêmes de la cohabitation des hommes sur terre et qui, si on ne l'entrave pas, n'a pas encore atteint son point culminant. Sa première action, timide, fut le boycott des juifs le 1er avril 1933.

Il avait été décidé le dimanche précédent par Hitler et Goebbels, alors qu'ils prenaient le thé dans le chalet de l'Obersalzberg. Le lundi, le journal titrait, avec une bizarre ironie, "Action de masse annoncée". A partir du samedi 1er avril, disait-on, tous les magasins juifs devraient être boycottés. Des SA placés en sentinelles devant leur porte empêcheraient les gens d'entrer. Le boycott concernerait également les médecins et les avocats juifs, contrôlés dans leurs cabinets par des patrouilles de SA.

La justification de cette mesure permettait d'évaluer les progrès accomplis en un mois par les nazis. La légende du projet de putsch communiste qu'il avait fallu inventer pour supprimer la constitution et les libertés civiles était un scénario bien construit, qui se voulait crédible ; on avait même cru nécessaire de fabriquer une sorte de preuve visible en mettant le feu au Reichstag. Mais la justification officielle du boycott des juifs ridiculisait, avec une impudence insultante, ceux que l'on estimait capables de faire semblant d'y croire. Car le boycott se voulait une défense et une revanche contre la légende sans fondement concernant les horreurs perpétrées par l'Allemagne nouvelle, légende que les juifs allemands propageaient perfidement à l'étranger. Ah bon.

D'autres mesures complémentaires furent annoncées dans les jours suivants (certaines d'entre elles allaient être adoucies dans un premier temps) : tous les magasins "aryens" avaient à congédier leurs employés juifs. Puis : tous les magasins juifs devaient en faire autant. Les magasins juifs devaient continuer à verser le salaire de leurs employés "aryens", tandis qu'ils étaient fermés à cause du boycott. Les propriétaires de magasins, s'ils étaient juifs, avaient à se retirer pour laisser la place à des gérants "aryens". Et ainsi de suite.

En même temps démarra une grande "campagne d'information" contre les juifs. Des tracts, des affiches, des réunions informèrent les Allemands qu'ils étaient dans l'erreur en tenant les juifs pour des êtres humains. Les juifs étaient en fait des "sous-hommes", des sortes d'animaux, mais pourvus de caractéristiques diaboliques. Les conséquences qu'il fallait en tirer étaient tues provisoirement. Mais toujours est-il que l'exclamation "Mort aux juifs !" était proposée comme slogan et cri de ralliement. Le boycott était supervisé par un homme dont la plupart des Allemands lisaient le nom pour la première fois : Julius Streicher*.

Toutes ces mesures suscitèrent chez les Allemands ce dont on ne les aurait presque plus crus capables après les quatre semaines écoulées : un sursaut d'effroi quasi général. Un murmure de

---

* Julius Streicher (1885-1946), un des antisémites les plus fanatiques du régime, condamné et exécuté à Nuremberg.

réprobation, étouffé mais audible, parcourut le pays. Les nazis eurent la finesse de remarquer qu'ils étaient allés trop loin, et laissèrent tomber après le 1er avril certaines des dispositions qu'ils avaient prises. Mais non sans avoir permis à la terreur de faire son effet. On sait maintenant dans quelle mesure ils avaient renoncé à leurs véritables intentions.

Mais ce qui était étrange et décourageant, c'est que, passé la frayeur initiale, cette première proclamation solennelle d'une détermination meurtrière nouvelle déchaîna dans toute l'Allemagne une vague de discussions et de débats non pas sur la question de l'antisémitisme, mais sur la "question juive". Un truc que les nazis ont employé depuis avec succès dans nombre d'autres "questions", et à l'échelle internationale : en menaçant de mort un pays, un peuple, un groupe humain, ils ont fait en sorte que son droit à l'existence, et non le leur, fût soudain discuté par tous – autrement dit, mis en question.

D'un seul coup, chacun se sentit astreint et autorisé à se forger une opinion sur les juifs et à la communiquer. On opérait une distinction subtile entre les juifs "convenables" et les autres ; quand les uns, en quelque sorte pour justifier les juifs – justifier quoi ? Et contre quoi ? –, citaient leurs performances dans les domaines scientifique, artistique, médical, les autres les faisaient jouer contre eux, en prétendant que les juifs avaient "envahi" science, art et médecine. Et la mode se généralisa rapidement de reprocher aux juifs l'exercice de professions honorables et intellectuellement utiles sinon comme un crime, du moins comme un manque de tact. Le sourcil froncé, on opposait aux défenseurs des juifs qu'il était fâcheux que ceux-ci représentent un pourcentage si élevé de médecins, d'avocats, de journalistes, etc. On aimait d'ailleurs trancher la "question juive" à coups de pourcentage. On calculait si le pourcentage de juifs membres du parti communiste n'était pas trop élevé, celui des tués de la guerre mondiale trop bas. (Authentique ; j'ai vu moi-même un homme qui se réclamait des "milieux cultivés" et avait le grade de docteur me démontrer que les douze mille juifs allemands tombés au champ d'honneur étaient moins nombreux par rapport au nombre total des juifs allemands que ne l'étaient les aryens tués par rapport à l'ensemble des aryens, et en tirer "une certaine justification" de l'antisémitisme nazi.)

Or, plus personne ou presque ne doute aujourd'hui que l'antisémitisme nazi n'a pratiquement rien à voir avec les juifs, leurs mérites et leurs défauts. Les nazis ne font désormais plus mystère de leur propos de dresser les Allemands à pourchasser et exterminer les juifs dans le monde entier. Ce qui est intéressant n'est pas la raison qu'ils en donnent, et qui est une absurdité si manifeste qu'on se dégraderait en en discutant, fût-ce pour la combattre. L'intéressant, c'est ce propos lui-même, qui est une nouveauté dans l'histoire universelle : la tentative de neutraliser, à l'intérieur de l'espèce humaine, la solidarité fondamentale des espèces animales qui leur permet seule de survivre dans le combat pour l'existence ; la tentative de diriger les instincts prédateurs de l'homme, qui ne s'adressent normalement qu'aux animaux, vers des objets internes à sa propre espèce, et de dresser tout un peuple, telle une meute de chiens, à traquer l'homme comme un gibier. Une fois que ces penchants meurtriers fondamentaux et permanents à l'égard des congénères ont été éveillés et même transformés en devoir, changer leur objet n'est plus qu'une formalité. On voit bien déjà qu'il est facile de remplacer "les juifs" par "les Tchèques", "les Polonais" ou n'importe quoi d'autre. Il s'agit d'inoculer systématiquement à un peuple entier – le peuple allemand – un bacille qui fait agir ceux qu'il infecte comme des loups à l'égard de leurs semblables ou qui, autrement dit, déchaîne et cultive ces instincts sadiques que plusieurs millénaires de civilisation se sont employés à réfréner et à éradiquer. J'aurai l'occasion de montrer dans un chapitre ultérieur que de grandes parties du peuple allemand – nonobstant sa veulerie et son indignité générales – sont encore capables de mobiliser des anticorps contre cette peste, sans doute poussées par l'obscure prescience de ce qui se joue. S'il en était autrement, si cette tentative des nazis – qui est au centre de tous leurs efforts – devait véritablement réussir, cela conduirait l'humanité à une crise de toute première importance qui remettrait en cause la survie de l'espèce humaine et qu'on ne pourrait sans doute combattre que par des moyens drastiques, telle que l'élimination physique de tous les hommes infectés par le bacille.

Cette rapide esquisse suffit à montrer que c'est précisément l'antisémitisme nazi qui touche – mais pas pour les juifs – à ces ultimes questions ontologiques que n'effleure aucun autre point de leur programme. Et cela permet de mesurer combien est risible ce point de vue, encore assez répandu en Allemagne, qui voudrait considérer l'antisémitisme des nazis comme un détail accessoire, tout au plus comme un petit défaut esthétique du mouvement, que l'on peut accepter ou déplorer selon que l'on trouve les juifs plus ou moins sympathiques, mais "qui n'a évidemment aucune importance en regard des grandes questions nationales". En vérité, ces "grandes questions nationales" sont des broutilles insignifiantes, des troubles qui font partie d'une période européenne de transition destinée à durer peut-être encore quelques décennies, comparées aux périls définitifs de ce crépuscule de l'humanité qu'invoque l'antisémitisme nazi.

Une fois encore : personne, en 1933, n'avait de ces choses une vision parfaitement nette. Mais, en ce qui concerne ce cas particulier, je puis au moins me flatter de les avoir pressenties. Je discernais clairement que ce qui s'était produit jusqu'alors était écœurant et rien de plus. Ce qui commençait était apocalyptique. Cela posait – je le ressentais à un choc dans des régions quasi inexplorées de l'âme – les questions dernières, même si j'étais encore incapable de leur donner un nom.

En même temps, je sentais, avec une appréhension mêlée d'une expectative presque joyeuse, que les choses, maintenant, venaient à moi. Je suis ce que les nazis appellent un "aryen". Certes, j'ignore autant que quiconque les races qui se mêlent effectivement en moi. Mais quoi qu'il en soit, durant les deux ou trois cents ans auxquels je puis faire remonter ma généalogie, on ne rencontre pas de sang juif. Pourtant, j'ai toujours eu plus d'affinités instinctives avec la communauté juive d'Allemagne qu'avec les gens du Nord, ces Allemands moyens au milieu desquels j'ai grandi, et mes relations avec eux étaient anciennes et étroites. Mon plus vieux et plus cher ami était juif. Même ma nouvelle petite amie Charlie était juive. Je jouais encore avec elle sans parvenir à me décider, mais, incontestablement, je l'aimais d'un amour plus ardent et plus fier depuis qu'elle était menacée. On ne me la ferait pas boycotter, je le savais.

Je l'appelai le soir même où le boycott fut annoncé dans le journal. Au cours de cette semaine, je la vis presque chaque jour, et notre histoire commença de ressembler à une véritable histoire d'amour. Dans la vie courante, Charlie n'était évidemment plus le page turc qu'elle avait été sous les lumières du bal, mais une bonne petite fille, issue d'une famille de petits-bourgeois juifs besogneux dans les ramifications de laquelle on se perdait. Mais c'était une petite créature tendre et gentille, et le malheur était sur elle. Durant ces semaines, je l'ai aimée.

Je me souviens d'une scène étrange avec elle, dans la dernière semaine de mars, tandis que le boycott se rapprochait. Nous étions allés dans le Grunewald, il faisait un magnifique temps de printemps, anormalement chaud, comme durant tout ce mois de mars 1933. Sous des petits nuages voguant dans un ciel d'une indescriptible luminosité, entre des pins qui répandaient un parfum balsamique, nous nous bécotions sur la mousse comme un parfait petit couple de cinéma. Le monde était paisible et printanier. Nous sommes restés là-bas peut-être une ou deux heures, et toutes les dix minutes environ une classe passait devant nous, c'était apparemment un jour voué aux excursions scolaires : rien que des garçons mignons et vifs, sous la houlette d'un professeur portant comme il se doit lorgnon ou barbichette, qui veillait fidèlement sur ses ouailles. Chacune de ces classes se tournait vers nous en passant et un

chœur de voix claires et gaies nous lan-
çait, comme un salut joyeux : "Mort aux
juifs !" Peut-être n'étions-nous pas directement concernés – je n'ai pas l'air juif,
et Charlie, qui l'était, ne l'avait pas particulièrement non plus –, peut-être était-
ce tout simplement censé être une
formule aimable. Je ne sais pas. Peut-
être étions-nous vraiment concernés,
et cela se voulait-il un défi.

J'étais là, "sur la colline printanière*",
dans les bras une jolie fille, vive et fine,
que j'embrassais et caressais, et sans
cesse défilaient devant nous de joyeux
garçons en promenade qui réclamaient
notre mort. Soit dit en passant, nous
n'en mourions pas, et eux passaient
leur chemin sans s'émouvoir autrement.

Un tableau surréaliste.

23

Vendredi 31 mars. Le jour suivant, les
choses sérieuses étaient censées commencer. On feuilletait les journaux à la

* Premier vers d'un célèbre poème d'Eduard
Mörike (1804-1875), *Im Frühling* ("Au printemps").

recherche d'un quelconque adoucisse-
ment, d'une inflexion vers une situation à demi normale et imaginable.
Mais non, rien. Juste quelques aggra-
vations, et de froides et minutieuses ins-
tructions de détail concernant la marche
à suivre et le comportement à adopter.

Pour le reste, *business as usual*. L'animation régulière des rues affairées ne trahissait pas que cette ville se préparait à
vivre des instants d'exception. Les magasins juifs étaient ouverts, et vendaient
comme toujours. Aujourd'hui, il n'était
pas encore interdit d'y faire ses achats.
Cela ne commencerait que demain : demain matin sur le coup de huit heures.

Je me rendis au palais. Il était semblable à lui-même : gris, froid et paisible,
retranché de la rue derrière un rempart
distingué d'arbres et de pelouses. Ses
longs couloirs et ses vastes salles étaient
comme toujours peuplés d'avocats en
toges de soie noire flottantes, des dossiers sous le bras, la mine correcte et
concentrée, qui filaient telles des chauves-
souris furtives. Les avocats juifs plai-
daient leurs causes. C'était apparemment un jour ordinaire.

Je me rendis à la bibliothèque, comme
si c'était un jour ordinaire – je ne siégeais
pas –, et m'installai à une des longues
tables avec une pièce sur laquelle je

devais rédiger un rapport. Une affaire compliquée, avec des points de droit embrouillés. Entouré des gros volumes de commentaires que j'avais traînés à ma place, je feuilletais des recueils de jurisprudence en prenant des notes. Dans la vaste pièce régnait, comme tous les jours, le silence affairé qui émane d'un travail intellectuel multiple et concentré. Le crayon qui jouait sur le papier mettait en mouvement, subtils et invisibles, les rabots et les limes de la procédure juridique ; on subordonnait, on comparait, on soupesait la signification d'un mot dans un contrat, on cherchait quelle portée le tribunal attribuait à un article du Code. Puis quelques mots griffonnés sur une feuille de papier – et il s'était produit quelque chose comme un coup de bistouri, une question était éclaircie, un élément du jugement défini. Pas la décision elle-même, bien sûr : "Il est par conséquent sans importance que le plaignant… il convient donc maintenant d'examiner…" Travail prudent, précis, muet. Chaque occupant de la salle plongé, isolé dans le sien. Même les appariteurs, mi-huissiers, mi-sentinelles, avaient dans la bibliothèque une démarche feutrée et une tendance à s'effacer. Il régnait à la fois un silence extrême et, dans ce silence, l'extrême tension d'une activité diverse : quelque chose comme un concert muet. J'aimais cette atmosphère dense et stimulante. Aujourd'hui, j'aurais eu du mal à travailler chez moi, seul à mon bureau. Ici, c'était très facile. Les pensées ne pouvaient pas s'égarer. On était comme dans une forteresse, ou plutôt comme dans un alambic. Nul souffle d'air extérieur ne pénétrait ici. Ici, pas de révolution.

Quel fut le premier bruit nettement perceptible ? Une porte claquée ? Un cri rauque et inarticulé, un commandement ? Tirés brusquement de leur travail, les présents tendirent l'oreille intensément. Il régnait toujours un silence absolu, mais sa nature s'était modifiée : ce n'était plus un silence studieux, mais celui de la peur et de la tension. Dehors dans les couloirs, on entendit des piétinements, une cavalcade qui montait l'escalier, puis un vacarme confus d'appels et de portes claquées. Quelques personnes se levèrent, allèrent à la porte, l'ouvrirent, regardèrent ce qui se passait, rentrèrent. D'autres se dirigèrent vers les appariteurs et se mirent à parler avec eux – encore à voix basse, dans cette salle, on ne pouvait parler qu'à voix basse. Dehors le vacarme grandissait. Quelqu'un lança dans le silence persistant : "Les SA." Puis un autre, sans même élever la voix : "Ils jettent les juifs dehors", et deux ou trois personnes se mirent à rire. Ce rire fut sur l'instant plus effrayant que la chose elle-même : dans un éclair, on comprenait que dans cette pièce, comme c'était étrange, il y avait des nazis.

Peu à peu, l'inquiétude, qui n'avait d'abord été que sensible, se faisait visible. Les gens qui travaillaient se levèrent, tentèrent d'échanger quelques paroles, puis se mirent à marcher de long en large, lentement, sans but. Un monsieur distingué, manifestement juif, ferma ses livres sans mot dire, les replaça soigneusement sur les rayonnages, rangea ses dossiers et sortit. Peu après quelqu'un se dressa dans l'embrasure, peut-être une sorte d'huissier en chef, et dit d'une voix forte, mais posée : "Les SA sont ici. Les messieurs juifs feraient mieux de quitter la maison pour aujourd'hui." En même temps, on entendit, comme pour illustrer ses propos, crier dans le couloir : "Dehors, les juifs !" Une voix répondit : "Ils sont déjà dehors", et à nouveau j'entendis les deux ou trois rieurs de tout à l'heure émettre un gloussement bref et joyeux. Je les vis. C'étaient des référendaires comme moi.

Tout cela me rappela soudain, d'une façon déconcertante, le carnaval interrompu voici quatre semaines. Débandade ici aussi. Beaucoup rangèrent leurs serviettes et partirent. "Vous avez le droit de rentrer chez vous", me rappelai-je. En avaient-ils encore le droit ? Aujourd'hui, cela n'allait plus vraiment de soi. D'autres, abandonnant leurs affaires, sortirent voir ce qui se passait dans le bâtiment. Les huissiers, encore plus que de coutume, montraient par toute leur attitude leur désir de s'effacer. Un ou deux de ceux qui étaient restés allumèrent une cigarette – ici, dans la bibliothèque du tribunal ! Et les huissiers ne disaient rien. Cela aussi, c'était la révolution.

Les curieux racontèrent plus tard ce qui était arrivé dans le bâtiment. Pas la moindre atrocité. Tout s'était fort bien passé. La plupart des séances avaient manifestement été interrompues. Les juges avaient ôté leur toge et quitté la maison avec une modestie courtoise, descendu les escaliers flanqués de SA. Il n'y avait eu un peu de grabuge que dans la salle des avocats. Un avocat juif s'était rebiffé et avait été roué de coups. Plus tard, j'ai su de qui il s'agissait : non seulement cet homme avait reçu cinq blessures à la guerre et y avait perdu un œil, mais il y avait atteint le grade de capitaine. Sans doute, pour son malheur, se souvenait-il de l'attitude qui ramène les mutins à la raison.

Entre-temps, les envahisseurs avaient fait leur apparition chez nous. La porte fut ouverte violemment, des uniformes bruns se ruèrent à l'intérieur, et l'un deux, manifestement le chef, cria d'une voix retentissante, d'une voix au garde-à-vous : "Les non-aryens ont à quitter immédiatement la boutique !" Je remarquai qu'il employait la formule recherchée de "non-aryens", et le terme vulgaire de "boutique". A nouveau, quelqu'un répondit, le même que tout à l'heure : "Ils sont déjà sortis." Nos huissiers au garde-à-vous semblaient sur le point de porter la main au képi. Mon cœur battait. Comment sauver la face ? Ne pas faire mine, ne pas se laisser troubler ! Je lus mécaniquement une phrase au hasard : "L'affirmation de l'accusé est inexacte, mais sans importance…" Faire comme s'ils n'étaient pas là !

Cependant qu'un uniforme brun se plantait devant moi :

— Etes-vous aryen ?

Sans même réfléchir, j'avais répondu :

— Oui.

Un regard investigateur à mon nez – et il se retira. Quant à moi, le sang me monta aux joues. Un instant trop tard, je ressentis ma honte, ma défaite. J'avais répondu "oui". Bon, d'accord, j'étais aryen. Je n'avais pas menti. J'avais seulement permis une chose bien plus grave. Quelle humiliation, que de répondre consciencieusement, au premier venu qui me le demandait, que j'étais aryen – ce à quoi je n'attachais d'ailleurs aucune valeur. Quelle honte d'acheter ainsi le droit de rester en paix derrière mon dossier ! Je m'étais fait avoir ! J'avais été recalé dès la première épreuve ! Je me serais giflé.

Quand je quittai le tribunal, il était comme toujours, gris, froid et paisible, retranché de la rue derrière le rempart distingué des arbres de son parc. On ne pouvait pas voir qu'il s'était effondré en tant qu'institution. On ne pouvait sans doute pas voir non plus en me regardant que je venais de subir une terrible défaite, une humiliation à peine réparable. Un jeune homme bien habillé descendait la Potsdamer Strasse. La rue non plus ne trahissait rien. *Business as usual*. Et toujours, dans l'air, le grondement de l'inconnu qui s'approchait…

24

J'eus encore l'occasion, ce même soir, de faire deux petites expériences remarquables. D'abord, j'éprouvai pendant une heure une peur mortelle pour ma petite amie Charlie. Une peur injustifiée, certes, mais non sans raison.

La cause en était plutôt dérisoire. Nous nous étions manqués. J'avais rendez-vous avec elle devant la maison de commerce où elle gagnait cent marks par mois en tapant à la machine – j'ai déjà dit qu'elle n'était pas un page turc, mais une fillette issue d'une famille de petits-bourgeois besogneux, qui travaillaient dur. Quand j'arrivai à sept heures, le magasin était déjà fermé, mort, les portes protégées par des rideaux de fer décourageants. C'était une maison juive. Peut-être les SA lui avaient-ils rendu visite dès aujourd'hui ? Je pris le métro pour me rendre chez Charlie. Je montai l'escalier d'un grand immeuble locatif, sonnai, deux fois, trois fois. Rien ne bougea dans l'appartement. Je sortis pour appeler le magasin depuis une cabine téléphonique. Pas de réponse. J'appelai l'appartement. Pas de réponse. Je me postai comme un imbécile à la sortie de la station de métro où elle devait descendre en rentrant du travail. Une foule de gens entraient et sortaient comme chaque jour, sans être inquiétés ni arrêtés, mais Charlie n'était pas parmi eux. De temps à autre, je retéléphonais, ce qui était parfaitement absurde.

Et durant tout ce temps, j'avais les genoux flageolants d'anxiété. Etait-on "venu la chercher" chez elle, avait-elle été "emmenée" de son lieu de travail ? Peut-être était-elle déjà Alexander-platz, peut-être même sur le chemin d'Oranienburg, où le premier camp de concentration avait été ouvert ? On ne pouvait rien savoir. Tout était possible. Le boycott pouvait être une simple démonstration, il pouvait tout aussi bien – "Mort aux juifs !" – servir de couverture au meurtre général, à l'assassinat discipliné sur commande. L'incertitude faisait partie de ses effets les plus calculés, les plus raffinés. Trembler pour une jeune juive au soir du 31 mars 1933 n'était pas sans raison, même si c'était injustifié.

Dans ce cas particulier, c'était injustifié. Une heure plus tard environ, j'entendis la voix de Charlie alors que je téléphonais chez elle une fois de plus, sans le moindre espoir. Les employés de son magasin, se demandant que devenir maintenant qu'ils étaient licenciés, étaient restés ensemble une heure encore pour se concerter sans résultat. Non, les SA n'étaient pas encore venus aujourd'hui.

— Excuse-moi, ça s'est prolongé. J'étais comme sur des charbons ardents...

Et ses parents ? A la clinique, auprès d'une tante qui, narguant le mot d'ordre "Mort aux juifs !", venait d'avoir un bébé. Quant à ce qu'elle deviendrait le lendemain, puisqu'il fallait boycotter la clinique et le médecin... Difficile à imaginer. Ce n'est que cinq ans plus tard que l'on chasserait de leur lit les malades et les accouchées. Cette éventualité était déjà, d'une certaine façon, dans l'air ; on la pressentait confusément, mais on ne pouvait se décider à l'exprimer. Tout ce que la journée du lendemain apporterait se dérobait pour l'instant à l'imagination.

Entre-temps, j'éprouvais du soulagement et le sentiment de m'être un peu ridiculisé à mes propres yeux avec ma peur. Cinq minutes plus tard, Charlie arrivait, tout à fait chic, un petit chapeau à plume perché de biais sur la tête : jeune citadine habillée pour sortir le soir. De fait, notre premier souci fut de savoir où nous pouvions aller : il était neuf heures passées, trop tard même pour le cinéma, et il fallait bien aller quelque part, c'est pour cela que nous avions pris rendez-vous. Enfin, je pensai à quelque chose qui ne commençait qu'à neuf heures et demie, et nous prîmes un taxi pour nous rendre à la *Katakombe*.

Tout cela avait une pointe de folie, perceptible même sur le moment, et évidente avec le recul : à peine délivrés d'une angoisse mortelle, et sachant parfaitement que le jour suivant mettrait au moins l'un de nous deux en danger de mort, nous n'étions ni extérieurement, ni intérieurement empêchés de nous rendre dans un cabaret.

Ce qui caractérise au moins les premières années de la domination nazie, c'est que toute la façade de la vie normale était restée presque intacte. Les cinémas, les théâtres, les cafés étaient pleins ; des couples dansaient dans les salles et les jardins, des promeneurs flânaient innocemment dans les rues, des jeunes gens heureux se prélassaient sur les plages. Un état de fait que les nazis ont abondamment exploité pour leur propagande : "Venez voir notre pays, il est normal, paisible, joyeux. Venez voir comme même nos juifs se portent bien." La folie, l'angoisse, la tension sous-jacentes, cette ambiance de danse macabre et de *carpe diem*, on ne pouvait évidemment pas les voir, pas plus qu'on ne peut voir sur le portrait du superbe jeune homme au sourire triomphant, qui, aujourd'hui encore, surmontant les mots "bien rasé – bien luné" fait de la réclame pour une lame de rasoir dans les stations du métro berlinois, que ce même jeune homme a eu la tête tranchée voici quatre ans dans la cour de la prison de Plötzensee pour crime de haute trahison, ou ce qui porte ce nom de nos jours.

Bien sûr, cela ne parle pas non plus en notre faveur, qu'ayant éprouvé une angoisse mortelle et sachant que nous courions un extrême danger nous n'ayons rien trouvé de mieux à faire que d'ignorer autant que possible la situation, et de ne pas nous laisser priver de notre plaisir. Je crois qu'il y a cent ans un jeune couple aurait trouvé mieux, ne serait-ce qu'une grande nuit d'amour pimentée par le danger et le désarroi. Mais nous n'eûmes pas l'idée d'en faire quelque chose d'exceptionnel et, comme personne ne nous en empêchait, nous allâmes au cabaret. D'abord parce que nous l'aurions fait de toute façon, ensuite pour penser le moins possible aux choses désagréables. Cela peut ressembler à du sang-froid et à de l'intrépidité, mais c'est sans doute plutôt le signe d'une certaine atrophie du sentiment ; cela montre que nous n'étions pas, fût-ce dans la souffrance, à la hauteur de la situation. C'est, si l'on veut bien me permettre dès maintenant cette généralisation, l'un des traits les plus inquiétants de l'histoire récente de l'Allemagne : ses crimes n'ont pas de criminels, ses passions n'ont pas de martyrs. Tout se passe dans une sorte de torpeur, et les monstruosités objectives recouvrent une sensibilité ténue, atrophiée. On commet des meurtres dans la même disposition d'esprit qu'une niche de gamin, on ressent l'avilissement de soi et l'anéantissement moral comme un incident fâcheux, et même le martyre physique n'inspire guère d'autre réflexion que : "Pas de bol."

Pourtant, notre insouciance trouva ce soir-là une injuste récompense, car le hasard nous conduisit précisément à la *Katakombe*, et ce fut le deuxième événement marquant de la soirée. Nous sommes entrés dans le seul lieu public d'Allemagne où se pratiquait une sorte de résistance – avec courage, esprit, élégance. Le matin, j'avais vu le tribunal de Prusse, riche d'une tradition séculaire, capituler lamentablement devant les nazis. Le soir, je vis une poignée de petits chansonniers berlinois sans la moindre tradition sauver l'honneur, glorieusement et avec grâce. Le tribunal était tombé. La *Katakombe* restait debout.

L'homme qui conduisait à la victoire son bataillon d'acteurs – car conserver dignité et fermeté face à une puissance supérieure menaçante et meurtrière est une forme de victoire – était Werner Finck, et ce petit chansonnier a incontestablement sa place dans l'histoire du Troisième Reich, une des rares places d'honneur qui y sont dispensées. Il n'avait pas l'air d'un héros, et s'il a fini par en devenir un, ou presque, il l'est devenu *malgré lui**. Pas un acteur révolutionnaire, pas un railleur mordant, pas un David armé de sa fronde. Son caractère le plus profond était l'innocence et la gentillesse. Son humour était exquis, dansant, léger, son arme préférée l'ambiguïté et le jeu de mots, qu'il finit par maîtriser en véritable virtuose. Il avait inventé quelque chose qu'on appelait la "pointe cachée", et certes, plus le temps passait, plus il avait intérêt à cacher ses pointes. Mais il ne cachait pas ses opinions. Il restait un trésor d'innocence et de gentillesse dans un pays où ces qualités étaient vouées à l'extermination. Et cette innocence et

* En français dans le texte.

cette gentillesse cachaient la pointe d'un véritable, d'un indomptable courage. Il osait parler de la réalité nazie, en pleine Allemagne. Ses sketches évoquaient les camps de concentration, les perquisitions, la peur universelle, le mensonge général ; et ses railleries indiciblement discrètes, mélancoliques et navrées, étaient une grande consolation.

Ce 31 mars 1933 fut peut-être son triomphe. La salle était pleine de gens qui regardaient le lendemain comme un abîme béant. Finck les fit rire comme je n'ai jamais entendu rire un public. C'était un rire pathétique, le rire d'un défi nouveau-né qui laissait derrière lui l'hébétude et le désespoir, et le péril contribuait à nourrir ce rire – n'était-ce pas presque un miracle que les SA ne fussent pas entrés depuis longtemps pour arrêter tout le monde ? Sans doute aurions-nous, ce soir-là, continué à rire dans le panier à salade. Nous planions de façon incroyable au-dessus de la peur et du danger.

25

— Si tu t'aperçois qu'ils vont chez les gens, Charlie, viens chez moi, dis-je en la quittant.

A vrai dire, je n'étais pas très à l'aise à l'idée de devoir expliquer la situation à mes parents, mais je préférais ne pas y penser.

— Promets-le-moi. J'espère que chez nous, au moins, tu seras en sûreté.

Ma proposition la toucha ; elle promit. Dieu merci, elle n'eut pas besoin de venir. Elle ne m'aurait pas trouvé. Car le jour suivant…

A dix heures du matin, je reçus un télégramme : "Viens si tu peux, merci. Frank." Je pris congé de mes parents, un peu comme quelqu'un qui part pour la guerre, et pris un train de banlieue qui m'amena, à l'est de la ville, chez mon ami Frank Landau. Au fond, je n'étais pas fâché d'être appelé ailleurs ; cela m'évitait de passer la journée dans l'angle mort des événements.

Frank Landau était mon plus cher et mon plus vieil ami. Nous nous connaissions depuis les petites classes du lycée, nous avions tous les deux participé à des courses au sein du Rennbund Altpreussen, puis plus tard dans de vrais clubs de sport. Nous avions fait nos études ensemble, et nous effectuions maintenant notre stage au même endroit.

Nous avions partagé à peu près tous les engouements et tous les enthousiasmes de l'adolescence. Nous nous étions lu mutuellement nos premiers essais littéraires, et nous continuions avec nos travaux plus sérieux – nous nous sentions tous deux plus hommes de lettres que juristes. Certaines années, nous nous étions vus tous les jours, et nous étions' habitués à tout partager – jusqu'à nos histoires d'amour, que nous avions coutume de déployer l'un devant l'autre sans avoir le sentiment de commettre une indiscrétion, mais plutôt comme on se livre à un débat intérieur.

En dix-sept ans, nous ne nous étions pas disputés sérieusement une seule fois. C'eût été comme de se brouiller avec soi-même.

Nos différences – parmi lesquelles la différence d'origine était la plus insignifiante –, nous les avions analysées avec délectation au cours de notre jeunesse introspective, les trouvant très intéressantes. Elles ne nous séparaient pas.

De nous deux, il était le plus brillant. C'était un garçon superbe, grand, athlétique et svelte. Véritable Apollon dans son adolescence, il évoqua plus tard – quand son nez fut devenu plus imposant, son front plus haut, son visage plus marqué – le roi Saül dans sa jeunesse. Si semblables que fussent nos deux existences, la sienne avait davantage de panache : il s'élançait plus haut, sombrait plus profondément, l'amour le secouait plus violemment que moi, sa jeunesse avait plus d'éclat – même s'il le payait par des phases d'un désespoir accablant, épuisant, qui m'étaient épargnées.

Il se trouvait justement dans une de ces périodes, et elle durait dangereusement – depuis déjà presque un an. Celle-ci avait été déclenchée par une cause extérieure. Un an auparavant, son amie Hanni l'avait trompé, de façon plutôt fortuite et irréfléchie. Ce n'était pas vraiment sérieux, mais il en avait été profondément bouleversé. Cela peut paraître un peu ridicule, mesuré à l'aune de l'amour tel qu'on le conçoit ordinairement au XXᵉ siècle, mais son amour à lui avait été une grande passion à l'ancienne, de celles qui sont passées de mode et qu'on aurait crues définitivement obsolètes, telles qu'elles ont pu inspirer *Werther*, *La Nouvelle Héloïse*, *Le Livre des chants* de Heine et les valses de Chopin. Ces sentiments-là ne s'accommodent pas d'une infidélité commise à l'étourdie, et les ravages que celle-ci avait causés d'abord chez lui puis, quand elle avait mesuré l'étendue des dégâts, chez elle, s'apparentaient de près à un effondrement total. La suite avait été plutôt déprimante : séparation, réconciliation incomplète et bancale, tentatives de sa part à lui pour se consoler avec d'autres femmes – expériences qui ne faisaient qu'augmenter son amertume et son désarroi –, relation replâtrée qui n'était plus que la caricature du passé, enfin abandon et capitulation générale, enlisement progressif et fatal dans une situation inextricable. On connaît ce genre d'histoire, on leur a consacré des romans, c'est la rançon de l'extase que procurent les grands sentiments. Depuis peu, une autre fille était apparue dans sa vie ; prénommée Ellen, c'était une jeune personne intelligente et froide, une étudiante, une intellectuelle nimbée d'une atmosphère assez plaisante de calme et d'ordre bourgeois : parfaite incarnation d'une période de convalescence et de restauration, d'un retour à la civilisation après les égarements et les spasmes douloureux de la révolution. J'avais fait sa connaissance depuis peu – Frank me l'avait pour ainsi dire exhibée – et un peu plus tard il m'avait demandé, en plaisantant à moitié, ce que je pensais de l'éventualité de fiançailles avec elle. Après quoi il passerait son assessorat, se marierait, s'embourgeoiserait. N'était-elle pas la femme idéale pour réaliser ce programme ? J'avais ri, trouvant sa décision un peu précipitée. Sur quoi Frank avait ri, lui aussi, et nous avions changé de sujet.

Donc, je me rendais chez lui. Son père, chez qui il vivait, était médecin ; il fallait donc le boycotter. J'étais curieux de voir de quoi tout cela aurait l'air.

Cela avait l'air chaotique, mais c'était un chaos plutôt inoffensif. Les magasins juifs, assez nombreux dans la banlieue est, étaient ouverts, avec, il est vrai, des SA plantés jambes écartées devant leurs portes. Les vitrines étaient barbouillées d'obscénités, et les propriétaires le plus souvent invisibles. Des curieux badaudaient devant les magasins, mi-angoissés, mi-ricanants. L'ensemble donnait une impression de stagnation et de perplexité, comme si tout le monde attendait quelque chose sans savoir encore exactement quoi. On n'avait pas vraiment l'impression que le sang allait couler. Je parvins chez les Landau sans être inquiété. Je constatai qu'apparemment "ils" n'allaient pas encore chez les gens, et je fus soulagé pour mon amie Charlie. Frank n'était pas là. Son père, un vieux monsieur large et cordial, me reçut à sa place. Il s'entretenait souvent avec moi lorsque j'étais chez eux, avait la bonté de s'enquérir de ma production littéraire, entonnait la louange de Maupassant, qu'il révérait par-dessus tout, et m'imposait inexorablement la dégustation de nombreuses boissons alcoolisées pour tester la sensibilité de mes papilles. Ce jour-là, il m'accueillit d'un air offensé. Il n'était ni perturbé, ni angoissé. Il était *offensé*.

C'était encore le cas de nombreux juifs, et je m'empresse de dire qu'à mes yeux cela parle en leur faveur. Maintenant, la plupart n'en ont plus la force. Ils ont reçu trop de coups terribles. C'est le même processus que celui qui, condensé sur quelques minutes, se déroule dans les camps de concentration chez les individus enchaînés et roués de coups : le premier coup touche la fierté, et l'âme se cabre sauvagement ; le dixième, le vingtième, ne touchent plus que le corps et ne provoquent plus qu'un gémissement. La communauté juive d'Allemagne a connu en six ans la même évolution, en grand et de façon collective.

Le vieux Landau n'était pas encore réduit en bouillie à force de coups. Il était offensé – et, ce qui me fit un peu peur, il me reçut comme l'émissaire de ses offenseurs.

— Eh bien, qu'est-ce que vous en dites ? commença-t-il.

Et, sans se laisser troubler par l'affirmation un peu gênée que bien sûr, je trouvais tout cela scandaleux, il m'attaqua de front :

— Croyez-vous vraiment que j'ai inventé des histoires de brigands à destination de l'étranger ? Y a-t-il un seul d'entre vous pour le croire ?

Avec une certaine frayeur, je vis qu'il s'apprêtait pour ainsi dire à plaider :

— Il faudrait vraiment que les juifs soient plus bêtes que nature pour envoyer maintenant des histoires de brigands à l'étranger. Comme si nous n'avions pas lu dans les journaux que le secret postal n'existe plus ! Et, curieusement, on nous permet encore de lire les journaux. Inventer de toutes pièces des histoires à faire dresser les cheveux sur la tête ! Y a-t-il une seule personne pour croire à cette fable stupide ? Et si personne n'y croit, à quoi ça sert ? Vous pouvez me le dire ?

— Il va de soi que personne de sensé n'y croit, dis-je. Mais quelle importance ? La vérité, c'est que vous êtes tombés entre des mains ennemies. Comme nous tous. Ils nous ont eus, et font de nous ce qu'ils veulent.

Il écoutait distraitement, fixant d'un air amer le cendrier posé devant lui.

— C'est le mensonge qui me révolte, dit-il. Ce maudit mensonge répugnant. Qu'ils nous tuent s'ils veulent. Pour ma part, j'ai assez vécu. Mais qu'ils ne mentent pas aussi honteusement. Dites-moi pourquoi ils font cela !

Manifestement, on ne pouvait déraciner chez lui l'idée que j'étais de mèche avec les nazis, et au courant de leurs secrets.

Mme Landau survint, me salua avec un sourire triste, et tenta de me disculper.

— Pourquoi demander à l'ami de Frank, dit-elle. Il n'en sait pas plus long que nous. Il n'est pas national-socialiste. (Elle disait "national-socialiste", poliment et sans abréger.)

Mais son mari continua de secouer la tête, comme pour se débarrasser de tout ce que nous disions.

— Qu'on me dise pourquoi ils mentent, insista-t-il. Pourquoi ils mentent, alors qu'ils ont le pouvoir et peuvent faire ce qu'ils veulent. Je veux le savoir.

— Je crois que tu devrais retourner voir le garçon, dit-elle. Il n'arrête pas de gémir.

— Mon Dieu, dis-je, votre fils est malade ?

Frank avait un frère cadet ; c'est manifestement de lui que l'on parlait.

— Il semble, dit Mme Landau. Hier, il s'est fait chasser de l'université, et ça l'a complètement retourné. Aujourd'hui, il n'arrête pas de vomir et d'avoir mal au ventre. Cela ressemble un peu à une appendicite, bien que – elle essaya de sourire – je n'aie jamais entendu dire qu'une émotion violente puisse provoquer une appendicite.

Le vieux monsieur se leva.

— Aujourd'hui, il se passe beaucoup de choses dont on n'a jamais entendu parler, fit-il avec aigreur.

Il se dirigea lourdement vers la porte, se retourna et dit :

— Dites-moi, vous qui êtes juriste : est-ce que mon fils tombe sous le coup de la loi en se faisant examiner par moi au lieu de me boycotter ?

— Il ne faut pas lui en vouloir, dit Mme Landau. Il est encore incapable de surmonter cela. Frank va arriver d'une minute à l'autre, et nous pourrons déjeuner. Et vous, comment allez-vous ? Et votre père, toujours fidèle au poste ?

Frank arriva, pénétra dans la pièce d'un pas vif ; il parlait très calmement, son calme avait quelque chose d'extrêmement tendu et circonspect, c'était le calme des généraux devant un plan de

243

bataille ou celui de certains malades mentaux qui développent leur idée fixe avec une logique hautaine.

— C'est gentil d'être venu, dit-il, je suis en retard, excuse-moi. Je n'ai pas pu faire autrement. J'ai plusieurs choses à te demander. Je pars.

— Quand, et pour où ? demandai-je avec le même calme tendu.

— Pour Zurich. Demain, si possible. Mon père n'est pas encore d'accord, mais je pars. Tu sais ce qui s'est passé hier au Kammergericht ?

— J'y étais moi-même, dis-je. (Mon Dieu, c'était vrai, Frank siégeait hier !)

— Bon, alors, tu sais tout. Je n'ai plus rien à faire ici, donc, je pars. Et en plus, je viens de me fiancer.

— Avec Ellen ?

— Oui. Elle part avec moi. Je parlerai à ses parents aujourd'hui. Je te serais reconnaissant si tu m'accompagnais. Elle aussi. D'ailleurs, il va falloir que tu m'aides beaucoup aujourd'hui.

— Et Hanni ?

— Elle aussi, il faut que je lui parle ce soir, dit-il.

L'espace d'un instant, il sembla moins concentré, moins calme, il y eut comme une fêlure dans sa voix.

— C'est beaucoup pour une seule journée, remarquai-je.

— Oui. Il faudra que tu m'aides un peu pour tout.

— Bien sûr, dis-je. Je suis à ta disposition.

Puis on nous appela pour déjeuner. Mme Landau s'efforça en vain d'entretenir à table une conversation normale, que son mari rendait impossible par des éclats répétés, et nous par notre silence.

— Alors, il vous a dit qu'il voulait partir ? demanda le père de Frank sans transition. Qu'est-ce que vous en dites ?

— Je trouve cela très raisonnable, dis-je. Il devrait partir tant que c'est encore possible. Que pourrait-il encore faire ici ?

— Rester, dit le vieux monsieur. Rester, justement, ne pas se laisser chasser. Il a passé ses examens, il a le droit de devenir juge. On verra bien s'ils auront le culot...

Frank lui coupa la parole avec impatience :

— Voyons, papa...

— Je crains, dis-je, que le droit n'existe plus depuis que les magistrats ont évacué le tribunal devant les SA. (Tout me revint en mémoire, et je rougis.) Je crains qu'il n'y ait plus de position à défendre. Nous sommes tous comme qui dirait prisonniers, et la fuite est la seule action qui nous soit encore possible. Je vais partir, moi aussi.

Je le voulais vraiment. Pas dès le lendemain matin, bien sûr…

— Vous aussi ? reprit M. Landau. Pourquoi vous ?

Il se cramponnait manifestement à l'idée qu'en tant qu'"aryen" j'étais forcément nazi ; sans doute avait-il appris récemment trop de choses de ce genre pour envisager d'autres possibilités.

— Parce qu'il se passe ici des choses qui ne me plaisent pas, dis-je.

Je voulais dire cela le plus simplement possible, mais mon ton avait été un peu sec, un peu arrogant. Le vieux monsieur ne répondit rien et sombra dans le mutisme.

— Sans doute vais-je être débarrassé de mes deux fils le même jour, dit-il après un moment.

— Voyons, Ernst ! s'écria sa femme.

— Il faut opérer le petit, dit-il. Une superbe appendicite aiguë. Je ne peux pas m'en charger. Aujourd'hui, ma main n'est pas sûre. Et un autre voudrat-il le faire, aujourd'hui ? Faut-il que je téléphone à la ronde en disant : cher confrère ou ex-confrère, voudriez-vous pour l'amour du ciel opérer mon garçon – seulement voilà, il est juif ?

246

— Un tel le fera, dit sa femme. Elle citait un nom que j'ai oublié.

— Il le devrait, dit son mari. Il rit, se tourna vers moi : Nous avons scié des jambes ensemble dans un hôpital de campagne, deux ans durant. Mais sait-on aujourd'hui…

— Je vais lui téléphoner, dit sa femme. Il le fera sûrement.

Elle était magnifique, ce jour-là.

Après le repas, nous allâmes voir le malade quelques minutes. Il avait un sourire gêné, comme s'il avait fait une bêtise, et étouffait ses soupirs et ses plaintes.

— Alors, tu t'en vas ? demanda-t-il à son frère.

— Oui.

— Moi, aujourd'hui, je ne pourrais pas, dit le plus jeune. Tu viendras me dire au revoir ?

Frank avait l'air atterré en sortant de la chambre.

— C'est terrible, dis-je.

— Oui, c'est terrible, enchaîna-t-il. Je ne sais pas ce que le garçon va devenir. Il ne supporte pas le spectacle de l'injustice, il ne peut même pas imaginer ce que c'est. Sais-tu ce qu'il m'a raconté hier, ce qu'il souhaiterait faire, après tout ça ? Il voudrait avoir l'occasion de sauver la vie de Hitler, pour pouvoir lui dire après : "Bon, je suis juif. Et maintenant, causons pendant une heure."

Nous allâmes dans la chambre de Frank. Elle était pleine de valises ouvertes, il avait sorti ses costumes. Il était environ deux heures.

— A six heures, je dois retrouver Ellen à la gare de Wannsee, dit Frank. Il faut que nous partions à cinq heures. Nous avons beaucoup à faire d'ici là.

— Les valises ? demandai-je.

— Entre autres. Mais ce n'est pas l'essentiel. Voilà l'affaire. J'ai là tout un fatras – des lettres, des vieilles photos, des vieux journaux intimes, des poèmes, des souvenirs, que sais-je. Je ne voudrais pas le laisser ici. Je ne peux pas non plus l'emporter. Et je n'aimerais pas tout détruire. Pourrais-tu t'en charger ?

— Bien entendu.

— Il faut trier. C'est plutôt en désordre, et il y a beaucoup de choses à jeter. On fait ça en vitesse ?

Il ouvrit un tiroir. Il contenait quelques gros tas de papiers, des albums, des cahiers : sa vie passée. Un bonne partie était aussi la mienne. Frank prit une profonde inspiration et sourit :

— Il faut nous dépêcher pour avoir fini ce soir. Nous n'avons pas beaucoup de temps.

Nous nous attelâmes à la tâche, ouvrant les vieilles lettres, faisant glisser les veilles photos entre nos doigts – et un flot tumultueux nous assaillit aussitôt. C'était notre jeunesse qui était conservée dans ce tiroir comme dans un herbier, et son parfum où se mêlait une fragrance de mort, de passé à jamais révolu, n'en était que plus concentré, plus entêtant. Vieilles photos où nous figurions en costume de sport avec nos camarades de jadis ; photos d'une partie de canotage avec des jeunes filles – mon Dieu, tu te souviens ? –, photos de plage, nos visages constellés de taches de soleil – en vérité, tout le soleil des vacances passées y brillait encore ; photos de tennis des jours heureux... Où pouvaient-ils être, les amis qui se tenaient là avec nous, bras dessus, bras dessous, les filles rieuses qui couraient après les balles, et dont la pellicule avait éternisé l'élan ? Frank ouvrait des enveloppes ; des écritures jadis familières, qui faisaient alors battre nos cœurs, nous dévisageaient et se rappelaient à nous avec insistance ; ma propre écriture telle qu'elle était quelques années plus tôt...

Tout le monde connaît ces grands rangements. C'est un travail réservé aux dimanches d'été pluvieux, et chacun a éprouvé le picotement de l'émotion mélancolique engendrée par cette invocation des esprits des morts, la tentation irrésistible de tout lire encore une fois, de tout vivre encore une fois. On connaît aussi le résultat de cette activité : on s'engourdit progressivement comme sous l'effet de l'opium, on s'attendrit, on s'amollit. On y passe toujours la journée entière et bien souvent la nuit qui suit, et plus cela dure, plus on prend le temps de rêver.

Nous avions tout juste trois petites heures devant nous, et nous parcourûmes au galop nos prairies enchantées, avec la rapidité saccadée d'une fuite de dessin animé. Nous devions détruire impitoyablement. Seuls, les documents les plus précieux trouvèrent place dans une grande caisse où cela prendrait la poussière en prévision de Dieu sait quelle heure lointaine où l'on aurait le loisir et l'envie de sourire – où et quand viendrait-elle ? Le reste fut condamné en bloc à la corbeille à papiers. Exécution sommaire de notre jeunesse. Qu'est-ce qui pouvait bien peser, compter ? Qu'est-ce qui était digne de durer ? Nous étions de moins en moins loquaces au fur et à mesure que le travail s'accomplissait. Le temps passait ; il fallait faire vite – tuer vite, ou bien vite enterrer.

Nous fûmes interrompus deux fois. La première par Mme Landau venue nous dire que l'ambulance était en bas pour emmener le frère de Frank se faire opérer à la clinique. Son mari et elle l'accompagneraient. Si Frank voulait lui dire adieu, c'était le moment. Etranges adieux : l'un des frères partait pour le billard, l'autre en exil.

— Excuse-moi un instant, dit Frank en sortant avec sa mère.

Il ne resta que cinq minutes.

L'autre interruption eut lieu environ une heure plus tard. L'appartement était vide, à l'exception de nous deux et de la domestique. Nous entendîmes sonner, puis la bonne frappa à notre porte en disant que deux SA attendaient dehors.

C'étaient deux garçons gras et balourds, en chemise brune, culottes brunes et bottes de marche. Pas des requins SS, mais de ces hommes qui en temps normal vous livrent une caisse de bière et qui, après avoir empoché un pourboire, portent deux doigts à leur casquette en grommelant un merci guttural. De toute évidence, ils n'étaient pas encore bien habitués à leur nouvelle fonction et à leurs nouveaux devoirs, et ils cachaient leur gêne sous une certaine raideur farouche.

— *Heil Hitler*, hurlèrent-ils à l'unisson.

Silence. Puis celui qui était manifestement le chef demanda :

— Vous êtes le Dr Landau ?

— Non, répondit Frank. Son fils.

— Et vous ?

— Je suis un ami de M. Landau, dis-je.

— Et où est votre père ?

— Parti avec mon frère à la clinique.

Frank parlait sur un ton très mesuré, en économisant les mots.

— Et il y fait quoi ?

— Mon frère va être opéré.

— Bon, ben alors ça va, dit le SA avec une bonhomie satisfaite. Montrez-nous voir un peu le cabinet.

— Je vous en prie, dit Frank en ouvrant la porte.

Les deux hommes nous suivirent pesamment et bruyamment dans le cabinet de consultation, qui était vide, blanc et bien rangé, et fixèrent un œil sévère sur la foule des instruments brillants.

— Quelqu'un est venu aujourd'hui ? demanda le chef.

— Non, dit Frank.

— Bon, ben alors ça va, reprit l'autre. Cela semblait être sa phrase favorite.

Alors montrez-nous voir un peu les autres locaux.

Et il parcourut lourdement l'appartement, lançant autour de lui des regards inquisiteurs et réprobateurs, un peu comme un huissier cherchant des objets à saisir.

— Alors y a personne d'autre ? demanda-t-il enfin, et, sur la dénégation de Frank, il dit pour la troisième fois : Bon, ben alors ça va.

Nous étions revenus dans l'entrée, et les deux hommes hésitaient encore un peu, comme s'ils avaient le sentiment de devoir faire encore quelque chose, mais sans trop savoir quoi. Puis ils rompirent brusquement le mutisme général en clamant, en chœur et d'une voix de stentor :

— *Heil Hitler !*

Puis ils sortirent et descendirent l'escalier dans un vacarme de bottes.

Le temps passait trop vite, et nous procédions de façon de plus en plus sommaire. Des lettres atterrirent par liasses entières dans la corbeille à papiers. Peut-être aussi ressentions-nous de façon encore plus aiguë qu'une heure auparavant la destruction totale d'une jeunesse désormais caduque. Ce qu'il en restait encore pouvait bien disparaître, cela n'avait plus d'importance.

Cinq heures. Nous ficelâmes la caisse, avec un regard circulaire à notre œuvre de dévastation.

— Il faudra encore que je trouve le temps d'emballer le reste cette nuit, dit Frank.

Il fallait aussi qu'il appelle la clinique, et moi Charlie. Puis il prévint la bonne de son départ.

— Tes parents sont au courant de tes fiançailles ?

— Non. Ça ferait trop d'un seul coup. Il faudra bien que ça marche, je n'ai pas le choix.

Sur le présentoir du kiosque à journaux, l'*Angriff*, qui venait de sortir, affichait la manchette encourageante : "Alerte générale".

Nous prîmes le chemin de fer urbain et traversâmes tout Berlin pour ressortir à l'ouest. Dans le train, nous eûmes pour la première fois le temps de parler. Mais impossible de nouer une conversation sérieuse. Trop de gens qui montaient et descendaient, trop de gens assis autour de nous, dont on ne pouvait savoir s'ils étaient amis ou ennemis. De plus, il y avait toujours des choses à quoi penser, si bien que nous nous interrompions nous-mêmes : des dispositions à prendre, des commandes à passer, des missions à nous confier.

Ses projets ? Ils étaient pour lors assez flous. Il voulait commencer par passer son doctorat en Suisse, faire des études et vivre avec deux cents marks par mois. (On pouvait encore envoyer à l'étranger deux cents marks par mois !) D'ailleurs, il lui restait un oncle qui était quelque chose en Suisse. Peut-être pourrait-il l'aider d'une façon ou d'une autre…

Mais d'abord, sortir d'ici. Parce que j'ai peur que, bientôt, on ne nous laisse plus sortir.

Effectivement, dès ce jour-là, le breuvage était prêt, qu'on allait d'abord remettre au frais pour le boire cinq ans plus tard.

La jeune Ellen nous attendait à la gare de Wannsee. Elle nous montra sans un mot un article de journal : "Visa de sortie obligatoire." La raison avancée en était, si je me souviens bien, encore une fois le souci d'empêcher la propagation de fausses nouvelles à l'étranger. L'affaire était claire.

— On dirait bien que nous sommes pris au piège, dit Frank.

Et Ellen, petite dame flegmatique et bien élevée, leva d'une détente brusque ses deux poings serrés vers le ciel, sans rien dire – attitude que l'on ne voit ordinairement qu'au théâtre ou sur les tableaux des musées. Chez une jeune personne bien mise dans une gare de banlieue berlinoise, elle est surprenante.

— Peut-être ne va-t-il pas entrer immédiatement en vigueur, dis-je.

— C'est égal, dit Frank, il faut nous dépêcher. Nous avons peut-être encore une chance. Sinon – *tant pis**. Nous parcourûmes en silence quelques rues résidentielles, passant devant des jardins ; le quartier était calme et rien n'y trahissait les événements de la journée, pas même des vitrines barbouillées. Ellen avait pris le bras de Frank, et je portais la caisse qui contenait ses souvenirs. Le soir descendait, une pluie fine et tiède se mit à tomber. Je flottais dans un engourdissement serein. Tout était amorti par un profond sentiment d'irréalité. Qui avait aussi, bien sûr, un côté menaçant. Notre plongée dans l'impossible avait été trop brutale et trop profonde pour qu'il y eût encore des limites. Si demain tous les juifs étaient arrêtés en guise de châtiment, ou si on leur enjoignait de se suicider, cela ne serait pas plus étonnant. Les SA diraient "Bon, ben alors ça va", avec une bonhomie paisible, quand on leur ferait savoir que tous s'étaient supprimés

* En français dans le texte.

conformément aux ordres. Les rues auraient exactement le même aspect que d'habitude. "Bon, ben alors ça va", et *business as usual*. Les villas comme toujours dans leurs jardins soignés. Brise printanière et pluie tiède…

Je me réveillai brusquement : nous étions arrivés, et je réalisai avec consternation que personne ne me connaissait et que je n'avais pas de vraie raison de me trouver ici. Mais mon inquiétude était sans objet. Il y avait tant de monde chez les parents d'Ellen qu'un étranger de plus ne se remarquait pas. Vue de l'extérieur, leur demeure secrète et silencieuse respirait une calme distinction. L'intérieur ressemblait à un camp de réfugiés tentant vainement de se camoufler en réunion mondaine. Dans les vastes salons se pressaient une vingtaine d'invités, de jeunes amis de la maison qui y avaient leurs entrées et qui s'étaient tous retrouvés aujourd'hui auprès de ces gens qui leur offraient d'habitude une tasse de thé et de la musique, pour chercher aide et réconfort. Mais chacun n'y trouvait que l'angoisse et l'inquiétude des autres ; sous la politesse et les bonnes manières régnait une panique indicible et inexprimée. On servait le thé, on mettait dans sa tasse un morceau de sucre, on disait "s'il vous plaît" et "merci", et le bavardage confus ne dépassait pas le niveau sonore d'une réception ordinaire, mais la nature des chuchotements était telle qu'on n'eût point été étonné d'entendre jaillir un cri.

Je connaissais superficiellement l'un des invités. Référendaire comme moi, il était venu prier Ellen de lui traduire une lettre qu'il projetait d'envoyer à un avocat de Bruxelles chez qui il avait travaillé.

— La voilà, dit-il en sortant un papier de sa poche.

Sa vie dépendait peut-être de ce papier.

— Donnez-moi ça, dit Ellen, et elle commença à griffonner entre les lignes avec un crayon, puis quelqu'un eut besoin d'elle, puis un autre, elle revint et continua ses griffonnages, puis sa mère revint la chercher pour l'emmener quelque part et quand elle revint elle était presque à bout de nerfs et parlait toute seule :

— *Referendar...* Comment est-ce qu'on dit *Referendar* en français ?

Puis éclatant brusquement :

— Ne m'en veuillez pas, je ne peux pas, pas aujourd'hui, pas maintenant.

— Mais je vous en prie, ne vous en faites pas, dit poliment le malheureux.

Et son visage s'affaissa.

Le père d'Ellen, un monsieur aimable et dodu qui arborait un sourire hospitalier, tentait en vain de lutter à force de plaisanteries contre l'ambiance générale. Dans un coin, la mère d'Ellen parlait de l'introduction des visas avec Frank et quelques autres personnes concernées. Je me joignis à leur groupe.

— Si seulement on connaissait sa date d'entrée en vigueur, dit quelqu'un.

— Ils ne disent rien à ce sujet ? demanda un autre.

— Non, pas un mot, c'est bien là le problème, regardez !

Et la mère d'Ellen montra une fois de plus le journal déjà passablement froissé.

— Il faudrait appeler la préfecture de police, proposai-je.

— Si ce n'est pas se jeter dans la gueule du loup, rétorqua un des présents.

— On peut toujours donner un faux nom, répliquai-je. D'ailleurs, si vous voulez, je suis prêt à le faire.

— Vous le feriez vraiment ? s'exclama la mère d'Ellen, et ils parurent tous soulagés, comme si je leur avais offert Dieu sait quoi.

— Mais je vous en prie, ne téléphonez pas de chez nous, ajouta, suppliante, la mère d'Ellen.

Je m'apercevais peu à peu que son sang-froid n'était qu'un vernis de plus en plus mince et que, sous le sourire qu'elle arborait encore, elle était sur le point de crier.

— Si vous voulez bien nous rendre ce grand service – il y a une cabine juste au coin. Attendez, vous avez de la monnaie ?

Entre-temps, le père d'Ellen s'était approché pour confisquer Frank :

— Ellen m'a dit que vous vouliez me parler… On ne va pas y mettre trop de formes…

Ils disparurent, et je sortis pour me rendre à la cabine.

L'atmosphère générale avait déteint sur moi, et je donnai à l'appareil une fausse identité. On me fit attendre longtemps, la préfecture me renvoyait d'un service à un autre. Enfin, je pus joindre quelqu'un qui était au courant. L'arrêté n'entrait en vigueur que le mardi suivant.

— Merci beaucoup, dis-je, en raccrochant avec soulagement.

Lorsque je revins, la pièce que j'avais quittée était presque vide. Il ne s'y trouvait plus qu'un très vieil homme – peut-être y était-il déjà auparavant sans dire un mot ni se faire remarquer –, peut-être un grand-père, il ressemblait à un de ces vieux juifs peints par Rembrandt avec sa mince barbe pointue et son visage tout sillonné de rides ; assis dans un fauteuil, il fumait tranquillement sa pipe, réfléchissant visiblement. Les autres avaient dû se rendre dans une autre pièce de la vaste maison. Je voulus demander où ils se trouvaient, mais le vieillard ne m'en laissa pas le temps : il m'adressa la parole en me fixant de ses petits yeux lucides, profondément enfoncés :

— Vous n'êtes pas juif, n'est-ce pas ? demanda-t-il.

Et après que j'eus expliqué que j'avais seulement accompagné un ami juif, il déclara avec autorité :

— C'est bien, de rester fidèle à votre ami !

Je bredouillai quelques mots gênés, mais quelle ne fut pas ma stupéfaction quand il poursuivit :

— C'est aussi très intelligent. Vous savez cela ?

Il semblait jouir de mon embarras, suçait minutieusement sa pipe et proclama d'une voix vieille et rouillée, mais très énergique :

— Les juifs survivront. Vous ne le croyez pas ? N'ayez pas peur, ils survivront. Ce n'est pas la première fois qu'on veut exterminer les juifs. Ils ont survécu à tout. Ils survivront à cela aussi. Et alors, ils se souviendront. Vous connaissez Nabuchodonosor ?

— Celui de la Bible ? demandai-je, incrédule.

— Celui-là même, dit le grand-père en me fixant de ses petits yeux lucides où brillait une étincelle railleuse. Il a voulu exterminer les juifs, et c'était un grand homme, bien plus grand que votre Hitler, et son empire était plus grand que le Reich allemand. Et à l'époque, les juifs étaient plus jeunes, plus jeunes et plus faibles, ils avaient traversé moins d'épreuves. Et c'était un grand homme, le roi Nabuchodonosor, un homme intelligent, un homme cruel.

Il parlait lentement comme s'il prêchait, il s'écoutait parler et, entre les mots, il tirait avec une application soutenue de longues bouffées de sa pipe. Je l'écoutais poliment.

— Et pourtant, poursuivit-il, il n'y est pas arrivé, le roi Nabuchodonosor. Toute sa grandeur n'y a pas suffi, ni son intelligence, ni sa cruauté. Il est si oublié que vous souriez quand je prononce son nom. Seuls, les juifs se souviennent de lui. Et ils sont encore là, ils vivent, ils sont très vivants. Et voilà que Hitler surgit et qu'il veut les exterminer à son tour. Eh bien, il n'y arrivera pas non plus, M. Hitler. Vous ne me croyez pas ?

— J'espère que vous avez raison, dis-je modestement.

— Je vais vous révéler un secret, dit-il. Un petit truc, un truc de Dieu, si vous voulez. Tous les hommes qui persécutent les juifs, il leur arrive malheur. Pourquoi est-ce ainsi ? Le sais-je ? Je ne le sais pas. C'est ainsi.

Tandis que je cherchais dans ma tête des exemples historiques et des contre-exemples, il continua :

— Regardez le roi Nabuchodonosor. C'était un grand homme en son temps, un roi des rois, un grand, grand homme. Mais dans sa vieillesse il est devenu fou. Il parcourait les prés à quatre pattes, comme une vache, et il mangeait de l'herbe. Il la broutait, comme une vache.

Il s'interrompit, tira quelques bouffées de sa pipe, et un fin sourire éclaira son visage, un sourire d'intense jubilation qui alluma dans ses yeux toute une constellation d'étincelles bienveillantes, comme si une idée aussi amusante que réconfortante le réchauffait de l'intérieur.

— Peut-être, dit-il, qu'un jour M. Hitler parcourra les prés à quatre pattes en mangeant de l'herbe comme une vache. Vous êtes jeune, vous verrez peut-être cela. Moi non.

Et soudain, il se mit à rire à cette pensée ; c'était un vrai rire, un rire irrésistible, un rire léger et silencieux qui le secouait tout entier, si bien qu'il avala la fumée de travers et se mit à tousser.

A ce moment, la maîtresse de maison passa la tête par la porte.

— Et alors ? s'enquit-elle avec anxiété.

Je lui fis part de la bonne nouvelle, et elle me remercia avec effusion.

— Venez vite boire un verre de vin au bonheur de notre jeune couple, dit-elle en m'entraînant. Vous savez déjà tout, je suppose ?

Avant de sortir, je m'inclinai devant le vieil homme, et, encore tout égayé, il me donna noblement congé d'un signe de tête.

Dans une autre pièce se trouvaient effectivement tous les accablés, invités malgré eux à partager la fête des fiançailles. Un verre à la main, ils buvaient du vin, le visage soucieux. Frank et Ellen se trouvaient parmi eux et recevaient leurs félicitations. Ils ne paraissaient ni heureux, ni malheureux. C'étaient d'étranges fiançailles. J'annonçai qu'on avait encore deux jours pour quitter le pays, et ils reçurent cette nouvelle comme un cadeau de noces.

Certains autres s'agitèrent aussitôt et parlèrent de partir.

Une demi-heure plus tard, je me retrouvai avec Frank dans le train de banlieue. La nuit était venue, et une pluie régulière s'était mise à tomber. Notre compartiment était vide. On avait l'impression que maintenant, enfin – pour la première fois, en fait –, on aurait pu parler vraiment. Mais nous nous taisions.

Soudain, il dit :

— Qu'est-ce que tu penses de tout ça, tu n'as encore rien dit. Est-ce que j'ai bien fait ?

— Je ne sais pas, dis-je. En tout cas, tu fais bien de partir demain. Je voudrais pouvoir t'accompagner.

— Il fallait que je mette de l'ordre dans tout cela, dit-il comme si je lui avais reproché quelque chose. Tu comprends, je ne pouvais quand même pas partir en laissant derrière moi un bazar d'affaires bâclées ou en suspens. Me voilà fiancé avec Ellen, elle vient avec moi, tout est en ordre.

Je hochai la tête :

— Et tu es content ? demandai-je.

— Je ne sais pas, dit-il.

Au bout d'un moment, il rit, ajouta :

— Peut-être que tout cela n'est qu'une énorme sottise. Je ne sais pas. C'est allé trop vite.

— Tu vas voir Hanni ? demandai-je.

— Oui, dit-il.

Et avec une chaleur soudaine, en posant la main sur mon bras :

— Veux-tu me rendre un très grand service ? Appelle Hanni dans les jours qui viennent et console-la un peu, si c'est possible. Et, poursuivit-il avec une ferveur et une animation qu'il n'avait pas montrées tout au long de cette journée, aide-la un peu pour ses histoires de passeport. Elle n'a pas de passeport. C'est une affaire affreusement embrouillée, elle n'a pas non plus vraiment de nationalité. Elle est née dans une ville qui faisait partie de la Hongrie et qui est maintenant en Tchécoslovaquie, et son père est mort en 1920, et personne ne sait s'il a opté pour une nationalité, et si oui pour laquelle – et, maintenant, ni la Hongrie ni la Tchécoslovaquie ne veulent lui donner de passeport. C'est un vrai gâchis.

— Bien sûr, dis-je. Je vais voir ce que je peux faire. Mais pour ce qui est de la consoler...

— Oui, dit-il avec un sourire mélancolique. Evidemment, c'est difficile.

Nous nous tûmes, et le train nous emportait dans la nuit et la pluie. Soudain, il dit :

— Peut-être que tout aurait été différent si Hanni avait eu un passeport.

Notre station, Bahnhof Zoo, approchait. Pour la première fois, les rues trahissaient quelque chose de la révolution, à vrai dire seulement des aspects négatifs : les quartiers de plaisir brillamment éclairés qui entouraient la gare étaient déserts et sans vie, tels qu'on ne les avait encore jamais vus.

Nous nous trouvions devant une cabine téléphonique. Il était pressé ; l'heure à laquelle il voulait appeler Hanni était déjà passée.

— A Hanni, maintenant, dit-il pensivement, et après mon père, et puis les bagages... Quoi qu'il en soit, merci de ton aide.

— Bon voyage, dis-je, et passe une bonne nuit. Demain tout sera fini, tu seras parti.

Et en cet instant, pour la première fois, je compris vraiment que c'était un adieu.

Peut-être y aurait-il eu encore beaucoup à dire. Mais il était trop tard. La cabine se libéra, et nous nous serrâmes la main en nous disant bonsoir.

L'ADIEU

26

AVANT QUE JE CONTINUE à raconter mon histoire – l'histoire personnelle d'un jeune homme ni
particulièrement intéressant, ni particulièrement important, qui vivait par
hasard dans l'Allemagne de 1933 –,
qu'on me permette une petite mise au
point à l'adresse du lecteur. De ce lecteur qui, non sans un semblant de raison, trouve que je sollicite un peu trop
son intérêt pour ma petite personne
fortuite et insignifiante.

Me tromperais-je ? Je crois entendre
à cet endroit plus d'un lecteur, qui m'a
suivi jusqu'ici avec une patience bienveillante, feuilleter ce livre non sans
irritation. Geste qui, exprimé avec des
mots, dit à peu près ceci : "Oui, et alors ?

Où veut-il en venir ? Qu'est-ce que cela peut nous faire qu'un jeune M. XY ait eu peur pour son amie quand elle était en retard à un rendez-vous, qu'il ait manqué de repartie devant un SA, qu'il se soit attardé dans des familles juives et que – ainsi que cela semble devoir être le cas dans les prochaines pages – il ait dû s'arracher brutalement à ses camarades, à ses projets et à ses opinions – des opinions plutôt conventionnelles et immatures ? En 1933, Berlin était, semble-t-il, le théâtre d'événements véritablement historiques. Si on veut susciter notre intérêt, il faudrait au moins parler de ces événements. Nous voudrions savoir ce que Hitler et Blomberg* ou Schleicher et Röhm** complotaient dans les coulisses, qui a mis le feu au Reichstag, pourquoi Braun s'est enfui et pourquoi Oberfohren*** s'est suicidé.

* Le feld-maréchal Werner von Blomberg (1878-1946) fut ministre de l'Armée entre 1933 et 1935, ministre de la Guerre de 1935 à 1938.
** Le général Kurt von Schleicher (1882-1934), chancelier de décembre 1932 à janvier 1933, fut assassiné par les SS le 30 juin 1934 (Nuit des longs couteaux), de même qu'Ernst Röhm (1887-1934), chef d'état-major de la SA depuis 1931 (voir la note de la page 59).
*** Ernst Oberfohren, chef du groupe parlementaire du DNVP (Deutschnationale Volkspartei,

Nous ne voulons pas qu'on nous serve les expériences personnelles d'un jeune homme qui n'en sait pas beaucoup plus long que nous, bien qu'il se soit trouvé plus près, qui n'est manifestement jamais intervenu dans le cours des événements, qui n'était même pas un témoin oculaire particulièrement initié."

Formidable accusation ! Je dois rassembler tout mon courage pour avouer qu'elle ne m'apparaît néanmoins pas justifiée, et que je ne crois pas faire perdre son temps au lecteur sérieux en lui racontant mon histoire personnelle. Tout cela est vrai : je ne suis pas intervenu dans le cours des événements, je n'étais même pas un témoin oculaire particulièrement initié, et nul ne peut se montrer plus sceptique que moi-même à l'égard de l'importance de ma personne. Et pourtant, je crois – et je demande qu'on n'y voie nulle outrecuidance – qu'avec l'histoire fortuite et privée de ma personne fortuite et privée je raconte une partie importante et inconnue de l'histoire allemande et européenne. Importante – et plus essentielle pour l'avenir que de révéler qui

"Parti national du peuple allemand"), fut victime d'une campagne de dénigrement dans le cadre de la mise au pas des partis politiques.

était l'incendiaire du Reichstag ou de rapporter les paroles échangées entre Hitler et Röhm.

Qu'est-ce que l'histoire ? Où se joue-t-elle ?

Quand on lit une de ces relations historiques classiques dont on oublie trop souvent qu'elles contiennent le contour des choses et non les choses elles-mêmes, on est tenté de croire que l'histoire se joue entre quelques douzaines de personnes, qui "gouvernent les destins des peuples", et dont les décisions et les actes produisent ce qu'on appelle par la suite "l'Histoire". L'histoire de la décennie présente apparaît alors comme une sorte de tournoi d'échecs entre Hitler, Mussolini, Tchang Kaï-chek, Roosevelt, Chamberlain, Daladier, et quelques douzaines d'autres hommes dont les noms sont plus ou moins dans toutes les bouches. Nous autres, les anonymes, sommes tout au plus les objets de l'histoire, les pions que les joueurs d'échecs poussent, laissent en plan, sacrifient et massacrent, et dont la vie, en admettant qu'ils en aient une, se déroule sans la moindre relation avec ce qu'il advient d'eux sur l'échiquier où ils se trouvent sans le savoir.

Un fait indubitable, même s'il semble paradoxal, c'est que les événements et les décisions historiques qui comptent vraiment se jouent entre nous, entre les anonymes, dans le cœur de chaque individu placé là par le hasard, et qu'en regard de toutes ces décisions simultanées, qui échappent même souvent à ceux qui les prennent, les dictateurs, les ministres et les généraux les plus puissants sont totalement désarmés. Et c'est une caractéristique de ces événements décisifs qu'ils ne sont jamais visibles en tant que phénomène de masse, en tant que démonstration de masse – sitôt que la masse se présente en masse, elle est incapable de fonctionner –, mais toujours comme le vécu apparemment privé de milliers et de millions d'individus.

Je ne parle pas ici de quelque nébuleuse construction de l'esprit, mais de choses dont personne ne niera le caractère hautement réel. Par exemple : pour quelle raison les Allemands ont-ils perdu la guerre en 1918, tandis que les Alliés la gagnaient ? Un progrès dans la stratégie de Foch et de Haig, un relâchement dans celle de Ludendorff ? Nullement, mais le fait que "le soldat allemand", celui qui composait la majorité d'une masse anonyme de dix millions d'hommes, a cessé soudain d'être disposé, comme il l'était jusqu'alors, à risquer sa vie à chaque attaque et à tenir ses positions jusqu'au dernier homme. Où s'est joué ce changement décisif ? Nullement dans des rassemblements massifs de soldats mutinés, mais, de façon incontrôlée et incontrôlable, dans le cœur de chaque soldat allemand. La plupart auraient à peine été capables de lui donner un nom ; tout au plus auraient-ils résumé un processus mental extrêmement compliqué, lourd d'avenir historique, dans une exclamation : "Merde." En interviewant ceux d'entre eux qui étaient doués de parole, on aurait trouvé chez chacun un faisceau de pensées, de sentiments et d'expériences tout à fait fortuits, tout à fait privés (et sans doute plutôt insignifiants et sans intérêt), dans lequel les lettres reçues de chez eux, leurs relations personnelles avec l'adjudant, leur opinion sur la nourriture… se mêlaient à des réflexions sur les perspectives et le sens de la guerre et (car tout Allemand est un peu philosophe) sur le sens et la valeur de la vie. Ce n'est pas mon propos d'analyser ici ce processus mental qui a décidé de l'issue de la grande guerre, mais cela devrait intéresser tous ceux qui ont à cœur de reproduire tôt ou tard des mécanismes identiques ou similaires.

C'est à un autre processus du même genre que j'ai affaire ici. Il me semble encore plus intéressant, plus important et plus compliqué. Il s'agit de ces mouvements, de ces réactions, de ces transformations psychologiques dont la simultanéité et le nombre ont permis l'avènement du Troisième Reich, et qui forment aujourd'hui encore son arrière-plan invisible.

Dans l'histoire de la naissance du Troisième Reich, il existe une énigme non résolue, plus intéressante me semble-t-il que la question de savoir qui a mis le feu au Reichstag. Et cette question, la voici : où sont donc passés les Allemands ? Le 5 mars 1933, la majorité se prononçait encore contre Hitler. Qu'est-il advenu de cette majorité ? Est-elle morte ? A-t-elle disparu de la surface du sol ? S'est-elle convertie au nazisme sur le tard ? Comment se fait-il qu'elle n'ait eu aucune réaction visible ?

Tous mes lecteurs, ou presque, auront connu tel ou tel Allemand, et la plupart trouveront que leurs amis allemands sont des gens normaux, aimables, civilisés, des hommes comme les autres – mis à part quelques particularités nationales comme chacun en possède. Presque tous, en entendant les discours prononcés aujourd'hui en Allemagne (et en voyant les actes qui y sont perpétrés), penseront à ces Allemands qu'ils connaissent et se demanderont avec stupéfaction : Que sont-ils devenus ? Font-ils vraiment partie de cette maison de fous ? Ne voient-ils pas ce qu'on fait d'eux et ce qu'on fait en leur nom ? Vont-ils jusqu'à l'approuver ? Qu'est-ce que c'est que ces gens-là ? Que faut-il penser d'eux ?

Et, de fait, ces énigmes cachent des mécanismes et des vécus psychologiques singuliers – des processus très étranges, très révélateurs, dont les répercussions historiques sont encore incertaines. C'est à eux que j'ai affaire. On ne les domine pas sans les suivre jusque là où ils se déroulent : dans la vie privée, dans la façon personnelle de sentir et de penser de chaque Allemand pris individuellement. Ils s'y déroulent d'autant plus que depuis longtemps l'Etat conquérant et vorace, après avoir fait place nette sur la scène politique, s'est avancé jusque dans les domaines autrefois privés, et travaille à y traquer et à y asservir son adversaire, l'homme récalcitrant. C'est là, au cœur du domaine le plus intime, que se déroule aujourd'hui en Allemagne ce combat que l'on cherche en vain à découvrir en promenant une longue-vue sur la scène politique. Savoir ce que quelqu'un mange et boit, qui il aime, ce qu'il fait durant ses loisirs, qui sont ses interlocuteurs, s'il sourit ou s'il a la mine sombre, ce qu'il lit, quels sont les tableaux qu'il accroche à ses murs – voilà la forme qu'adopte aujourd'hui le combat politique en Allemagne. C'est là le champ où se décident d'avance les batailles de la future guerre mondiale. Cela peut paraître grotesque, mais c'est ainsi.

C'est pourquoi je crois, en contant mon histoire apparemment privée et insignifiante, raconter l'Histoire – et peut-être même l'Histoire à venir. Et c'est pourquoi je suis carrément heureux de ne pas avoir en ma personne un objet trop remarquable, trop intéressant. S'il était plus remarquable, il serait moins typique. Et c'est pourquoi, enfin, j'espère pouvoir défendre cette chronique intime précisément auprès du lecteur sérieux, qui n'a pas de temps à perdre et attend du livre qu'il est en train de lire de vraies informations et un vrai profit.

En revanche, je dois m'excuser pour cette digression auprès du lecteur plus naïf, qui me marchande moins sa sympathie et se montre prêt à lire pour elle-même l'histoire d'une vie bizarre dans des circonstances bizarres. Et non seulement pour cette digression, mais pour bien d'autres parenthèses dans lesquelles je ne puis m'empêcher de faire moi-même certaines des réflexions que mon histoire, semble-t-il, peut inspirer. Mais comment pourrais-je mieux m'excuser qu'en reprenant mon récit !

27

Dans un premier temps, le 1er avril avait marqué le point culminant de la révolution nazie. Les semaines suivantes, les événements manifestèrent une tendance à se retirer dans la sphère des articles de journaux. Certes, la terreur continuait, les fêtes et les défilés continuaient, mais ce n'était plus le *tempo furioso* du mois de mars. Les camps de concentration étaient institutionnalisés, et on était prié de s'y faire et de tenir sa langue. La "mise au pas", c'est-à-dire l'occupation par les nazis de tous les services publics, des administrations locales, des grands magasins, des conseils d'administration des associations et des sociétés, se poursuivait, mais désormais de façon systématique et pointilleuse, au moyen de lois et de décrets, et non plus par des "actions isolées" aussi brutales qu'imprévisibles. La révolution se bureaucratisait. Il se formait une sorte de "terre ferme des réalités" – quelque chose sur quoi l'Allemand, par la force d'une longue habitude, ne peut faire autrement que se placer.

On pouvait à nouveau se fournir dans les magasins juifs. Il est vrai qu'on était invité à ne pas le faire, et que des affiches permanentes vous qualifiaient de "traître au peuple" si on le faisait quand même, mais ce n'était plus interdit. Il n'y avait plus de SA postés devant les portes. Les fonctionnaires, médecins, avocats et journalistes juifs étaient congédiés, mais dans les formes légales, vu l'article tant et tant, et il y avait des exceptions pour les anciens combattants et les vieillards qui servaient déjà du temps de l'empereur : que désirer de plus ? Les tribunaux, qui avaient été suspendus pendant une semaine, furent autorisés à se réunir et à dire le droit. Il est vrai que l'irrévocabilité des juges fut supprimée, de façon strictement légale et dans les formes. Cependant qu'on déclarait à ces juges, qui pouvaient donc maintenant se retrouver à la rue d'un jour à l'autre, qu'on avait considérablement augmenté leurs pouvoirs. Ils étaient devenus des "juges nationaux", des "juges souverains". Ils n'avaient plus besoin de se cramponner frileusement à la loi. Ce n'était même pas recommandé. Compris ?

C'était étrange de se retrouver au tribunal, de siéger dans la même salle qu'auparavant, sur les mêmes bancs, et de faire comme si rien ne s'était passé. Les mêmes appariteurs, debout devant les portes, protégeaient comme toujours la dignité de la cour de justice contre toute atteinte. Même les juges étaient pour la plupart les mêmes. Bien entendu, le magistrat juif ne siégeait plus dans notre chambre, cela allait de soi. Il n'avait pas été congédié, c'était un vieux monsieur qui avait longtemps dit le droit sous l'empereur, mais on l'avait envoyé au cadastre ou à la comptabilité d'un quelconque tribunal d'instance. Un jeune juge d'instance blond, un garçon poussé en graine aux joues roses, qui détonnait au milieu des magistrats grisonnants, siégeait à sa place. Un conseiller au Kammergericht est à peu près l'équivalent d'un général, un juge de première instance est l'équivalent d'un lieutenant. On chuchotait que celui-ci était dans le privé un ss haut gradé. Il saluait le bras tendu, en claironnant *Heil Hitler !* Le président de la Chambre et les autres vieux messieurs lui répondaient en agitant vaguement le bras et en marmottant une formule inaudible. Autrefois, dans la salle du conseil, il leur arrivait pendant la pause-déjeuner d'échanger en sourdine des propos mesurés sur les événements du jour ou sur des affaires judiciaires. C'était terminé. Un mutisme gêné régnait tandis qu'ils mangeaient leurs sandwiches entre deux délibérations.

Quant aux délibérations, elles se déroulaient souvent de façon curieuse. Le nouveau magistrat révélait d'une voix fraîche et assurée des connaissances juridiques déconcertantes. Nous, les référendaires frais émoulus de la faculté, échangions des regards tandis qu'il parlait.

— Ne se pourrait-il pas, cher collègue, dit enfin le président avec une parfaite urbanité, que vous ayez négligé de prendre en compte l'article 816 du Code civil ?

Sur quoi le juge distingué se mit à feuilleter son Code à la façon d'un candidat épinglé, avant de convenir, un peu confus mais toujours d'une voix claire et insouciante :

— Ah bon, d'accord. Alors, c'est exactement le contraire.

Tels étaient les triomphes de la vieille justice.

Il y avait aussi d'autres cas. Des cas dans lesquels le nouveau venu ne s'avouait pas battu, mais prononçait, un ton trop haut, des discours éloquents sur la nécessité de ne pas tenir compte dans ce cas du vieux droit écrit, prêchant à ses aînés le respect de l'esprit au détriment de la lettre, citant Hitler et s'entêtant, dans l'attitude théâtrale d'un jeune premier héroïque, à réclamer l'application d'un décision aberrante. C'était pitié que d'observer pendant ce temps les visages des vieux magistrats. Ils fixaient leurs dossiers d'un air indiciblement désolé, en tortillant désespérément entre leurs doigts un trombone ou un morceau de papier buvard. Ces bavardages qu'on leur imposait ici comme une sagesse suprême, ils avaient l'habitude de les sanctionner par un échec à l'examen terminal. Mais, derrière ce bavardage, il y avait maintenant la toute-puissance de l'Etat. Derrière ce bavardage se profilaient, menaçants, le licenciement pour rébellion politique, le chômage, le camp de concentration... On toussotait : "Nous partageons bien sûr tout à fait votre avis, cher collègue, disait-on, mais vous comprendrez...", et on mendiait un peu de compréhension pour le Code civil en tentant de sauver ce qui était encore sauvable.

Voilà ce qu'était le Kammergericht de Berlin en avril 1933. C'était cette même Cour suprême dont les membres, quelque cent cinquante ans auparavant, avaient préféré se laisser enfermer par Frédéric le Grand plutôt que de changer sur ordre du roi un jugement qu'ils estimaient équitable. Tous les écoliers prussiens connaissent une anecdote datant de cette époque et qui, vraie ou non, caractérise la réputation de ce tribunal. Frédéric, faisant construire le château de Sans-Souci, réclamait la démolition d'un moulin à vent qui se dresse aujourd'hui encore à côté du château, et fit au meunier une offre d'achat. Le meunier refusa ; il ne voulait pas sacrifier son moulin. Le roi menaça alors de faire exproprier le meunier, sur quoi celui-ci répliqua :

— Eh oui, sire – mais il y a le Kammergericht de Berlin !

En 1933, on n'avait pas besoin d'un Frédéric, même un Hitler n'avait pas besoin d'intervenir personnellement pour "mettre au pas" la Cour suprême et sa jurisprudence. Il suffisait de quelques jeunes juges d'instance aux manières tranchantes et aux connaissances lacunaires.

Je ne fus pas longtemps témoin du déclin de cette grande institution antique et orgueilleuse. Ma formation s'achevait ; je ne fréquentai plus que durant quelques mois la Cour suprême du Troisième Reich. Ce furent de tristes mois. Des mois d'adieu, à plus d'un titre. J'avais l'impression d'être au chevet d'un mourant. Je sentais que je n'avais plus rien à faire dans cette maison, que l'esprit qui y régnait jadis disparaissait de plus en plus, sans laisser de traces ; j'éprouvais un sentiment de déracinement qui me faisait frissonner. Je n'avais pas été un juriste enthousiaste, certes non, et je ne m'étais pas profondément identifié à cet avenir de juge au service de l'Etat que mon père avait projeté pour moi. Mais j'avais éprouvé comme un sentiment d'appartenance à cette maison, et j'étais navré d'assister à la fin, à l'effondrement sans gloire d'un monde qui avait quand même été le mien, où je m'étais senti un peu chez moi, non sans sympathie et non sans quelque fierté. Ce monde disparaissait devant mes yeux ; il se désagrégeait, se décomposait sans que j'y pusse rien. La seule chose qui me restait, c'était un haussement d'épaules et la certitude mélancolique que ma place n'était plus ici.

Extérieurement, toutefois, les choses se présentaient très différemment. La cote des référendaires, c'était visible, montait tous les jours. L'Association des juristes nationaux-socialistes nous écrivait – à moi aussi – des lettres des plus flatteuses : nous étions selon elle la génération qui devait travailler à l'élaboration du nouveau droit allemand. "Rejoignez nos rangs, collaborez à la tâche immense que nous propose la volonté du Führer !" Je mettais les lettres au panier, mais tout le monde n'en faisait pas autant. On sentait que les référendaires gagnaient en importance et en assurance. C'étaient eux, maintenant, et non plus les juges, qui discutaient en initiés des affaires judiciaires. On entendait le bruit que faisaient d'invisibles bâtons de maréchal dans des musettes invisibles. Même ceux qui n'étaient pas encore nazis sentaient venir leur chance. "Eh oui, cher collègue, disaient-ils, le vent a tourné, ça bouge !" Et ils parlaient, sur un ton discrètement triomphal, de gens nommés au ministère de la Justice tout de suite après avoir passé l'examen d'assesseur et, à l'inverse, de présidents de chambre sévères et redoutés congédiés sans autres formalités – "il fréquentait de trop près la Reichsbanner, vous savez ? Il le paie maintenant", ou envoyés dans un obscur tribunal d'instance de province. On retrouvait un peu l'atmosphère glorieuse de 1923, quand les jeunes gens s'étaient vus soudain placés aux commandes, quand on pouvait se retrouver du jour au lendemain directeur de banque et propriétaire d'automobile, tandis que l'âge mûr et la confiance obtuse accordée à l'expérience ne conduisaient qu'à la morgue.

Bien sûr, on n'était pas tout à fait revenu en 1923. Le prix d'entrée était un peu plus élevé. Il fallait surveiller un peu plus ses idées et ses paroles pour ne pas se retrouver inopinément dans un camp de concentration plutôt qu'au ministère de la Justice. Si exaltées, si victorieuses que fussent les conversations dans les couloirs du palais, elles n'en étaient pas moins un peu contraintes, non dépourvues d'un léger accent de peur et de méfiance. Les opinions exprimées ressemblaient un peu à des réponses apprises par cœur en vue d'un examen, et il n'était pas rare que l'un des discoureurs s'interrompît brusquement et jetât alentour un regard rapide pour s'assurer que personne ne s'était mépris sur le sens de ses paroles.

Jeunesse enthousiaste, mais tous avaient comme une boule dans la gorge. Un jour – je ne sais plus quel point de vue hérétique j'avais exprimé –, un de mes collègues m'emmena à l'écart et fixa sur moi de bons yeux fidèles.

— Je voudrais vous mettre en garde, cher collègue, dit-il. Je ne vous veux que du bien.

De nouveau, ses yeux plongèrent au fond des miens :

— Vous êtes républicain, n'est-ce pas ? Il posa une main apaisante sur mon bras : Chut, n'ayez pas peur, je le suis aussi, au fond de mon cœur. Je suis heureux que vous le soyez. Mais soyez prudent, ne sous-estimez pas les fascistes (car il disait "fascistes"). Aujourd'hui, on n'obtient rien en se montrant sceptique. Vous creusez votre tombe avec vos réflexions. Ne croyez pas qu'on puisse lutter contre les fascistes aujourd'hui. Et surtout pas en s'opposant ouvertement à eux ! Croyez-moi ! Je connais les fascistes peut-être mieux que vous. Les républicains doivent maintenant hurler avec les loups.

Et voilà pour les républicains.

28

Ce n'était pas seulement au Kammergericht que je devais dire adieu. "Adieu" était désormais le mot d'ordre – un adieu total, radical, sans exception. Le monde dans lequel j'avais vécu se dissolvait, disparaissait, devenait invisible – tous les jours, tout naturellement, sans faire le moindre bruit. Chaque jour, on pouvait constater qu'un nouveau morceau de ce monde avait disparu, s'était englouti. On le cherchait, il n'était plus là. Jamais je n'ai revu un processus aussi étrange. C'était comme si le sol se dérobait sous les pieds de façon continue et irrésistible, ou plutôt comme si l'air que l'on respirait était pompé, régulièrement, sans cesse.

Les événements visibles qui se produisaient dans le domaine public et sautaient aux yeux étaient presque les plus inoffensifs. D'accord : les partis disparaissaient, ils étaient dissous ; d'abord les partis de gauche, puis les partis de droite. Je n'appartenais à aucun d'eux. Les hommes dont on avait le nom sur les lèvres, dont on avait lu les livres et commenté les discours, disparaissaient soit à l'étranger, soit dans des camps de concentration. De temps à autre, on entendait dire que l'un d'entre eux "avait mis fin à ses jours comme on venait l'arrêter" ou avait été "abattu alors qu'il tentait de s'enfuir". Au cours de l'été, les journaux publièrent une liste de trente ou quarante noms parmi les plus connus de la littérature et des sciences : ceux qui les portaient étaient déclarés "traîtres au peuple", déchus de leur nationalité, bannis.

C'était encore presque plus étrange et plus inquiétant de voir se volatiliser une quantité de personnes inoffensives qui faisaient partie de la vie quotidienne : le présentateur radiophonique dont on entendait chaque jour la voix et à qui on était habitué comme à une vieille connaissance avait disparu dans un camp de concentration, et malheur à qui osait encore prononcer son nom. Des acteurs et des actrices familiers depuis des années s'évanouissaient du jour au lendemain : la charmante Carola Neher* était soudain traître au peuple et déchue de la nationalité allemande, le jeune et rayonnant Hans Otto**, dont l'étoile brillante s'était levée au cours de l'hiver précédent – on s'était demandé dans toutes les soirées si c'était

---

* Karoline Neher (1900-1942), mariée à l'écrivain Klabund, interprète de Brecht et de Wedekind, s'était réfugiée à Moscou, où elle fut arrêtée en 1936 comme "agent trotskiste". Elle est morte, prisonnière, lors d'un transfert en Sibérie.
** Hans Otto (1900-1933), acteur au Staatstheater de Berlin, connu pour ses opinions communistes.

enfin là "le nouveau Matkowsky*" que le théâtre allemand attendait depuis si longtemps –, gisait fracassé dans la cour d'une caserne de ss. La version officielle était qu'après son arrestation il s'était jeté d'une fenêtre du quatrième étage "en profitant d'un moment où il n'était pas surveillé". Le plus célèbre des dessinateurs humoristiques, dont les innocentes plaisanteries faisaient chaque semaine rire tout Berlin, se suicida. Le présentateur du cabaret que l'on sait fit la même chose. D'autres n'étaient tout simplement plus là, et l'on ne savait pas s'ils étaient morts, arrêtés, exilés – on n'entendait plus parler d'eux.

L'autodafé symbolique du mois de mai n'avait guère eu qu'un effet d'annonce, mais maintenant les livres s'envolaient des librairies et des bibliothèques et, cela, c'était réel et inquiétant. La littérature allemande vivante, bonne ou mauvaise qu'importe, était anéantie. Les livres de l'hiver précédent qu'on n'avait pas encore pu se procurer en avril, on ne les lirait plus. Quelques auteurs, qui n'étaient pas en disgrâce on ne savait pourquoi, se dressaient au milieu du vide comme des quilles

* Adalbert Matkowsky (1857-1909) était membre du Théâtre royal de Berlin depuis 1889.

solitaires. A part cela, il n'y avait que des classiques – et une soudaine pléthore de littérature abjecte et déshonorante, qui exaltait le sang et le sol. Les amateurs de livres – certes minoritaires en Allemagne, et une minorité parfaitement insignifiante, on le leur répétait quotidiennement – se virent d'un jour à l'autre privés de leur univers. Et comme on avait compris très vite que ceux que l'on dépouillait couraient en outre le danger d'être punis, ils se sentirent du même coup très intimidés : Heinrich Mann et Feuchtwanger furent relégués à l'arrière des rayonnages, et si on osait encore parler du dernier Joseph Roth ou du dernier Wassermann*, on chuchotait, têtes rapprochées, comme des conspirateurs.

De nombreux journaux et magazines disparurent des kiosques, mais ce qui advenait aux autres était beaucoup plus inquiétant. On ne les reconnaissait pas

* Le romancier antimilitariste et antinationaliste Heinrich Mann (1871-1950), critique virulent de la société wilhelminienne, avait émigré en 1933, de même que les écrivains Lion Feuchtwanger (1884-1958) et Joseph Roth (1894-1939) – ce dernier connu pour sa peinture impitoyable de l'Empire austro-hongrois finissant –, et que le romancier Jakob Wassermann (1873-1934). Les trois derniers étaient d'origine juive.

vraiment. C'est qu'on entretient avec un journal les mêmes rapports qu'avec un être humain ; on sent comment il réagira à certaines choses, ce qu'il dira et comment. S'il affirme brusquement le contraire de tout ce qu'il disait hier, s'il se renie complètement, si ses traits sont tout à fait déformés, on a l'impression irrésistible de se trouver dans une maison de fous. C'est ce qui se produisit. De vénérables feuilles acquises aux idées démocratiques et appréciées de l'élite intellectuelle comme le *Berliner Tageblatt* ou la *Vossische Zeitung** furent du jour au lendemain transformées en organes nazis. Leurs vieilles voix posées et réfléchies disaient les mêmes choses que vociféraient et éructaient l'*Angriff* ou le *Völkischer Beobachter***.

* *Berliner Tageblatt*, "Le Quotidien de Berlin". – *Vossische Zeitung*, quotidien berlinois, un des plus anciens journaux d'Allemagne (fondé en 1617, édité de 1751 à 1791 par Ch. F. Voss, d'où son nom), conservateur et pondéré, connu pour la qualité littéraire de ses collaborateurs (au nombre desquels Lessing et Fontane). Il cessa de paraître en 1934.
** *Der Angriff* ("L'Attaque"), journal fondé en 1927 par Joseph Goebbels, quotidien depuis 1930. – *Völkischer Beobachter* ("L'Observateur national"), quotidien, organe central du parti national-socialiste.

Plus tard, on s'y habitua, grappillant avec reconnaissance entre les lignes du supplément culturel des allusions occasionnelles que le journal lui-même reniait toujours strictement.

Il faut dire que l'équipe de rédaction avait parfois changé. Mais souvent cette explication simple n'était pas la bonne. Par exemple pour une revue intitulée *Die Tat**, organe dont l'attitude était aussi ambitieuse que son titre. Dans les années précédant immédiatement 1933, presque tout le monde la lisait. Rédigée par un groupe de jeunes gens intelligents qui allaient jusqu'au bout de leurs opinions, elle se complaisait avec une certaine élégance dans l'évocation d'un univers en mutation et de perspectives millénaires, et elle était, cela va de soi, bien trop distinguée, cultivée et profonde pour appartenir à quelque parti que ce soit – et surtout pas au parti nazi, qu'elle qualifiait encore en février d'épisode éphémère. Bon, le rédacteur en chef était allé trop loin, il perdit sa situation et échappa de justesse à la mort (aujourd'hui, il a au moins le droit d'écrire des romans distrayants). Mais les autres rédacteurs restèrent en place et se retrouvèrent d'un

* "L'Action."

seul coup, tout naturellement et sans rien perdre de leur élégance et de leurs perspectives millénaires, nazis. Ils l'avaient toujours été, bien entendu, de façon plus authentique et plus profonde que les nazis en personne. On feuilletait le journal avec stupeur. La même mise en page, la même typographie, la même affectation d'infaillibilité superbe, les mêmes noms – et l'ensemble d'un seul coup, sans ciller, un sémillant magazine cent pour cent nazi. Conversion ? Cynisme ? Ou MM. Fried, Eschmann, Wirsing* et Cie avaient-ils vraiment toujours été au fond de leur cœur des nazis bon teint ? Sans doute ne le savaient-ils pas exactement eux-mêmes. Du reste, on renonça bientôt à jouer aux devinettes. On était écœuré, las, et on se contenta de dire adieu à un journal de plus.

Après tout, ces adieux n'étaient pas les plus douloureux – ces adieux à tous ces phénomènes, à tous ces éléments à demi impersonnels, difficiles à définir, dont l'ensemble forme l'atmosphère

---

* Giselher Wirsing (1907-1975), rédacteur et éditeur de plusieurs magazines littéraires et culturels, notamment les *Münchner Neueste Nachrichten* ("Dernières nouvelles de Munich") de 1933 à 1941.

d'une époque. Il ne faut pas les sous-estimer : ils suffisent à assombrir l'existence, et il est bien assez déplaisant que l'air d'un pays, l'air général et public, perde son arôme et son piment pour devenir toxique et suffocant. Mais cet air général, on peut jusqu'à un certain point le laisser au-dehors, on peut calfeutrer ses fenêtres et se retirer entre les quatre murs d'une vie privée préservée. On peut s'isoler, mettre des fleurs dans sa chambre et se boucher les oreilles et le nez quand on sort dans la rue. La tentation de procéder ainsi – beaucoup l'ont fait depuis – était grande, pour moi aussi. Dieu merci, je n'y suis jamais parvenu. Les fenêtres ne fermaient plus. Même au plus intime de ma vie privée, c'est adieu sur adieu qui m'attendait.

29

Cependant, la tentation de l'isolement est un phénomène historique assez important pour qu'on l'étudie de plus près. Elle joue un rôle dans le processus psychopathologique qui, répété des millions de fois, se déroule en Allemagne depuis 1933. On sait que la plupart des Allemands se trouvent aujourd'hui dans une disposition d'esprit qui se présente à l'observateur normal carrément comme une maladie mentale ou au moins comme une grave hystérie. Si on veut comprendre comment cela a pu se produire, il faut se donner la peine de s'imaginer dans la situation singulière où se trouvaient en été 1933 les Allemands non nazis – qui étaient encore en majorité –, et de comprendre les conflits par essence déconcertants et pervers où ils se voyaient placés.

La situation des Allemands non nazis en été 1933 était certainement une des plus difficiles dans lesquelles peuvent se trouver des hommes : un état d'impuissance totale et sans issue, combiné avec les séquelles du choc causé par une attaque-surprise. Les nazis nous tenaient à leur merci. Toutes les forteresses étaient tombées, toute résistance collective était devenue impossible, la résistance individuelle n'était plus qu'une forme de suicide. Nous étions traqués jusque dans les recoins de notre vie privée, la déroute régnait dans tous les domaines de l'existence, une débandade dont on ne savait où elle finirait. En même temps, on était exhorté chaque jour non à se rendre, mais à trahir. Un petit pacte avec le diable, et on ne ferait plus partie des prisonniers et des poursuivis, mais des vainqueurs et des poursuivants.

C'était la tentation la plus simple et la plus grossière. Beaucoup y ont succombé. Plus tard, il s'est souvent avéré qu'ils en avaient sous-estimé le prix, et qu'ils n'étaient pas à la hauteur du nazisme véritable. Des milliers de ces gens-là se trouvent aujourd'hui en Allemagne, nazis à la mauvaise conscience qui portent leur insigne du parti comme Macbeth sa pourpre royale, qui, complices malgré eux, se chargent d'une faute après l'autre, cherchent vainement une échappatoire, boivent et prennent des somnifères, n'osent plus réfléchir, ne savent plus s'ils doivent espérer ou redouter la fin de l'époque nazie – leur propre époque ! – et qui, le jour venu, nieront bien certainement toute responsabilité. En attendant, ils sont le cauchemar du monde, et il est effectivement impossible de savoir de quoi ces gens, dans leur délabrement moral et nerveux, peuvent bien être capables avant de s'effondrer. Leur histoire n'est pas encore écrite.

Mais la situation de 1933 recelait encore bien d'autres tentations, dont chacune était source de folie et de pathologie mentale pour quiconque y succombait. Le diable a de nombreux filets : des filets à grosses mailles pour les âmes grossières, des filets à mailles serrées pour les plus subtiles.

Quiconque se refusait à devenir nazi se voyait confronté à une situation pénible : il n'avait absolument aucun espoir, subissait sans pouvoir se défendre des vexations et des humiliations quotidiennes, assistait impuissant à des scènes insoutenables, était totalement déraciné, subissait des souffrances inqualifiables. Cette situation entraîne des tentations spécifiques : consolations trompeuses, soulagements fallacieux qui dissimulent les hameçons du diable.

L'une de ces tentations, la favorite des plus âgés, était la fuite dans l'illusion, surtout dans l'illusion de la supériorité. Ceux qui y succombaient s'accrochaient aux signes de dilettantisme et d'immaturité qui avaient effectivement marqué le gouvernement nazi à ses débuts. Ils démontraient quotidiennement aux autres et à eux-mêmes que cela ne pouvait continuer ainsi ; ils posaient dans une attitude de condescendance amusée ; ils s'épargnaient le spectacle des maléfices en fixant leur regard sur les puérilités ; ils falsifiaient pour eux-mêmes leur impuissance totale en se donnant l'air d'observer les événements à distance, du haut de leur supériorité ; et ils se sentaient tout à fait apaisés et consolés quand ils pouvaient citer un nouveau trait d'esprit ou un récent article du *Times*. C'étaient les gens qui, d'abord avec une conviction tranquille et totale, puis avec toutes les marques d'un aveuglement conscient et acharné, prédisaient de mois en mois la fin prochaine du régime. Le pire les attendait avec les premiers succès du régime visiblement consolidé : ils n'étaient pas armés pour y faire face. C'est sur ce groupe qu'un calcul psychologique très habile a dirigé dans les années suivantes le feu roulant des statistiques bluffeuses, et ces gens ont effectivement livré la masse des capitulards tardifs entre 1935 et 1938. Une fois rendue impossible l'attitude de supériorité à laquelle ils se cramponnaient convulsivement, ils se sont rendus en masse. Une fois avérés les succès qu'ils avaient toujours déclarés impossibles, ils se sont reconnus vaincus. Ils n'avaient pas la force de comprendre que c'étaient précisément ces succès qui étaient effroyables :

— Mais il a quand même vraiment réussi là où tout le monde avait échoué !

— C'est bien ça qui est grave !

— Vous alors, vous avez toujours aimé les paradoxes.

—Propos échangés en 1938.)

Quelques-uns d'entre eux n'ont pas baissé pavillon et ne se lassent pas, après toutes leurs défaites, de prédire la fin inévitable du régime de mois en mois, ou du moins d'année en année. Leur position, il faut l'avouer, y a gagné une certaine grandeur mais aussi une certaine extravagance. Le comique de la chose, c'est qu'ils finiront probablement par avoir raison un jour, après avoir surmonté encore quelques cruelles déceptions. Je les vois d'ici après la chute des nazis s'en aller répéter à tout le monde qu'ils l'avaient toujours bien dit. Il est vrai que d'ici là ils seront devenus des personnages tragicomiques. Il existe une façon humiliante d'avoir raison, qui ne fait rien d'autre que de procurer à l'adversaire une gloire imméritée. Pensons à Louis XVIII.

Le deuxième danger était l'amertume – le masochisme qui s'abandonne à la haine, à la souffrance, à un pessimisme sans bornes. C'est presque la réaction la plus naturelle des Allemands devant la défaite. Aux heures difficiles, que ce soit dans sa vie privée ou dans la vie de la nation, tout Allemand se trouve aux prises avec la tentation de renoncer à tout pour toujours, de se livrer – et de livrer le monde – au diable avec une indifférence morne qui confine à la complaisance. Suicide moral par défi amer.

> *Puisque je suis lassé de la vie à présent,*
> *Puisse le monde entier sombrer dans le néant !*

Cela semble très héroïque : on refuse toute consolation – et on ne voit pas que c'est dans cette attitude même que se trouve la consolation la plus vénéneuse, la plus dangereuse, la plus vicieuse. La volupté perverse de l'immolation, un désir effréné de mort et de ruine, digne de Wagner : voilà le réconfort le plus complet qui s'offre au vaincu quand il n'a pas la force de reconnaître sa défaite et de la supporter. J'ose prédire que ce sera l'attitude de l'Allemagne quand les nazis auront perdu la guerre – les sanglots tumultueux et têtus d'un enfant psychopathe, avide d'assimiler à la fin du monde la perte de son jouet. (Cette attitude était déjà largement présente en Allemagne après 1918.) En 1933, on n'en percevait pas grand-chose dans l'attitude, disons, officielle – d'ailleurs on ne percevait guère ce qui se passait dans l'âme de la majorité battue, car, officiellement, personne n'était battu. Officiellement il n'y avait que cris de joie, progrès, libération, rédemption, salut, et l'ivresse née de l'unité : la douleur était priée de se taire. Pourtant, cette attitude de vaincu, typiquement allemande, était très fréquente après 1933. J'en ai rencontré à moi seul tant d'exemples chez des individus, que je crois pouvoir estimer à plusieurs millions le nombre de ses représentants.

Il est difficile de dire quelles sont extérieurement les conséquences réelles de cette disposition interne. Dans de nombreux cas, elle conduit au suicide. Mais un nombre bien plus grand de personnes s'arrangent pour vivre avec, en faisant la grimace, pourrait-on dire. Elles forment malheureusement la majorité des représentants de l'opposition en Allemagne, et il n'est donc pas surprenant que cette opposition n'ait jamais élaboré ni buts, ni méthodes, ni projets, ni perspectives. Les gens qui, pour la plupart, la représentent, vont et viennent en "lugubrant". Les horreurs qui se perpètrent sont devenues peu à peu l'indispensable nourriture de leur esprit ; le seul sombre plaisir qui leur soit resté est de se complaire dans la description minutieuse des atrocités, et il est impossible de parler d'autre chose avec eux. Nombre d'entre eux en sont même arrivés au point qu'ils ressentiraient un manque si cela leur était retiré, et chez certains le pessimisme désespéré s'est carrément mué en une espèce de satisfaction. Il faut dire qu'en général c'est aussi une façon de "vivre dangereusement" : cela échauffe la bile, mène au sanatorium et assez souvent à une véritable démence. Et enfin, une étroite allée latérale part aussi de là pour aboutir au nazisme. Puisque tout est égal, que tout est perdu, que tout s'en va au diable, pourquoi ne pas se faire diable soi-même avec un cynisme débordant de désespoir et de rage, pourquoi, en ricanant intérieurement, ne pas participer ? Cela existe aussi.

Il me faut encore parler d'une troisième tentation. C'est celle qui fut la mienne et, encore une fois, je ne suis pas seul dans mon cas. On risque de connaître cette tentation quand on a identifié la précédente. On ne veut pas corrompre son âme par la haine et la souffrance, on veut rester bon, pacifique, aimable, gentil. Mais comment éviter la haine et la souffrance quand chaque jour, chaque jour, on est agressé par ce qui provoque la souffrance et la haine ? La seule solution, c'est de l'ignorer délibérément, de détourner le regard, de se mettre de la cire dans les oreilles, de s'abstraire. Ce qui amène à s'endurcir à force de sensibilité, et aboutit pour finir à une autre forme de folie : la perte du sens du réel.

Parlons de moi pour des raisons de simplicité, mais n'oublions pas que mon cas, là encore, doit être multiplié par plusieurs centaines de mille ou par plusieurs millions.

Je ne suis pas doué pour la haine. J'ai toujours cru savoir qu'en se laissant trop aller à la polémique, aux querelles avec des incorrigibles, à la haine du haïssable, on détruit quelque chose en soi – quelque chose qui vaut la peine d'être conservé et qu'il est difficile de reconstruire. Lorsque je rejette quelque chose, ma réaction naturelle est de me détourner, non d'attaquer.

J'ai aussi le sentiment très aigu de l'honneur qu'on fait à un adversaire en le haïssant : de cet honneur, les nazis ne me semblaient pas dignes. Je redoutais la relation intime que la haine éprouvée suffirait à provoquer, et la plus grande offense que les nazis m'aient faite personnellement n'était pas tant, à mon sens, leurs exhortations insistantes à participer – elles n'étaient pas de ces choses auxquelles on consacre la moindre pensée ou le moindre sentiment – que la haine et le dégoût que l'évidence de leur présence m'obligeait à éprouver quotidiennement, alors que la haine et le dégoût ne sont pas dans ma nature.

Une attitude n'était-elle pas possible, qui n'obligerait à rien, à rien du tout, même pas à la haine et au dégoût ? N'y avait-il pas la possibilité d'un mépris souverain, absolu, d'un "regarde et passe ton chemin" ? Fût-ce au prix de la moitié de la vie extérieure, voire de la vie extérieure tout entière ?

Juste à cette époque, je tombai sur une formule de Stendhal, dangereuse et séduisante dans son ambiguïté. Il l'avait écrite comme une ligne de conduite, après un événement historique qui lui avait fait exactement le même effet de "chute dans la boue" qu'à moi le printemps 1933 : après la Restauration de 1814. Une seule chose, écrivait-il, valait maintenant la peine qu'on y consacre encore de l'attention et de la peine : "préserver la sainteté et la pureté de son moi". La sainteté et la pureté ! Cela signifiait non seulement qu'il fallait se garder de toute complicité, mais aussi de tout ravage dû à la douleur, de toute déformation due à la haine, bref, de toute influence, de toute réaction, de tout contact, même de celui qui consiste à repousser. Se détourner

– se retirer sur la parcelle la plus étroite s'il le faut, à condition que l'air vicié n'y pénètre pas, et que l'on puisse conserver intacte la seule chose dont le salut importe, à savoir, pour lui donner son bon vieux nom théologique, son âme immortelle.

Je crois aujourd'hui encore que ce principe a quelque chose de juste, et je ne le renie pas. Mais bien sûr, tel que je me le représentais à l'époque – ignorance délibérée et retraite dans une tour d'ivoire –, il était inapplicable, et je rends grâce à Dieu que mes tentatives se soient soldées par un échec rapide et complet. J'en connais dont l'échec a été moins rapide, et qui ont dû payer très cher pour apprendre qu'en certaines circonstances on ne peut sauver la paix de son âme qu'en la sacrifiant et en y renonçant.

Au contraire des deux premières formes de dérobade, celle-ci a trouvé en Allemagne dans les années suivantes une sorte d'expression publique dans la brusque éclosion d'une littérature idyllique profuse. On a peu remarqué dans le monde, même dans les milieux littéraires, que l'Allemagne a produit entre 1934 et 1938 une quantité inouïe de souvenirs d'enfance, de romans familiaux, de descriptions de paysages, de poèmes consacrés à la nature, de bibelots et de brimborions tendres et délicats. Presque tout ce qui a été publié en Allemagne à côté de la littérature de propagande estampillée nazie ressortit à ce domaine. Il est vrai que, depuis deux ans environ, le flot commence à tarir, sans doute parce que la fraîcheur d'âme nécessaire est devenue peu à peu impossible, même au prix d'efforts considérables. Mais, auparavant, c'était à faire peur. Toute une littérature pleine de pâquerettes et de sonnailles, pleine d'enfantines idylles estivales et de premières amours, fleurant bon le conte de fées, la pomme cuite au four et l'arbre de Noël, une littérature intemporelle imprégnée d'un recueillement répugnant, produite en masse et comme sur commande au beau milieu des défilés, des camps de concentration, des usines de munitions et des casernes de SA. Quiconque se trouvait, comme l'auteur de ces lignes, avoir à lire ces ouvrages en assez grande quantité, se sentait peu à peu bruyamment agressé par eux en toute sensibilité, en toute discrétion et en toute délicatesse. "Ne vois-tu pas, hurlaient-ils entre les lignes, ne vois-tu pas combien nous sommes intemporels et recueillis ? Ne vois-tu pas que rien n'a de prise sur nous ? Ne vois-tu pas que nous ne voyons rien ? Vois-le, vois-le, s'il te plaît !"

J'ai connu personnellement quelques-uns de leurs auteurs. Pour tous, ou pour presque tous, est arrivé un moment où cela n'était plus possible. Est survenu un événement que des paquets de cire dans les oreilles ne pouvaient empêcher d'entendre, comme l'arrestation d'un de leurs proches. Aucun souvenir d'enfance ne permettait plus de s'en protéger. On assistait alors à des effondrements terrifiants. Ce sont de tristes histoires. Je conterai peut-être l'une ou l'autre en son temps.

Voilà quels étaient les dilemmes des Allemands à l'été 1933. Ils n'étaient pas sans analogie avec le choix entre différentes façons de mourir moralement, et quelqu'un qui a vécu toute sa vie dans des circonstances normales peut avoir l'impression d'être dans une maison de fous, ou, disons, dans un établissement consacré aux expériences psychopathologiques. Mais qu'y faire ? C'était ainsi, et je ne puis le changer. C'était du reste une époque encore relativement inoffensive. Il y en aura de bien différentes.

30

Ma tentative de m'isoler dans un petit domaine privé échoua donc très rapidement, pour la bonne raison qu'un tel domaine n'existait pas. Les vents se mirent bientôt à souffler de tous côtés sur ma vie privée, et la dispersèrent. De ce que j'aurais pu appeler "le petit cercle de mes amis", il ne restait rien en automne 1933.

Il y avait par exemple un petit groupe de travail composé de six jeunes intellectuels, tous référendaires, tous sur le point de passer l'examen qui leur permettrait de devenir assesseur, tous sortis du même milieu. J'étais l'un d'entre eux. La préparation commune de l'examen avait servi de prétexte à la mise en place du groupe, mais nous avions dépassé ce stade depuis longtemps et formions un petit club de discussion intime. Nous avions des opinions très différentes, mais n'aurions jamais eu l'idée de nous haïr pour autant. Nous nous aimions tous bien. On ne pouvait pas dire non plus que nos idées fussent diamétralement opposées ; elles formaient plutôt – ce qui était très caractéristique pour la jeune Allemagne intellectuelle de 1932 – un cercle dont les extrémités apparemment les plus éloignées se rejoignaient.

Le plus "à gauche" était par exemple Hessel, fils de médecin qui avait des sympathies communistes, le plus "à droite" Holz, fils d'officier aux idées militaristes et nationalistes. Mais tous deux faisaient souvent front commun face aux autres, car tous deux, plus ou moins issus d'un mouvement de jeunesse, pensaient en termes de corporations ; ils étaient antibourgeois, anti-individualistes, avaient un idéal de communauté et d'esprit de corps ; ce qui les faisait bondir, c'était le jazz, les journaux de mode, le Kurfürstendamm*, bref, le monde de l'argent facile, et tous deux nourrissaient en secret un penchant pour la terreur, déguisé chez le premier en amour de l'humanité, chez le second en amour de la nation. Comme les idées façonnent les visages, tous deux avaient une certaine raideur, les lèvres minces, tous deux manquaient d'humour, et éprouvaient au demeurant le plus grand respect l'un pour l'autre. Il semblait d'ailleurs que la courtoisie allât de soi entre nous.

Deux autres adversaires qui s'entendaient bien, et que leur entente poussait

* Grande avenue cosmopolite de Berlin.

parfois à faire front commun contre leurs alliés respectifs, étaient Brock et moi. Il était encore plus difficile de nous assigner une place dans l'éventail des opinions politiques qu'à Hessel et à Holz. Celles de Brock étaient révolutionnaires et farouchement nationalistes, tandis que j'étais conservateur et farouchement individualiste : parmi les idées de la droite et de la gauche, nous avions sélectionné les plus radicalement opposées. Et pourtant, quelque chose nous unissait : au fond, nous étions tous deux des esthètes, et les divinités que nous adorions étaient des divinités apolitiques. Celle de Brock était l'aventure, l'aventure collective dans le style de 14-18 et de 1923, réunies de préférence ; mon dieu était celui de Goethe et de Mozart – on m'excusera de ne pas trouver à l'instant de nom à lui donner. Nous étions donc bon gré mal gré des adversaires sur tous les points, mais des adversaires entre qui régnait parfois une sorte de connivence. Nous savions aussi très bien boire ensemble. Hessel, pour sa part, ne buvait pas du tout, il était par principe opposé à l'alcool, et Holz buvait avec une telle modération que c'en était une honte.

Les deux autres étaient des conciliateurs-nés : Hirsch, fils d'un professeur d'université juif, et von Hagen, fils d'un très haut fonctionnaire ministériel. Von Hagen était le seul d'entre nous à faire partie d'une organisation politique : il était membre du Parti démocratique allemand et de la Reichsbanner*. Bien loin de l'empêcher de s'entremettre de tous côtés et de se montrer compréhensif à l'égard de toutes les opinions, cela l'y prédisposait. De plus, il était la bonne éducation incarnée, un véritable virtuose du tact et des bonnes manières. En sa présence, il était impossible qu'une discussion dégénérât en dispute. Hirsch le secondait. Ses spécialités étaient le scepticisme paisible et l'antisémitisme expérimental. Car il avait bel et bien un faible pour les antisémites, auxquels il tentait toujours de donner leur chance. Je me souviens d'une discussion entre nous deux au cours de laquelle il se chargea fort sérieusement de défendre le point de vue antisémite,

---

* Le Deutsche Demokratische Partei (DDP), parti fondé en 1918, favorable au parlementarisme et à une économie libérale contrôlée. – La Reichsbanner schwarz-rot-gold ("Bannière noir-rouge-or"), association d'anciens combattants et de républicains fondée en 1924 par les sociaux-démocrates Otto Hörsing et Karl Höltermann pour la défense de la république de Weimar.

tandis que je me chargeais du point de vue anti-teuton. Tant nous savions nous montrer chevaleresques. Pour le reste, Hirsch et von Hagen faisaient tout leur possible pour arracher occasionnellement à Holz et à Hessel un sourire tolérant, à Brock et à moi-même une "profession de foi" sérieuse, et pour empêcher que Holz et moi, ou bien Hessel et Brock, détruisent mutuellement ce que l'autre avait de plus sacré. (Chose qui n'était possible que dans cette combinaison.)

Oui, un gentil petit groupe de jeunes gens prometteurs. Quiconque les aurait vus en 1932 réunis autour d'une table ronde, fumant et discutant avec ardeur, aurait eu peine à croire que quelques années plus tard ses membres s'affronteraient fusil au poing sur les barricades du monde. Car aujourd'hui, pour résumer la situation, Hirsch, Hessel et moi-même vivons en exil, Brock et Holz sont de hauts fonctionnaires nazis, et von Hagen, avocat à Berlin, est quand même membre de l'Association des juristes nationaux-socialistes et du NSKK*,

* Le Nationalsozialistisches Kraftfahrkorps, unité paramilitaire semblable à la SA (Sturmabteilung, "Section d'assaut") et à la SS (Schutzstaffel, "Section de protection"), mais motorisée.

peut-être même déjà – à regret, mais on ne peut pas faire autrement – du parti. On voit du moins qu'il est resté fidèle à son rôle de truchement.

Vers le début du mois de mars, l'atmosphère de notre groupe s'alourdit peu à peu. Voilà qu'il n'était plus si facile de disputer des nazis avec une courtoisie tout universitaire. Peu avant le 1er avril eut lieu chez Hirsch une séance pleine de tensions déplaisantes. Brock ne cacha pas qu'il considérait les événements qui se préparaient avec un certain amusement émoustillé. Il constatait, avec une supériorité satisfaite, qu'"une certaine nervosité régnait bien évidemment chez ses amis juifs". Il trouvait au demeurant, toujours sur le même ton, que pour le moment l'organisation laissait encore pas mal à désirer, mais qu'il serait intéressant de voir comment tournerait cette expérience en grand. Elle ouvrait en tout cas des perspectives passionnantes. Voilà à peu près ce que disait Brock, et il était difficile de lui opposer quelque chose sans qu'il réponde aussitôt par un sourire insolent. Holz, quant à lui, déclara avec componction qu'une façon de faire aussi sommaire et improvisée pouvait certes entraîner des incidents regrettables, mais qu'il ne fallait quand même pas oublier que les juifs, etc. Hirsch, notre hôte, ainsi dispensé de prendre lui aussi le parti des antisémites, se mordait les lèvres sans mot dire. Von Hagen rappela avec tact que les juifs étaient quand même, etc. C'était une superbe discussion sur les juifs, et elle traînait en longueur. Hirsch ne disait mot et tendait à la ronde un paquet de cigarettes. Hessel tentait de réfuter les théories racistes avec des arguments scientifiques, et Holz les défendait avec des contre-arguments tout aussi scientifiques.

— D'accord, Hessel, disait-il par exemple tandis qu'il tirait une lente bouffée de sa cigarette, inhalait la fumée, la rejetait et la suivait des yeux, dans cet Etat humaniste dont vous supposez toujours implicitement l'existence, il se peut que tous ces problèmes n'existent pas. Mais il vous faudra bien admettre que dans le cadre de la construction d'un Etat-nation, construction qui est seule en cause pour l'instant, l'homogénéité raciale...

Je sentais monter une nausée, et résolus de mettre les pieds dans le plat :

— Il me semble que l'objet de notre discussion, dis-je, n'est pas la fondation d'un Etat-nation, mais l'attitude personnelle de chacun d'entre nous, ne croyez-vous pas ? En dehors de cela, il n'existe actuellement rien dont nous puissions décider. Ce qui m'intéresse dans votre attitude, monsieur Holz, c'est de savoir comment vous conciliez vos opinions avec votre présence dans cette maison.

Ce fut au tour de Hirsch de m'interrompre en soulignant qu'il n'avait jamais fait dépendre son invitation à l'un d'entre nous du fait que nos opinions, etc.

— Certes, dis-je – et je lui en voulais déjà férocement –, et ce n'est pas non plus votre attitude que je critique, mais celle de M. Holz. Je suis curieux de savoir à quoi ressemble le cœur d'un homme qui accepte l'hospitalité de quelqu'un qu'il voudrait, par principe, massacrer avec tous ses semblables.

— Mais qui vous parle de massacre ! s'exclama Holz, et tous se mirent à protester, à l'exception de Brock qui dit que, pour sa part, il ne voyait pas là de contradiction insurmontable :

— Vous n'ignorez peut-être pas qu'en temps de guerre les officiers sont souvent reçus dans des maisons qu'ils ont ordre de faire sauter le lendemain.

Cependant que Holz me démontrait calmement qu'on ne pouvait pas parler de "massacre" si les commerçants juifs étaient boycottés dans le calme et la discipline.

— Comment cela, pas un massacre ? m'écriai-je avec emportement. Quand on ruine systématiquement quelqu'un, quand on lui ôte son gagne-pain, il finira par mourir de faim, non ? Acculer quelqu'un à mourir de faim, j'appelle cela un massacre. Pas vous ?

— Du calme, du calme, dit Holz. Personne ne meurt de faim en Allemagne. Au cas où les commerçants juifs seraient véritablement ruinés, ils bénéficieraient de l'aide sociale.

Le pire est qu'il disait cela fort sérieusement, sans vouloir se moquer. Nous nous séparâmes profondément irrités.

Dans le courant d'avril, Brock et Holz adhérèrent au parti, juste avant qu'il ne fût "fermé". Il serait faux de les taxer d'opportunisme. Il est certain que leurs idées avaient toujours, sur bien des points, été proches de celles des nazis. Mais cela n'était pas suffisant pour qu'ils deviennent membres du parti. Il y avait fallu le prestige de la victoire.

De ce moment, il fut difficile de poursuivre notre travail commun. Von Hagen et Hirsch avaient fort à faire. Toutefois, le groupe se maintint encore cinq ou six semaines. Puis, fin mai, eut lieu une séance au cours de laquelle il se désagrégea.

C'était juste après l'hécatombe de Köpenick. Brock et Holz arrivèrent à notre réunion comme des assassins après leur crime. Non qu'ils eussent personnellement participé à la tuerie. Mais dans leur nouveau milieu il n'était manifestement question que de cela ; à force d'en parler, on en était venu à assumer une sorte de responsabilité collective, et tous deux apportaient dans notre ambiance bourgeoise et civilisée qui fleurait bon la cigarette et le café un étrange brouillard rougeâtre de sang et de sueur mortelle.

Ils se mirent aussitôt à parler de l'affaire, et c'est leur description imagée qui nous la fit connaître entièrement. Les journaux s'étaient contentés d'allusions.

— Plutôt épatant, le coup de Köpenick, non ? dit Brock, et tout son récit était de la même veine. Il donnait des détails, décrivait la façon dont on avait commencé par envoyer les femmes et les enfants dans la pièce voisine avant d'abattre les hommes à bout portant, de les assommer d'un coup de matraque sur la tête ou de les saigner au poignard. Chose curieuse, la plupart ne s'étaient absolument pas défendus ; c'était un spectacle navrant que de les voir en chemise de nuit. On avait jeté les cadavres à la rivière, et aujourd'hui encore, dans le quartier, le flot en ramenait sans cesse de nouveaux sur la berge. Tout le temps que dura son récit, il arbora ce sourire insolent, figé, stéréotypé qui le caractérisait depuis quelque temps. Il ne défendait rien, mais ne se montrait pas non plus trop scandalisé. Pour l'essentiel, l'événement lui semblait surtout propre à faire sensation.

Nous secouâmes la tête et trouvâmes tout cela parfaitement effroyable, ce qui sembla lui faire plaisir.

— Et vous n'êtes pas gêné d'avoir adhéré au parti quand vous voyez ce qui s'y passe ? remarquai-je pour finir.

Il se mit aussitôt sur la défensive, adoptant le regard audacieux de Mussolini :

— En aucune façon, dit-il. Auriez-vous pitié de ces gens-là ? C'est tout à fait déplacé. L'homme qui a tiré le premier avant-hier savait bien évidemment que cela lui coûterait la vie. Il aurait été incongru de ne pas le pendre. Et d'ailleurs, pour lui, chapeau. En ce qui concerne les autres, pouah ! Pourquoi ne se sont-ils pas défendus ? C'étaient tous de vieux sociaux-démocrates et des gens qui avaient fait partie de l'Eiserne Front*. Qu'avaient-ils besoin de se mettre en chemise de nuit et de se

---

* "Front de fer", émanation de la Reichsbanner (voir la note de la page 298), organisation para-militaire antinazie.

coucher ? Ils auraient pu se défendre et mourir décemment. Mais c'est une bande de dégonflés. Je n'ai pas pitié d'eux.

— Je ne sais pas, dis-je lentement, si j'éprouve beaucoup de pitié pour eux. Mais ce que j'éprouve, c'est un haut-le-cœur indescriptible devant des gens qui se promènent armés jusqu'aux dents et abattent des hommes sans défense.

— Ils n'avaient qu'à se défendre, s'entêta Brock avec arrogance, et ils n'auraient plus été sans défense. C'est un truc écœurant qu'ont les marxistes, ils se donnent l'air d'être sans défense quand les choses deviennent sérieuses.

Holz intervint :

— Je tiens le tout pour un regrettable débordement révolutionnaire, dit-il, et soit dit entre nous, je pense que le *Standartenführer** responsable se fera taper sur les doigts. Mais je crois aussi qu'il ne faudrait pas oublier que c'est un social-démocrate qui a tiré le premier. Il est compréhensible, et même, d'une certaine façon, justifié que dans un cas comme celui-ci les SA aient recours à des… euh… à des représailles très énergiques.

Curieusement, je pouvais encore tout juste supporter Brock, mais Holz

---

* Commandant d'une *Standarte* ("étendard"), unité de SA ou de SS correspondant à un régiment.

me faisait depuis peu l'effet d'un chiffon rouge. Je ne pus m'empêcher de le provoquer :

— Je suis très intéressé par votre nouvelle théorie des raisons justificatives, dis-je. Si je ne m'abuse, vous avez vous aussi étudié le droit ?

Il me lança un regard d'acier, et releva le gant de façon circonstanciée.

— Parfaitement, j'ai étudié le droit, dit-il. Et je me souviens que pendant mes études j'ai entendu mentionner entre autres choses la légitime défense d'Etat. Vous étiez peut-être absent à ce cours-là.

— Légitime défense d'Etat, dis-je, comme c'est intéressant. Vous estimez que l'Etat est attaqué et acculé à la légitime défense parce que quelques centaines de citoyens sociaux-démocrates enfilent leur chemise de nuit et se mettent au lit ?

— Mais non, dit-il. Vous oubliez toujours que c'est un social-démocrate qui a commencé par abattre deux SA…

— … qui avaient pénétré chez lui par effraction…

— … qui s'étaient présentés chez lui dans l'exercice de fonctions officielles.

— Et cela donne à l'Etat le droit de se défendre contre n'importe quel autre citoyen ? Contre vous et moi ?

— Contre moi, non. Mais peut-être bien contre vous.

Ses yeux avaient maintenant un éclat vraiment très métallique, et j'éprouvai soudain une sensation bizarre au creux des jarrets.

— Vous oubliez toujours avec une certaine mesquinerie, dit-il, quelle formidable évolution se produit aujourd'hui dans ce peuple en devenir qu'est la nation allemande. (Je l'entends aujourd'hui encore prononcer "peuple en devenir" !) Vous vous cramponnez à la moindre bavure, à la moindre subtilité juridique, pour y trouver à redire et à chicaner. Je crains que vous n'ayez pas bien conscience que les gens comme vous représentent aujourd'hui un danger latent pour l'Etat, et que l'Etat a le droit et le devoir d'en tirer les conséquences – au moins quand l'un d'entre vous va jusqu'à l'opposition ouverte.

Voilà ce qu'il dit, lentement, posément, dans le style d'un commentaire juridique, et sans cesser de plonger dans les miens ses yeux d'acier.

— Si nous en sommes aux menaces, dis-je, pourquoi pas ouvertement ? Avez-vous l'intention de me dénoncer à la Gestapo comme ennemi de l'Etat ?

Nous en étions à peu près là quand von Hagen et Hirsch se mirent à rire,

tentant de faire tourner l'affaire en plaisanterie. Mais cette fois Holz déjoua
leurs intentions. Il dit, d'une voix basse
mais sur un ton appuyé (et je remarquai pour la première fois, non sans
en ressentir une satisfaction inédite,
combien il était exaspéré) :

— J'avoue que je me demande depuis
un certain temps si ce n'est pas mon
devoir.

— Tiens tiens, dis-je.

Il me fallut un instant pour éprouver
les goûts nouveaux qui naissaient tous
ensemble sur ma langue. Un soupçon
de surprise effrayée, une pointe d'ad-
miration pour son audace, un arrière-
goût déplaisant laissé par le "devoir",
un zeste de satisfaction de l'avoir poussé
aussi loin, et une toute nouvelle lucidité
froide : voilà ce que la vie est devenue,
c'est exactement cette transformation
qu'elle a subie – mais j'avais aussi un peu
peur, et je récapitulai rapidement tout ce
qu'il pourrait dire de moi s'il mettait sa
menace à exécution. Puis j'enchaînai :

— J'avoue que cela ne me semble
pas parler en faveur du sérieux de vos
intentions si vous vous le demandez
depuis un moment avec le seul résultat de m'en faire part.

— Ne dites pas cela, rétorqua-t-il calmement.

Nous avions manifestement abattu toutes nos cartes, et pour aller plus loin il nous aurait fallu en venir aux mains. Mais nous étions assis là à fumer des cigarettes, et les autres s'interposèrent, nous morigénant pour nous calmer.

Curieusement, nous poursuivîmes pendant quelques heures la discussion politique, calmement, âprement. Mais le groupe de travail était quand même dissous. Sans nous être concertés, nous cessâmes de nous rencontrer.

En septembre, Hirsch prit congé de moi et partit pour Paris. J'avais déjà perdu de vue Brock et Holz. Je n'eus plus vent de leur carrière que par ouï-dire, et sporadiquement. Hessel ne partit définitivement que l'année suivante, pour l'Amérique. Mais le cercle était rompu.

Au demeurant, je me demandai encore pendant quelques jours si Holz alerterait vraiment la Gestapo à mon sujet. Je m'aperçus peu à peu qu'il ne l'avait manifestement pas fait. Très correct de sa part !

31

Non, il était impossible de se retirer dans une sphère privée. Où que l'on se retirât, on se retrouvait partout placé devant ce qu'on avait voulu fuir. Je compris que la révolution nazie avait aboli l'ancienne séparation entre la politique et la vie privée, et qu'il était impossible de la traiter simplement comme un "événement politique". Elle ne se produisait pas seulement dans le domaine politique, mais tout autant dans la vie de chaque individu ; elle agissait comme un gaz toxique qui traverse tous les murs. Si on voulait échapper à ses émanations, la seule solution était l'éloignement physique. L'exil. L'adieu au pays auquel on était attaché par la naissance, la langue, l'éducation, l'adieu à tous les liens de la patrie.

Au cours de cet été 1933, je me préparai à cet adieu-là. J'étais déjà accoutumé aux adieux petits et grands. J'avais perdu mes amis ; j'avais vu des gens que je fréquentais sans arrière-pensée se métamorphoser en assassins virtuels ou en ennemis prêts à me livrer à la Gestapo ; j'avais senti l'atmosphère de la vie quotidienne s'échapper sans laisser de trace ; des institutions aussi solidement fondées que la justice prussienne s'étaient écroulées sous mes yeux ; le monde des livres et des discussions avait disparu ; les opinions, les idées, les constructions de l'esprit s'étaient usées comme jamais – quant aux projets et aux perspectives fermes et raisonnables qui étaient les miens quelques mois auparavant, qu'étaient-ils devenus ? L'aventure avait commencé. La façon dont je ressentais la vie avait changé radicalement. Je n'éprouvais pas seulement le déchirement de l'adieu, mais aussi l'étourdissement et l'ivresse qu'il procure. Je ne me sentais plus debout sur un sol stable, mais flottant, planant dans un espace vide, singulièrement léger, porté, libre comme l'air. Les pertes nouvelles, les nouveaux adieux ne me touchaient presque plus ; je me disais plutôt "laisse tomber" ou "allons, tu pourras te passer de cela comme du reste", et je me sentais certes de plus en plus pauvre, mais aussi de plus en plus léger. Et pourtant cet adieu – cet adieu intérieur à mon propre pays – était encore difficile, pénible et douloureux. Il s'accomplissait lentement et par secousses, avec des rechutes ; je pensais parfois n'avoir jamais la force de partir pour de bon.

Et une fois encore, en parlant de moi, je ne raconte pas mon expérience individuelle et fortuite, mais celle de plusieurs milliers de gens.

Certes, en mars et en avril, tandis que la chute dans la boue s'accomplissait sous mes yeux, accompagnée de délire patriotique et des clameurs d'un nationalisme triomphant, j'avais déclaré dans des accès de rage que je voulais m'exiler, ne plus rien avoir à faire avec "ce pays", que j'aimais mieux vendre des cigarettes à Chicago que devenir secrétaire d'Etat en Allemagne, etc. Mais c'étaient là des crises irréfléchies et sans grande consistance. C'était une tout autre affaire, dans l'atmosphère glacée et raréfiée de ces mois d'adieu, que d'envisager vraiment et sérieusement de quitter mon pays.

Or, j'étais rien moins que nationaliste. Le nationalisme de club sportif tel qu'il avait régné pendant la guerre et tel qu'il nourrit aujourd'hui l'esprit des nazis, la joie de voir, avec une avidité puérile, son pays représenté sur la carte sous la forme d'une grosse tache de couleur qui ne cesse de s'étendre, le sentiment de triomphe procuré par les "victoires", le plaisir d'humilier et d'asservir les autres, la délectation provoquée par la crainte que l'on inspire, l'éloge emphatique de sa propre nation dans le style des *Maîtres chanteurs*, cette masturbation cérébrale, affectation narcissique qui s'enorgueillit de penser allemand, de sentir allemand, insiste sur la fidélité allemande, exalte la valeur de l'homme allemand – "Sois allemand !" –, tout cela me rebutait et me répugnait depuis longtemps, y renoncer ne m'aurait en rien coûté. Cependant, cela ne m'empêchait nullement d'être un assez bon Allemand ; j'en prenais assez souvent conscience, ne fût-ce que par la honte que m'inspiraient les déviances du nationalisme. Comme la plupart des citoyens d'une nation, j'étais confus quand des compatriotes à moi, et *a fortiori* mon pays tout entier, faisaient mauvaise figure ; j'étais atteint par les offenses que les nationalistes d'autres pays faisaient occasionnellement subir à l'Allemagne en paroles ou en actions ; j'étais fier des compliments qu'on lui décernait à l'occasion, des belles pages de l'histoire d'Allemagne et des beaux traits du caractère allemand. En un mot, je faisais partie de mon peuple comme on fait partie d'une famille : plus que tout autre prêt à la critique, pas toujours dans les meilleurs termes avec ses membres, et certainement pas disposé à lui consacrer ma vie et à chanter "ma famille au-dessus de tout" – mais faisant partie d'elle et ne reniant jamais sérieusement cette appartenance. Renoncer à cette appartenance, se détourner tout à fait, apprendre à sentir sa patrie comme un pays ennemi, ce n'était pas une mince affaire.

Je n'"aime" pas l'Allemagne, pas plus que je ne m'aime moi-même. Si j'aime un pays, c'est la France, mais je pourrais aimer n'importe quel pays plus que le mien – même s'il n'y avait pas les nazis. Mais le pays qui est le vôtre a un tout autre rôle que celui de l'aimé, un rôle bien plus irremplaçable : c'est votre pays, tout simplement. Si on le perd, on perd presque le droit d'en aimer un autre. On perd toutes les conditions nécessaires pour jouer au beau jeu de l'hospitalité nationale : échanges, invitations réciproques, apprentissage mutuel de l'autre, plaisir de parader devant l'autre. On devient un *sans-patrie**, un homme sans ombre, sans arrière-plan, au mieux un homme que l'on tolère quelque part – ou bien, si l'on renonce volontairement ou involontairement à joindre l'émigration externe à l'émigration interne, un déraciné complet en exil dans son propre pays.

Effectuer librement cette opération, le détachement interne de son propre pays, est un acte d'une intransigeance biblique : "Si ton œil entraîne ta chute, arrache-le** !" Nombreux sont ceux qui, comme moi sur le point de le faire, n'y

* En français dans le texte.
** Matthieu, XVIII, 9.

sont pas parvenus. Depuis, ils titubent, incapables de se mouvoir en âme et en esprit, tremblant devant les crimes commis en leur nom, incapables d'en refuser la responsabilité, pris dans les rets de conflits apparemment insolubles : ne doivent-ils pas faire des sacrifices pour leur pays – lui sacrifier jusqu'à la clairvoyance, la morale, la dignité humaine, la conscience ? Ce phéno-mène qu'ils nomment "l'essor inouï de l'Allemagne" ne montre-t-il pas que cela vaut la peine, que cela paie ? Ils oublient qu'il ne sert de rien à une nation, pas plus qu'à un homme, de gagner l'uni-vers si elle vient à perdre son âme, et ils ne voient pas davantage qu'ils sacri-fient à leur patriotisme (ou à ce qu'ils appellent ainsi) non seulement eux-mêmes, mais aussi leur pays.

Car – et c'est ce qui rendait en fin de compte l'adieu presque inévitable – l'Al-lemagne ne restait pas l'Allemagne. Les nationalistes allemands l'ont détruite. Il devenait peu à peu évident que la question de savoir si l'on devait se déta-cher de son pays pour rester fidèle à soi-même n'était que la face visible du conflit. Le conflit lui-même, caché sous une infinité de phrases toutes faites et de platitudes, se jouait entre le natio-nalisme et la fidélité au pays.

L'Allemagne qui pour moi et mes semblables avait été "notre pays" n'était pas simplement un point sur la carte de l'Europe. C'était une constellation de caractères bien définis : le sens de l'humain en faisait partie, un esprit ouvert, une réflexion méditative opiniâtre et profonde, une difficulté à s'accepter et à accepter le monde, le courage de se livrer à des expériences toujours renouvelées et de rejeter les solutions inadaptées, l'esprit critique vis-à-vis de soi-même, l'amour de la vérité, l'objectivité, l'insatisfaction, la soif d'absolu, une grande diversité, une certaine lourdeur, mais aussi le plaisir d'improviser librement, lenteur et sérieux, mais aussi une créativité inépuisable et ludique qui ne cessait de produire des formes toujours nouvelles pour les abandonner comme autant de tentatives avortées, le respect de la personnalité et de l'originalité, bonté, générosité, sentimentalité, musicalité, et par-dessus tout une grande liberté : quelque chose de mouvant, d'illimité, de démesuré, qui jamais ne se fige et jamais ne renonce. Nous étions secrètement fiers que notre pays fût, dans le domaine de l'esprit, celui des possibilités infinies. Quoi qu'il en fût, c'était le pays auquel nous nous sentions liés, dans lequel nous nous sentions chez nous.

Cette Allemagne-là, les nationalistes allemands l'ont saccagée, piétinée, et on a enfin compris qui est son ennemi mortels : le nationalisme allemand et le Reich. Quiconque veut lui rester fidèle et continuer à en faire partie doit avoir le courage de le reconnaître, et d'en tirer toutes les conséquences.

Le nationalisme, c'est-à-dire le narcissisme national et le culte voué à la nation par elle-même, est certainement partout une dangereuse pathologie de l'esprit, capable de déformer et d'enlaidir le visage d'une nation, de même que l'égoïsme et la vanité déforment et enlaidissent les traits d'un individu. Mais nulle part cette maladie n'est aussi maligne et aussi destructrice qu'en Allemagne justement parce que l'Allemagne est, dans son essence la plus intime, spacieuse, ouverte, expansive, et même, dans une certaine mesure, oublieuse de soi. Chez d'autres peuples, le nationalisme, lorsqu'ils en sont atteints, reste une faiblesse accidentelle qui n'affecte pas leurs qualités intrinsèques, mais il se trouve qu'en Allemagne le nationalisme détruit la valeur spécifique du caractère national. Cela explique pourquoi les Allemands – sans nul doute un peuple civilisé, sensible et très humain quand ils sont en bonne santé – deviennent, sitôt frappés par la maladie du nationalisme, tout simplement inhumains et révèlent une hideur bestiale dont aucun autre peuple n'est capable. Car à eux, et à eux seuls, le nationalisme fait tout perdre : tout ce qui forme le noyau de leur humanité, de leur existence, de leur moi. Cette maladie, qui n'affecte chez les autres que le comportement, leur ronge l'âme. Un Français nationaliste peut éventuellement rester un Français très typique, et au demeurant très sympathique. Un Allemand qui succombe au nationalisme n'est plus un Allemand ; c'est à peine s'il est encore un être humain. Le résultat, c'est un Reich allemand, peut-être même un grand Reich ou un empire pangermanique – et la destruction de l'Allemagne.

On aurait évidemment tort de supposer que l'Allemagne et sa culture étaient superbes et florissantes en 1932, et que les nazis ont tout démoli d'un seul coup. L'histoire de l'autodestruction de l'Allemagne du fait de son nationalisme pathologique est plus ancienne, et il vaudrait la peine de la conter. Son côté hautement paradoxal, c'est que chaque étape de cette autodestruction fut marquée par une guerre victorieuse, un triomphe apparent. Voici cent cinquante

ans, "l'Allemagne" était en passe de devenir une grande nation. Les guerres de
libération de 1813 à 1815 marquèrent
la première grande régression, les
guerres de 1864 à 1870 la deuxième.
Nietzsche fut le premier prophète à dis-
cerner que la culture allemande avait
perdu la guerre contre le Reich allemand. Dès cette époque, l'Allemagne
perdit pour longtemps toute chance de
trouver sa forme politique, coincée
qu'elle était dans l'Empire prussien de
Bismarck comme dans une camisole
de force. Elle n'avait plus non plus de
représentation politique (si ce n'était dans
le centre catholique) : la droite nationaliste la haïssait, la gauche marxiste l'igno-
rait délibérément. Pourtant elle survécut,
paisible et têtue, jusqu'en 1933. On la
trouvait encore dans des milliers de
maisons, de familles, de cercles privés,
dans des salles de rédaction, des théâtres,
des salles de concert, des maisons d'édition, à divers endroits de la vie publique
allant de l'église au cabaret. Il fallut
attendre les nazis et leur sens radical
de l'organisation pour la débusquer et
l'enfumer partout où elle se trouvait.
C'est l'Allemagne qui fut leur premier
territoire occupé, non l'Autriche ou la
Tchécoslovaquie. Qu'ils l'aient occupée et piétinée au nom de l'Allemagne

ne fut qu'une de leurs entourloupettes bien connues – et cela faisait aussi, bien sûr, partie de leur œuvre destructrice.

L'Allemand qui se sentait lié à cette Allemagne-là, et non à n'importe quel territoire qui s'étalerait à ce moment précis dans un espace géographique déterminé, n'avait plus qu'une seule issue : l'adieu, si terrifiante que lui parût cette démarche qui, extérieurement, lui coûterait son pays. Certes, cette ouverture d'esprit vaste et universelle empreinte à l'origine dans le caractère allemand lui rend peut-être cette perte plus facile qu'elle ne le serait pour un autre. On ne pouvait plus échapper au sentiment que n'importe quelle terre étrangère serait plus accueillante, plus familière que le Reich d'Adolf Hitler. Et on se demandait parfois, animé d'un léger espoir, si même, "au-dehors", on ne pourrait pas voir se reformer çà et là un petit morceau d'Allemagne.

32

Oui, à l'époque, on mettait quelques vagues espoirs dans l'émigration. Ils n'avaient pas trop de fondements, mais comme à l'intérieur du Reich il n'y avait manifestement plus rien à espérer et qu'il est difficile de vivre sans espoir, on espérait en l'extérieur.

Un de ces espoirs – un "espoir", il est vrai, qui aurait été une crainte générale quelques mois plus tôt, et dont beaucoup ne savaient pas encore s'ils devaient l'appeler espoir ou crainte – s'adressait à l'étranger proprement dit. L'étranger, en Allemagne, cela signifie la France et l'Angleterre. La France et l'Angleterre pourraient-elles regarder longtemps sans réagir les événements d'Allemagne ? La gauche internationaliste des deux pays pourrait-elle voir sans épouvante la montée d'une tyrannie barbare dans son voisinage – et la droite nationaliste ne pas s'inquiéter de l'émergence d'une humeur belliqueuse qui ne se cachait même pas, d'un réarmement dès la première heure à peine dissimulé ? Ces pays, qu'ils soient gouvernés par la gauche ou la droite, n'allaient-ils pas très bientôt perdre patience et employer tous leurs moyens, qui étaient à l'époque encore infiniment supérieurs, pour mettre un terme à ce cauchemar en l'espace d'une semaine ? Si leurs hommes d'Etat n'étaient pas aveugles, c'était la seule possibilité. Avec la meilleure volonté du monde, on ne pouvait pas s'attendre qu'ils regardent tranquillement l'Allemagne aiguiser sous leurs yeux le poignard destiné à leur pays, en se laissant apaiser par quelques "discours de paix" qui, en Allemagne, n'abusaient même pas les enfants.

Et pendant ce temps, il se pouvait qu'en France et en Angleterre une intelligentsia allemande en exil politique, consciemment entretenue et favorisée par des hommes d'Etat intelligents, forme les cadres de l'organisation d'une authentique république allemande, à laquelle les erreurs de la première auraient servi de leçon. Peut-être qu'après coup on ne verrait plus là qu'un cauchemar fugitif, un orage bienfaisant, l'ouverture rapide et décidée d'un abcès. Alors, un peu plus sage, avec un peu moins de handicaps, on pourrait reprendre les choses là où on ne les avait pas prises en 1919.

Voilà pour les espoirs. Certes, ils ne se fondaient pas sur grand-chose, si ce n'est que cette solution eût été souhaitable et raisonnable. Ces attentes – et le sentiment grandissant que tout était désormais imprévisible et qu'il n'y avait plus rien à faire sinon se fier à l'instant – tenaient chez moi lieu de tout projet de départ soigneusement mûri. J'allais tout simplement partir, pensais-je. Pour aller

où ? A Paris, bien entendu ! Aussi longtemps que cela serait possible, je me
ferais envoyer deux cents marks par
mois et, pour le reste, je verrais. Je trouverais bien quelque chose à faire. Les
choses à faire ne manquaient pas, non ?

La naïveté de ce projet reflétait aussi
quelque chose de ma situation personnelle : celle d'un jeune homme qui avait
jusqu'alors vécu chez ses parents, et qui
avait de toute façon l'âge d'aller "voir
le monde". Je me souciais assez peu que
ce départ pour le "monde" fût en l'oc-
currence une aventure synonyme d'exil
et de plongée dans l'inconnu. L'anesthésie du désespoir ("cela ne peut pas
être pire") et une juvénile soif d'aventures se conjuguaient curieusement pour
me rendre la décision facile ; n'oublions
pas non plus que, comme pour tous les
Allemands de ma génération, mon expérience de l'histoire contemporaine avait
profondément ancré en moi le sentiment
que toutes choses sont incertaines et
imprévisibles. L'homme prudent, c'était
notre impression à tous, risque tout
autant que l'audacieux, mais renonce en
outre à l'ivresse de l'audace. D'ailleurs,
jusqu'à présent, je n'ai encore rien vu
qui infirmât ce principe.

Si bien que, une fois terminé mon stage
auprès de la Cour suprême, je déclarai

à mon père que je voulais m'en aller, ne voyant pas ce qui pourrait me retenir à Berlin et estimant surtout impossible et aberrant de devenir juge ou fonctionnaire dans l'Allemagne actuelle. Je voulais partir, et d'abord pour Paris. Qu'il veuille bien me donner sa bénédiction et, tout le temps que ce serait possible, deux cents marks par mois.

Mon père m'opposa si peu de résistance que c'en était surprenant. En mars, il archivait encore ce genre de déclarations emphatiques avec un sourire de supériorité tranquille. Entre-temps, il avait beaucoup vieilli. Il ne fermait pas l'œil de la nuit. Les roulements de tambour et les sonneries de clairon d'une caserne de ss toute proche l'empêchaient de dormir, et plus encore, peut-être, ses pensées.

La disparition définitive de tout ce qui a accompagné sa vie en lui donnant un sens est plus difficile à supporter pour le vieillard que pour le jeune homme. Pour moi, l'adieu le plus radical était en même temps un nouveau départ ; pour lui, c'était un adieu définitif. Il était peu à peu envahi par le sentiment d'avoir vécu pour rien. Il existait dans son domaine certains ouvrages législatifs auxquels il avait collaboré, substantiels produits de l'esprit, à la fois hardis et pondérés, fruit de plusieurs décennies d'expérience et de quelques années d'un travail intense, presque artistique, passées à soupeser et à fignoler. Ils avaient été abrogés d'un trait de plume, et on en avait à peine parlé. Mais ce n'était pas tout : la base même sur laquelle on pouvait édifier ou remplacer un tel ouvrage avait été emportée, toute la tradition de l'Etat de droit, à laquelle des générations d'hommes comme mon père avaient travaillé, qu'ils avaient façonnée, qui semblait définitive et indestructible, avait disparu du jour au lendemain. Ce n'était pas seulement sur une défaite que s'achevait la vie de mon père – une vie austère, disciplinée, vouée à un effort sans relâche et dans l'ensemble très réussie –, elle s'achevait sur une catastrophe. Ceux qu'il voyait triompher n'étaient pas ses adversaires : il l'aurait admis avec philosophie. C'étaient des barbares qu'il n'avait jamais estimés dignes d'être même ses ennemis. A l'époque, il m'arrivait de voir mon père rester longtemps assis à son bureau sans toucher les feuilles posées devant lui, le regard fixe, vide et désespéré comme s'il contemplait un vaste champ de ruines.

— Et qu'est-ce que tu comptes faire une fois sorti ? demanda-t-il.

Son ancien scepticisme était encore perceptible dans la question, et son entraînement de juriste à toucher le point névralgique, mais il la posait sur un ton si las que je compris tout de suite qu'il ne le faisait que pour la forme et admettrait à peu près n'importe quelle réponse. Je répondis n'importe quoi, résumant mon incertitude en formules aussi séduisantes que possible.

— Je vois, dit-il avec un petit sourire de compréhension navrée. On ne peut pas dire que ça ait l'air très prometteur, si ?

— Non, dis-je, mais qu'est-ce qu'on me promet si je reste ici ?

— Je crains seulement, répliqua-t-il, commençant quand même à s'animer un peu et à prendre plus fermement position qu'il ne l'avait peut-être projeté au départ, que tu ne te fasses des illusions. Les autres ne nous ont pas attendus. Les exilés sont une charge pour n'importe quel pays, et il n'est pas agréable de se sentir à charge. Ce n'est pas du tout la même chose d'arriver dans un pays comme une sorte d'ambassadeur, comme quelqu'un qui a quelque chose à faire et à offrir, ou comme un vaincu qui cherche un asile. Pas la même chose du tout.

— N'avons-nous rien à apporter ? dis-je. Si toute l'intelligence allemande, la littérature, la science s'exilaient, quel pays ne serait pas comblé par un pareil cadeau ?

Il leva les bras au ciel et les laissa retomber d'un geste las :

— Ce ne sont que les restes d'une faillite, dit-il. On n'a plus la même cote quand on s'enfuit. Regarde les Russes. C'était aussi une élite qui s'est exilée. Et maintenant les généraux, les conseillers d'Etat, les écrivains sont heureux quand on leur permet d'être chauffeurs ou garçons de café ici ou à Paris.

— Peut-être aiment-ils mieux être garçons de café à Paris que conseillers d'Etat à Moscou.

— Peut-être, dit mon père. Peut-être pas. C'est facile à dire, avant. Après, la réalité est souvent très différente. La faim et la misère ne sont pas si graves tant qu'on a à manger.

— Faut-il donc que je me fasse nazi par peur de la misère et de la faim ?

— Non, dit-il, il ne faut pas. Surtout pas.

— Et crois-tu que je pourrais devenir ne serait-ce que juge de première instance sans me faire nazi ?

— Sans doute que non, dit mon père. Du moins pas pour le moment. Quant à l'avenir, qui sait ce qu'il apportera. Mais il me semble que tu pourrais peut-être te faire avocat. Et est-ce que tu ne commences pas à gagner de l'argent avec tes écrivailleries ?

C'était exact. Un journal, une publication intéressante et estimée, dans laquelle j'avais de temps à autre fait paraître quelques petites choses, m'avait écrit, m'avait invité, proposé spontanément une collaboration plus étroite. Curieusement, les grands journaux jadis démocratiques offraient alors une petite opportunité passagère aux jeunes aryens qui, sans être nazis, n'étaient pas handicapés par un passé de gauche et se présentaient comme des feuilles aussi vierges que possible. Je n'avais pas résisté. J'y étais allé, et j'avais découvert avec un étonnement joyeux une équipe rédactionnelle absolument pas nazie, qui pensait et sentait comme moi. C'était un vrai bonheur que d'échanger et de critiquer des informations dans les salles de rédaction ; c'était un sentiment agréable que de dicter des articles et de les voir passer de main en main jusqu'au garçon de courses qui les portait à la composition. On avait parfois presque l'impression de se trouver dans un repaire de conjurés. La seule chose déconcertante et inquiétante, c'était que le lendemain, malgré tous les petits billets farcis de sous-entendus que l'on avait écrits et que la rédaction avait salués d'un rire enthousiaste, le journal qui venait de sortir avait tout à fait l'allure d'un organe nazi sérieusement convaincu.

— Je crois, dis-je, que c'est peut-être pour le journal que je pourrai le plus facilement travailler quand je serai sorti.

— Pourquoi pas ? dit mon père. En as-tu parlé à tes rédacteurs ?

Je dus avouer que non.

— Je propose, dit mon père, de laisser reposer l'affaire, et de commencer par réfléchir tous les deux quelques jours. Ne va surtout pas croire que ce serait facile pour maman et moi de te laisser partir – et sans savoir du tout ce que tu vas devenir. Quoi qu'il en soit, j'entends que tu passes d'abord ton examen. Ne serait-ce que pour la bonne règle.

Il ne démordit pas de ce dernier point. Quelques jours plus tard, il me soumit lui-même un projet :

— Tu vas commencer par passer ton assessorat comme prévu. Après vingt ans d'école et d'université, il est hors de question que tu files en laissant tout tomber juste avant la fin. Tu en as pour environ cinq mois. Après, si tu vois toujours les choses de la même façon, j'ai pensé que tu as encore six mois pour préparer ton doctorat. Et ta thèse, tu peux la rédiger aussi bien à Paris qu'ici. Tu peux donc prendre un congé de six mois et le passer quelque part, disons à Paris, pourquoi pas, travailler à ton doctorat et en profiter pour te renseigner. Si tu vois que tu peux t'installer là-bas, d'accord. Dans le cas contraire, tu pourras toujours revenir, rien ne te sera fermé. Ça nous laisse à peu près un an, et qui sait aujourd'hui ce qui se passera dans un an.

Ce projet fut accepté après quelques atermoiements. Je trouvais, c'est vrai, tout à fait superflu de passer mon assessorat, mais je comprenais que je le devais en quelque sorte à mon père. Ma seule crainte était que la guerre n'éclate avant mon départ, au cours des cinq prochains mois, cette guerre préventive que les puissances occidentales ne manqueraient pas de déclarer à Hitler, et que je sois obligé de me battre du mauvais côté.

— Du mauvais côté ? dit mon père. Crois-tu vraiment que le côté français serait le bon pour toi ?

— Oui, dis-je résolument, je le crois. Les choses étant ce qu'elles sont, l'Allemagne ne peut être libérée que par l'étranger.

— Mon Dieu, dit mon père avec amertume, libérée par l'étranger ! Tu n'y

crois pas sérieusement toi-même. D'ailleurs, personne ne peut être libéré
contre sa volonté. Cela n'existe pas. Si
les Allemands veulent la liberté, il faudrait qu'ils s'en occupent eux-mêmes.

— Mais vois-tu un moyen d'y parvenir, enchaînés comme nous le sommes ?

— Non.

— Donc, il ne reste que…

— Le "donc" n'est pas logique, dit
mon père. Ce n'est pas parce qu'un chemin est barré qu'il en existe un autre.
Nous ne devrions pas nous bercer d'illusions. L'Allemagne s'est bercée d'illusions
après 1918, et on a abouti au nazisme.
Si les libéraux allemands recommen-
cent à se réfugier dans les illusions, on
aboutira à la domination étrangère.

— Elle serait peut-être préférable à
la domination nazie.

— Je ne sais pas, dit mon père. Un
mal lointain semble toujours moindre
qu'un mal proche. Cela ne veut pas dire
qu'il l'est. En ce qui me concerne, je
ne lèverais pas le petit doigt pour installer la domination étrangère.

— Tu ne vois donc pas de terme ni
d'espoir ?

— Guère, dit mon père. Guère pour
le moment.

Et ses yeux prirent à nouveau cette
expression de vide, de désespoir digne

et figé, comme s'il contemplait un champ de ruines.

Mon père recevait souvent la visite de fonctionnaires appartenant à son ancien service. Il était à la retraite depuis plusieurs années, mais il avait conservé des relations personnelles, et il était heureux d'entendre encore parler à l'occasion des suites données à telle ou telle affaire, de suivre la carrière de tel assesseur ou de tel jeune conseiller, de rester dans la course et de donner çà et là à titre officieux un conseil ou une indication. Ces visiteurs continuaient à venir, mais les conversations étaient maintenant monotones et moroses. Mon père demandait des nouvelles de tel ou tel fonctionnaire, citait des noms, et on lui répondait laconiquement : "article 4" ou "article 6".

C'étaient les articles d'une loi qui venait d'être promulguée, et qui s'appelait "loi sur le rétablissement de la fonction publique professionnelle". Elle stipulait que les fonctionnaires pouvaient être rétrogradés dans des fonctions subalternes, mis à la retraite d'office, congédiés avec une prime ou être mis à la retraite sans traitement. Chacun des articles contenait un destin. L'"article 4" était un coup foudroyant. L'"article 6" était synonyme de déclassement et d'humiliation. Ces chiffres régnaient désormais dans toutes les conversations de fonctionnaires.

Un jour, le directeur du service vint voir mon père. Il était beaucoup plus jeune que lui, et tous deux s'étaient souvent affrontés dans le cadre de leur travail. Le directeur était social-démocrate, mon père était beaucoup plus à droite, et leurs divergences s'étaient plus d'une fois heurtées de plein fouet ; en outre, le plus jeune était le supérieur hiérarchique de l'autre, ce qui n'arrangeait pas les choses. Pourtant, les deux hommes s'estimaient réciproquement, et ils n'avaient jamais complètement cessé de se voir.

Cette fois, la visite fut une vraie torture. Le directeur, un homme âgé de quarante à cinquante ans, paraissait aussi vieux que mon père, qui en comptait soixante-dix. Ses cheveux avaient entièrement blanchi. Il lui était souvent arrivé, nous dit mon père par la suite, de perdre le fil de son discours, de ne pas répondre, de fixer le sol d'un air absent, pour lâcher hors de propos :

— C'est effroyable, cher collègue. C'est tout simplement effroyable.

Il était venu prendre congé. Il quittait Berlin pour "se terrer quelque part à la campagne". Il sortait d'un camp de concentration.

Pour le reste, il était "article 4".

Quant à mon père, je l'ai dit, il était retraité depuis longtemps, il n'avait plus aucune position officielle, et même s'il l'avait voulu il n'aurait pu nuire aux nazis dans l'exercice de ses fonctions. Il semblait donc hors de la ligne de mire. Mais un jour il reçut lui aussi un courrier officiel qui contenait un questionnaire circonstancié. "En application de l'article x de la loi sur le rétablissement de la fonction publique professionnelle, vous êtes prié de répondre aux questions ci-dessous de façon exacte et complète… Le refus de répondre ou l'envoi de réponses inexactes entraînent en application de l'article y la suppression de la pension de retraite…"

Il y avait une foule de questions. Mon père devait préciser à quels partis politiques, à quelles associations, à quelles organisations il avait appartenu au cours de sa vie, il devait dire en quoi il avait mérité de la nation, expliquer ceci, excuser cela et, pour finir, certifier selon une formule préimprimée qu'il "adhérait sans restriction au gouvernement du réveil national". Bref, après avoir servi l'Etat pendant quarante-cinq ans, il devait maintenant s'humilier pour qu'on lui restitue une pension méritée.

Mon père fixa longuement le formulaire sans mot dire.

Le jour suivant, je le vis assis à son bureau, le questionnaire devant lui, les yeux au loin.

— Tu vas répondre ? demandai-je.

Mon père jeta un regard au formulaire, fit une grimace et se tut longuement. Puis il dit :

— Tu veux dire que je ne devrais pas le faire ?

Silence.

— Je ne sais pas de quoi vous pourriez vivre, ta mère et toi, dit-il enfin.

Au bout d'un moment, il reprit :

— Je ne sais vraiment pas. Je ne sais même pas, et il essaya de sourire, avec quoi tu voudrais partir pour Paris et écrire ta thèse.

Je gardai un silence oppressé. Puis mon père écarta les feuillets, mais les laissa sur son bureau.

Ils y restèrent encore plusieurs jours, intacts. Mais un après-midi, en entrant dans le bureau de mon père, je le vis installé à sa table de travail et remplissant le questionnaire, lentement, comme un écolier appliqué à écrire une rédaction. Une demi-heure plus tard, il alla lui-même poster la lettre avant d'avoir eu le temps de réfléchir. Il resta extérieurement le même, sa voix ne trahissait aucune émotion, mais c'en avait été trop pour lui. Chez les gens habitués à exercer un contrôle sévère sur leurs gestes ou sur leurs paroles, il arrive généralement qu'un organe quelconque se charge du fardeau de l'âme et l'extériorise sous une forme pathologique. Certains font une attaque cardiaque. Chez mon père, c'est l'estomac qui se chargea d'exprimer la souffrance psychique. A peine s'était-il réinstallé à son bureau qu'il se leva brusquement, en proie à des vomissements spasmodiques. Durant deux ou trois jours, il ne put ni avaler, ni garder quoi que ce fût. Son corps entamait une grève de la faim dont il mourrait deux ans plus tard, d'une mort terrible et lamentable.

33

Plus durait l'été 1933, plus tout devenait irréel. Les choses perdaient toujours plus de leur poids, se transformaient en rêves saugrenus ; je me mettais à vivre comme sous l'effet de ce vertige agréable et amollissant que procure une fièvre légère, et qui supprime toute responsabilité.

Je m'inscrivis donc à l'assessorat, ce grand examen qui couronne en

Allemagne les études juridiques, et qui donne accès à la magistrature, aux carrières supérieures de la fonction publique, au barreau, etc. Je le fis sans la moindre intention de faire jamais usage de ces prérogatives. Rien ne m'était plus indifférent que le résultat de cet examen. Normalement, un examen est pourtant cause d'angoisse et de tension, non ? On parle même de la fièvre de l'examen. Je n'en ressentais pas la moindre trace. Cette fièvre était totalement inhibée par une autre plus forte.

Installé aux Archives judiciaires, bibliothèque située au dernier étage d'un grand immeuble de bureaux, vaste atelier aérien et vitré, j'écrivais sous l'azur venteux du ciel d'été ; j'écrivais avec un détachement insouciant, comme on écrit une lettre. Il n'était tout simplement plus possible de prendre au sérieux ces travaux. Leurs consignes et leurs questions supposaient l'existence d'un monde qui n'était plus. Elles faisaient référence non seulement au Code civil, mais même à la constitution de Weimar ; je lisais les commentaires, hier souvent cités, aujourd'hui obsolètes, de leurs articles enterrés, et, au lieu de sélectionner les phrases utiles pour l'examen, je me mettais d'abord à lire, puis à rêver. D'en bas montait la musique de marches discordantes. En se penchant par la fenêtre, on voyait des colonnes en chemises brunes défiler dans les rues, ponctuées de drapeaux à la croix gammée, et quand les drapeaux passaient les piétons sur les trottoirs levaient le bras (on nous avait dit que ceux qui ne le faisaient pas étaient roués de coups). Que se passait-il encore ? Ah bon, ils marchaient sur le Lustgarten*, Ley** avait quitté l'Organisation internationale des employeurs à Genève parce que quelque chose lui avait déplu, et maintenant les SA de Berlin se rendaient au Lustgarten pour tuer définitivement le dragon avec des chants et des coups de gueule.

Tous les jours, on voyait défiler, on entendait chanter, et il fallait prendre bien garde à disparaître à temps sous un porche si on voulait éviter de saluer le drapeau. Nous vivions dans une sorte d'état de guerre, drôle de guerre dans laquelle les victoires étaient remportées

---

* "Jardin de plaisance", vaste esplanade en plein centre de Berlin, où avaient lieu les parades.
** Robert Ley (1890-1945) avait été chargé par Hitler de l'organisation du Front allemand du travail (Deutsche Arbeitsfront) après la dissolution des syndicats au début de mai 1933.

à force de chants et de défilés. Les SA, les SS, les Jeunesses hitlériennes, le Front du travail, que sais-je, défilaient dans les rues en chantant *Siehst du im Osten das Morgenrot* ou *Märkische Heide**, se rassemblaient quelque part, écoutaient un discours, des milliers de voix gueulaient *Heil* – et un nouvel ennemi était abattu. Pour une certaine race d'Allemands, c'était tout simplement le paradis ; l'ambiance d'août 1914 régnait résolument parmi eux. Je voyais des veilles dames debout, leur cabas à la main, suivre d'un œil brillant ces armées qui chantaient d'une voix mâle en s'étirant comme de gros vers bruns : "On voit bien, on voit vraiment, n'est-ce pas ? que tout va mieux dans tous les domaines."

Parfois, on remportait aussi des victoires plus décisives. Un matin, la cité des arts à Wilmersdorf, où avaient vécu de nombreux hommes de lettres de gauche, et où certains vivaient encore, fut cernée et occupée par un grand

* "Vois-tu à l'est le ciel rougir" et "La Lande de la marche de Brandebourg", deux chants patriotiques. Le premier, d'un bellicisme agressif, est tout à la gloire du Führer ; le second, plus sentimental, exalte la beauté du paysage de la marche.

déploiement de forces de police. Victoire ! Les prises de guerre furent considérables, des douzaines de drapeaux ennemis tombèrent aux mains de nos troupes, des kilos d'une littérature hostile à l'Etat, de Karl Marx à Heinrich Mann, furent chargés sur les voitures, et le nombre de prisonniers n'était pas non plus négligeable. Ce fut vraiment le style dans lequel les journaux relatèrent l'événement ; on se serait cru à la bataille de Tannenberg*. Ou bien un autre jour, sur le coup de douze heures dans l'ensemble du Reich, tous les trains et toutes les autos furent arrêtés et fouillés. Victoire ! Incroyable, ce que cela permit de mettre au jour ! Depuis les bijoux et les devises jusqu'à du "matériel de propagande transporté par des courriers hostiles à l'Etat". Cela valait bien une "grande manifestation spontanée" au Lustgarten.

Fin juin, les journaux titrèrent à l'unisson et en caractères gras : "Des avions ennemis survolent Berlin !" Personne n'y crut, pas même les nazis, mais personne ne s'étonna vraiment non plus.

* Tannenberg (en polonais, Stebark), théâtre d'une victoire remportée par Hindenburg et Ludendorff sur l'armée russe de Narev entre le 26 et le 31 août 1914.

C'était le style du jour. Une grande manifestation spontanée suivit : "L'Allemagne réclame la liberté de l'air." Marches et drapeaux, *Horst-Wessel-Lied*, *Heil*. A peu près au même moment, le ministre des Cultes déposa l'administration ecclésiastique, éleva l'aumônier nazi Ludwig Müller à la dignité d'"évêque du Reich", une grande manifestation au palais des Sports fêta la victoire du nouveau christianisme germanique, avec Adolf Hitler dans le rôle du rédempteur allemand, drapeaux, *Horst-Wessel-Lied*, *Heil*. Mais cette fois, pour finir, sans doute en l'honneur de l'institution qu'on venait de porter en terre ou par quelque autre raffinement du goût, on chanta *Ein feste Burg ist unser Gott**. Puis il y eut des "élections ecclésiastiques". Les nazis envoyèrent aux urnes *manu militari* toute leur armée de soi-disant chrétiens et, le lendemain, les journaux proclamèrent la victoire. Eclatante victoire électorale des Deutsche Christen** ! Le soir, comme je traversais la ville, le drapeau à la croix gammée flottait sur tous les clochers.

---

* "Notre Dieu est une forteresse", célèbre choral de Luther (1528).
** "Chrétiens allemands", courant national-socialiste au sein de l'Eglise luthériennnne.

Les nazis allaient rencontrer une sérieuse résistance dans les milieux ecclésiastiques, mais elle ne fut pas d'entrée de jeu perceptible de l'extérieur. J'avais ressenti une étrange impression en participant pour la première fois à un vote concernant l'Eglise et en déposant dans l'urne un bulletin qui portait la formule solennelle "Bekennende Kirche*". Je ne me sentais pas vraiment "confesseur". Durant toutes ces années, j'avais "respecté" l'Eglise, mais sans "désir**". Je n'en tenais pas moins à ce que, même sans désir, elle fût respectée, et j'étais écœuré par la mascarade blasphématoire des "Chrétiens allemands" – encore que pénétré d'avance de l'inutilité de la résistance dans ce domaine précis. C'était donc justement, pensais-je à peu près, le moment de "confesser" sa fidélité à une Eglise vaincue et déshonorée. Et je comprenais assez la formule d'un vieux monsieur sympathique, conservateur et

* L'"Eglise confessante", mouvement d'opposition au national-socialisme à l'intérieur de l'Eglise luthérienne.
** Allusion au célèbre dialogue sur la religion entre Faust et Marguerite, dans la première partie du *Faust* de Goethe. Faust affirme "respecter" les sacrements, et Marguerite déplore qu'il ne les "désire" pas.

amateur de vin rouge, que j'entendis dire au cours de ces journées : "Grand Dieu, voilà maintenant qu'il faut se battre pour défendre une foi qu'on n'a même pas."

Au fur et à mesure que l'été s'avançait, les sentiments se faisaient moins intenses, la tension baissait ; même le dégoût, on le ressentait plus faiblement, à travers le nuage d'une semitorpeur. Beaucoup de ceux qui devaient rester commençaient à s'accoutumer, avec tous les dangers que cela comporte. Pour ma part, je ne me sentais plus vraiment présent. Encore quelques mois, et je partirais pour Paris – j'excluais déjà l'idée d'un retour possible. Ici, c'était une vie révocable qui ne comptait plus.

Il faut dire qu'il ne restait plus grand-chose à vivre. Mes amis étaient presque tous partis, ou bien ils n'étaient plus mes amis. Parfois, je recevais des cartes portant des timbres étrangers. De temps à autre, Frank Landau m'écrivait ; ses lettres s'assombrissaient peu à peu. D'abord résolues et pleines d'espoir, elles se firent laconiques, ambiguës, et brusquement, vers la mi-août, je reçus tout un paquet de feuilles, douze ou quatorze pages débitées d'une traite comme un monologue, sur un ton las, découragé, totalement désemparé. Rien n'avait marché, tout allait mal avec Ellen, ils allaient sans doute se séparer, il n'y avait aucune perspective en Suisse, impossible de savoir ce qu'il adviendrait une fois la thèse passée. Il ne pouvait pas non plus oublier Hanni, ni nos conversations, rien ne pouvait remplacer ce qu'il avait quitté, aucun lien avec le passé, pas d'oxygène, aucune substance qui vous maintiendrait en vie. "Je ne t'écris pas tout cela pour que tu me dises quoi faire, je sais qu'il n'y a rien à faire…"

Un peu plus tard, Ellen rentra brusquement, elle rentra tout simplement, c'était donc fini, elle déposait les armes. Elle m'écrivit ; j'allai la voir deux ou trois fois à Wannsee, éprouvant une curieuse impression à m'installer dans le jardin de la villa où j'avais passé le 1er avril, et je dus tout lui expliquer, la réconforter, la conseiller. Elle se trouvait dans une triste situation, perdue et déstabilisée. Elle aimait Frank, mais elle ne croyait plus pouvoir vivre avec lui ; tout avait été trop précipité, et peut-être irrémédiablement gâché ; si seulement on avait du temps, si on pouvait laisser les choses évoluer lentement, voir où cela menait ! Mais ce qu'il y avait de terrible, justement, c'est que maintenant il fallait résoudre tous les problèmes tout de suite, on se trouvait toujours à un carrefour, tout se décidait ici et maintenant, et les chemins divergeaient et se perdaient dans l'inconnu. Sa famille se préparait à partir pour l'Amérique. Devait-elle la suivre ? Mais cela voulait dire qu'elle ne reverrait jamais Frank. Devait-elle retourner à Zurich ? Mais cela signifiait se lier à lui définitivement, et l'été n'avait pas été très encourageant. Pourtant, elle l'aimait quand même. "Vous le connaissez. Dites-moi comment il est vraiment. Dites-moi ce que je dois faire."

Début avril, j'avais parlé à Hanni, qui venait de passer plusieurs jours dans une chambre aux volets fermés, sans rien manger et en pleurant tout le temps. Plus tard, nous étions allés de consulat en consulat, avions écrit des lettres à je ne sais quelles administrations tchèques et eu des entretiens dans des commissariats de police. Rien n'avait servi, il était impossible de démêler la question de sa nationalité. Hanni était prisonnière en Allemagne.

Drôle de vie : c'était un peu comme la liquidation judiciaire d'une autre existence. Et durant tout ce temps je rédigeais des travaux pour un examen qui ne me concernait pas, qui faisait déjà un peu partie d'une autre vie – ma vie d'autrefois. Et à l'occasion, j'écrivais de petits articles, des billets où je mettais tout l'humour amer dont je disposais, et j'étais tout surpris de les lire quelques jours plus tard dans cette feuille nazie malgré elle et si déconcertante dans son langage pondéré, qui, quelques mois plus tôt, était encore un journal célèbre dans le monde entier. Comme j'aurais été fier alors d'y collaborer ! Maintenant, cela ne me concernait plus vraiment, c'était provisoire et cela ne comptait pas.

Curieusement, de tous les êtres à qui j'avais eu affaire, seule était demeurée la petite Charlie, mon amourette de carnaval. Elle restait. Elle était le fil rouge qui traversait le tissu gris de cet invraisemblable été : une histoire d'amour un peu mélancolique, un peu ratée, pas tout à fait heureuse, mais une histoire d'amour quand même, non entièrement dépourvue de douceur.

C'était une brave petite Berlinoise toute simple et, en des temps plus propices, notre aventure aurait pu être une petite histoire toute simple, banale et plaisante. Mais le malheur nous liait l'un à l'autre plus qu'il n'était bon, exigeant de nous plus que nous ne pouvions donner. Exigeant, à y regarder de près, une compensation pour tout : pour la perte d'un univers ou pour l'intolérable tourment d'une détresse quotidienne, et aucun de nous deux n'était capable de répondre à l'attente de l'autre. Je pouvais à peine lui parler de ce que j'éprouvais. Son propre malheur n'était-il pas bien plus tangible, bien plus simple, bien plus accablant et plus convaincant ? Elle était juive, elle était persécutée, elle tremblait chaque jour pour sa vie, celle de ses parents, celle de sa nombreuse famille qu'elle aimait tant, à qui arrivaient maintenant des choses horribles, et dont j'avais toujours eu tant de peine à distinguer les membres. Comme beaucoup de jeunes juifs, elle ne voyait guère dans les événements, et c'était bien compréhensible, que ce qui arrivait aux juifs, et elle réagit ingénument en devenant du jour au lendemain sioniste, nationaliste juive. Réaction très répandue, que je pouvais comprendre, mais qui m'inspirait un peu de tristesse, tant elle se soumettait aux opinions nazies, tant elle admettait lâchement le questionnement ennemi. Mais si j'avais voulu en discuter avec Charlie, je lui aurais retiré sa seule consolation. "Mais que veux-tu faire d'autre, Peter", dit-elle en ouvrant de grands yeux tristes, un jour où j'exprimais prudemment mon scepticisme. Elle apprenait l'hébreu et pensait à la Palestine, mais elle n'y était pas encore. Elle était retournée au magasin – elle en avait de nouveau le droit, qui sait pour combien de temps –, contribuait à l'entretien de sa famille, se faisait des soucis touchants pour son père et les siens, travaillait et souffrait, maigrissait, pleurait beaucoup. Il arrivait bien qu'elle se laissât consoler, se remît à rire et fût toute une soirée adorablement exubérante et folâtre, mais cela ne durait pas. En août, elle tomba sérieusement malade, et il fallut lui ôter l'appendice. C'était curieusement la deuxième fois au cours de cette année que je voyais une crise d'appendicite déclenchée selon toute vraisemblance par une souffrance psychique.

Et dans tout cela, nous casions tant bien que mal notre petite histoire d'amour. Nous allions au cinéma, nous allions boire un verre de vin, nous cherchions à être gais et amoureux comme il se doit, nous nous quittions tard dans la nuit, je la laissais dans son quartier éloigné et je rentrais chez moi par les derniers métros que j'attendais, exténué, la tête vide, dans des stations désertes où seuls les escaliers roulants vivaient encore.

Souvent, le dimanche, nous quittions la ville pour marcher dans la forêt, nous étendre auprès de l'eau ou dans des clairières. Les environs de Berlin sont beaux, d'une certaine sauvagerie primitive. Si l'on évite les chemins balisés et trop fréquentés, on trouve à portée de train de banlieue des régions apparemment vierges, grandioses dans leur solitude et leur monotonie, et d'une captivante tristesse. C'est là que nous allions, empruntant d'interminables layons entre des pins sombres, ou bien nous nous étendions dans une clairière sous un ciel d'un bleu presque menaçant. Le ciel était beau et sans la moindre bavure ; c'était aussi le cas des grands arbres gigantesques et serrés, de l'herbe, de la mousse, des fourmis, des multiples insectes bourdonnants. C'était infiniment apaisant, apaisant à mourir. Seulement nous n'aurions pas dû être dans le tableau. Sans nous, il aurait été plus beau encore. Nous dérangions.

Le temps fut merveilleux cet été-là. Le soleil était infatigable, et un dieu facétieux fit mûrir en Allemagne une cuvée 1933 dont les amateurs de bon vin parleront longtemps encore.

34

Soudain, Teddy écrivit de Paris. Incroyable, elle écrivait qu'elle allait venir, bientôt, la semaine prochaine. Mon cœur se mit à battre la chamade. Elle voulait s'arranger pour faire venir sa mère, écrivait-elle, et plus généralement voir de près ce qui se passait. Elle avait un peu peur, mais était aussi très contente de ce qui l'attendait, et espérait me voir souvent.

En glissant la lettre dans ma poche, j'eus l'impression de sentir la vie refluer en moi tel un fourmillement innombrable. Je m'aperçus d'un coup que pendant tout ce temps j'avais été figé, insensible, mort. Je courais sans but dans l'appartement, sifflant, fumant une cigarette après l'autre, incapable de tenir en place. Dans l'état où j'avais fini par me trouver, un tel bonheur était presque intolérable.

Le lendemain, le journal titrait : "Un camp pour les référendaires." Tous les référendaires en train de passer leur assessorat seraient, sitôt terminés leurs travaux personnels, rassemblés dans des camps où une saine vie communautaire, la pratique des sports de combat et une éducation idéologique les prépareraient aux tâches immenses qui les attendaient dans leur carrière de juges allemands. La première fournée recevrait dans les prochains jours son ordre d'incorporation. Suivait un article rédactionnel plein de louanges et de glorifications et de "tous les jeunes juristes allemands seront reconnaissants au ministère de la Justice de Prusse"...

Ce fut, je crois, la première fois que je fus pris d'un authentique accès de rage. Le prétexte peut en paraître insignifiant, mais les réactions des hommes faibles et fragiles que nous sommes ne sont pas toujours strictement proportionnelles à l'ampleur et à l'importance de la cause. Je martelai le mur de mes poings comme un prisonnier, criant, sanglotant, maudissant Dieu et le monde, mon père, moi, le Reich, le journal, tout et tous. J'étais sur le point de remettre mon dernier travail personnel et j'avais donc toutes les chances de faire partie des premiers appelés. Je voyais rouge, je me comportais comme un insensé. Puis je m'effondrai et écrivis à Teddy un court billet désespéré, lui demandant de venir vite pour que nous puissions nous voir au moins un ou deux jours.

Et le lendemain ou le surlendemain, comme un gentil garçon obéissant, mais intérieurement brisé et broyé, je remettais mon dernier travail personnel.

Mais ensuite, grâces en soient rendues à la bureaucrate prussienne, il ne se produisit rien. Mes travaux devaient traîner dans un bureau quelconque. D'ici qu'ils en sortent, que mon nom soit coché sur une liste et reporté sur une autre, que les groupes soient constitués, les formulaires de convocation imprimés, remplis, expédiés, il s'écoulerait, ô merveille, des jours précieux. Quelques jours passèrent sans rien apporter, et je me rassurai en me représentant la routine d'une administration prussienne, en me disant qu'il y avait de l'espoir : l'espoir de deux, trois, voire quatre semaines de liberté. Il est vrai que chaque jour pouvait en amener la fin, mais ce n'était pas inévitable. Chaque jour, je regardais le courrier, et constatais, d'abord avec un soupir de soulagement anxieux, puis avec davantage d'espoir tranquille, et enfin avec une confiance inavouable de plus en plus assurée au fur et à mesure que la situation devenait plus critique, qu'aucune lettre officielle n'était encore arrivée. Elle pouvait arriver chaque jour, mais elle n'arrivait pas. Et Teddy arriva.

Elle arriva, et soudain elle fut là comme si elle n'avait jamais été partie.

Elle apportait Paris dans ses bagages, des cigarettes de Paris, des magazines de Paris, des nouvelles de Paris et, insaisissable et irrésistible comme un parfum, l'air de Paris : un air que l'on pouvait respirer, et qu'on respirait avidement. Cet été-là, alors qu'en Allemagne les uniformes étaient devenus une mode ignoblement sérieuse, Paris avait eu l'idée de créer pour les femmes une mode inspirée des uniformes, et c'est ainsi que Teddy portait un petit dolman de hussard garni de brandebourgs et de boutons étincelants. Incroyable ! Elle venait d'un monde où les femmes s'habillaient comme cela pour s'amuser, sans que personne y trouvât à redire ! Elle débordait d'histoires. Elle venait de sillonner la France pendant six semaines avec des étudiants parisiens venus de tous les pays, Suédois et Hongrois, Polonais et Autrichiens, Allemands et Italiens, Tchèques et Espagnols ; ils avaient dansé en costumes traditionnels et chanté des chants populaires de leur pays, et partout ils avaient été accueillis comme des princes, avec des bravos et des *bis* et des paroles de fraternisation – à Lyon, Herriot en personne avait prononcé un discours pour eux, à les faire presque pleurer, et la ville leur avait servi un repas qui leur avait donné à tous une indigestion pendant deux jours… Je l'écoutais, me faisais tout raconter, en redemandais avec avidité. Cela se voyait donc encore ! Toutes ces choses existaient encore, à moins d'un jour de voyage de Berlin. Et Teddy était ici, assise à côté de moi, vraiment à côté de moi sur une chaise, et toutes ces choses l'entouraient comme si cela allait de soi.

Cette fois, je n'avais rien à lui raconter, absolument rien. Les années précédentes, quand elle venait en visite, Berlin avait encore quelque chose à offrir : un film intéressant dont tout le monde parlait, quelques grands concerts, un cabaret ou un petit théâtre où il y avait "de l'ambiance". Rien de tel cette fois. Teddy était visiblement suffoquée. Elle demandait encore innocemment des nouvelles de bars et de cabarets fermés depuis longtemps, d'acteurs disparus de longue date. Bien sûr, elle avait lu les journaux, mais maintenant, dans la réalité, c'était une tout autre chose – peut-être moins sensationnelle, mais beaucoup plus difficile à comprendre et à supporter. Partout les drapeaux à la croix gammée, les uniformes bruns auxquels on n'échappait nulle part : dans l'autobus, au café, dans la rue, dans le Tiergarten – ils s'étalaient comme une armée d'occupation. Le tambour incessant, la fanfare jour et nuit – bizarre, Teddy tendait encore l'oreille en demandant ce qui se passait. Elle ne savait pas encore que l'absence de musique aurait été beaucoup plus surprenante. Les affiches rouges qui annonçaient les exécutions, étalées presque chaque matin à côté de celles des cinémas et des restaurants d'été, je ne les voyais déjà plus, mais Teddy sursautait encore quand elle consultait ingénument les colonnes Morris. Un jour que nous nous promenions, je l'attirai brusquement sous un porche. Effrayée, elle demanda sans comprendre :

— Que se passe-t-il ?

— Un drapeau de SA, dis-je, sur le ton le plus naturel qui soit.

— Et alors ?

— Tu veux peut-être le saluer ?

— Non, pourquoi ?

— Il le faut, quand on le croise dans la rue.

— Comment ça, "il le faut" ? On n'a qu'à ne pas le faire.

Pauvre Teddy, elle venait vraiment d'un autre monde ! Je ne répondis pas, me contentant d'une grimace mélancolique.

— Je suis étrangère, dit Teddy, personne ne peut me forcer. Et je ne pus, une fois encore, que sourire avec pitié de ses illusions. Elle était autrichienne.

Un jour, je tremblai sérieusement pour elle, justement parce qu'elle était autrichienne. Juste durant cette période, l'attaché de presse autrichien fut tiré de son lit pendant la nuit, arrêté et expulsé. "Nous" étions, c'était bien connu, en froid avec l'Autriche, qui avait refusé de se laisser annexer. Sur quoi Dollfuss fit expulser de Vienne un nazi, ou même plusieurs, je ne sais plus au juste. Je me souviens seulement que la presse unanime dénonça bruyamment cette monstrueuse provocation du gouvernement autrichien ; "une riposte est inévitable", disait-on – et comment pourrait-on riposter, si ce n'est en expulsant tous les Autrichiens ? Mais le sort nous était favorable. Hitler découvrit une quelconque difficulté dans l'affaire, ou l'oublia au profit d'autre chose. La riposte fut évitée, et Teddy put rester.

— C'est vraiment la dernière fois que je viens ici, dit Teddy.

Je lui appris que j'allais bientôt partir pour Paris, et nous nous mîmes aussitôt à faire des projets. Un petit théâtre international sortit du sol comme un château en Espagne, avec des étudiants et peut-être des acteurs en exil.

— Que deviennent les exilés allemands ? demandai-je avec espoir, mais Teddy fit une réponse remarquablement évasive :

— Les pauvres gens ne sont pas très en forme en ce moment, dit-elle avec ménagement.

Quelques jours passèrent ainsi. Puis survint un coup de tonnerre. Teddy m'apprit – ou plutôt elle me fit deviner et découvrir – qu'elle était sur le point de se marier. Tout de suite après son retour.

— Mr Andrews ? demandai-je dans une illumination (elle n'avait pas tellement parlé de lui).

Elle acquiesça.

— Très bien, dis-je.

Nous étions assis devant le *Café Roman*, quartier déserté de la bohème littéraire de Berlin, en face de la Gedächtniskirche, et les massives tours romanes de l'église s'approchèrent soudain de moi, m'enserrant comme les murs d'un cachot.

— *Mon pauvre vieux**, dit Teddy. C'est grave ?

Je hochai la tête.

Puis elle dit une chose qui me fit monter au cerveau une bouffée de douceur

* En français dans le texte.

et de chagrin. Il n'avait jamais été le moins du monde question de mariage entre nous, et même notre idylle s'était toujours interrompue chaque fois que nous en arrivions là. Je n'avais jamais été trop sûr d'être pour elle plus qu'un ami comme les autres. Quant à ce qu'elle était pour moi, je ne le lui avais jamais dit. C'était d'ailleurs presque impossible à dire, c'eût été trop mélodramatique. Même nos moments de fervente intimité avaient toujours conservé l'accent du badinage.

— Ce n'aurait plus été possible de nous marier maintenant, dit-elle. Qu'est-ce que tu ferais de moi ici ?

— Tu y as pensé ? dis-je.

Et elle, riant de ma balourdise :

— Bien sûr.

Puis avec un geste d'une infinie tendresse :

— Je ne suis pas encore partie.

Adieu donc, encore un adieu, mais un adieu plus glorieux, plus éclatant que tous les autres. Tout semblait réglé, tout semblait être un prélude aux trois semaines qui nous restaient. Tout avait fait place nette : je n'avais plus d'amis et pas d'obligation, rien qui me retînt, rien qui m'empêchât d'être avec Teddy du matin au soir et de lui appartenir. Et elle aussi semblait être venue rien que pour moi – même si ce n'était que pour me dire adieu.

Et à cet instant, tout sembla se retirer pour libérer ces trois semaines : le Reich dans sa mansuétude prenait son temps avant de poser sur moi une main déjà tendue pour me happer, nul courrier administratif ne vint m'enlever. Mes parents partirent en voyage. La pauvre Charlie tomba malade et entra en clinique, on aurait dit qu'elle voulait me faire un plaisir navrant, totalement inattendu. J'aurais dû ressentir la chose autrement, je sais.

Ces trois semaines passèrent comme un jour. Elles ne furent d'ailleurs pas une idylle, et durant tout ce temps nous n'eûmes guère le loisir de jouer les amoureux ou de parler de nos sentiments. Teddy devait encore organiser le départ de sa mère, une vieille petite dame discrète et effarée, qui restait assise parmi ses meubles sans plus rien comprendre au monde qui l'entourait. Nous courions les administrations et les entreprises de déménagement, passions des heures dans la salle d'attente du bureau des devises, il y avait chaque jour des choses à planifier et à organiser, et pour finir il nous fallut surveiller le transport des meubles et donner des ordres aux déménageurs.

Abandon, départ. Je connaissais déjà la pièce. Mais ces trois semaines de départ et d'abandon étaient toute la place qui restait dans le temps et dans l'éternité pour y comprimer des années d'une grande passion inavouée. Durant ces trois semaines, nous fûmes aussi inséparables que deux jeunes fiancés, aussi intimes et complices qu'un vieux couple. Ce fut une période sans points morts. Même se trouver ensemble au bureau des devises à concocter ce que nous allions dire aux employés, c'était un bonheur.

Pour finir, il s'avéra que telle et telle somme n'était pas autorisée.

— Il faudra que je passe de l'argent en fraude, dit Teddy, c'est la seule solution. Avant que je ne nous laisse voler…

— Mais s'ils te prennent !

— Ils ne me prendront pas, dit-elle, rayonnant d'assurance. Pas moi. Et d'ailleurs, je sais relier.

Et durant quelques jours, installés dans la chambre de jeune fille que Teddy avait abandonnée si longtemps, nous mîmes toute notre adresse et toute notre ardeur à fabriquer des reliures à grand renfort de carton, de colle et de papier. Mais, à l'intérieur, elles étaient bourrées de billets de cent marks. Levant les yeux de notre travail, nous

aperçûmes dans le miroir nos visages
excités.

— Tronches de vieux malfaiteurs,
dit Teddy, et nous cessâmes quelques
minutes de travailler.

Une fois, alors que nous étions en
plein travail, on sonna à la porte. Deux
SA se tenaient sur le seuil, comme
autrefois chez les Landau, mais ce jour-
là ils quêtaient simplement pour je ne
sais quoi, en faisant tinter des boîtes
menaçantes. Je dis grossièrement "je
regrette", en leur claquant la porte au
nez. Avec Teddy dans mon dos, j'étais
transporté d'une indicible assurance.

Mais la nuit il m'arrivait de m'éveiller,
et le monde était gris comme une cour
de prison. Au cours de ces heures et
d'elles seules, je savais que tout cela était
une fin. A Paris, Mr Andrews attendait
Teddy. Quand j'arriverais à Paris, Teddy
serait Mme Andrews, et Andrews était
beaucoup trop sympathique pour qu'on
le trompe. Peut-être auraient-ils des
enfants. En y pensant, j'étais malheureux
à mourir. Je voyais Andrews devant moi,
comme je l'avais vu parfois deux ans
auparavant, à une drôle d'époque,
quand Teddy, bravant sa famille, était
restée à Paris : fille prodigue, sans
argent mais avec beaucoup d'amis qui
se l'arrachaient en tentant de s'emparer

du plus gros morceau, jouaient des drames de la jalousie, et dont aucun ne pouvait l'aider (je ne valais pas beaucoup mieux qu'eux tous). Puis le taciturne Mr Andrews entrait dans la minuscule chambre d'hôtel où régnait le désordre de Teddy, posait ses jambes sur la cheminée, prenait sans espoir une leçon de langue superflue, et donnait brusquement, avec un sourire malin, un tuyau très avisé et très utile – pour disparaître discrètement en silence. Un homme patient. Et voilà qu'il allait épouser Teddy. Un Anglais. Pourquoi fallait-il que les Anglais s'approprient tout ce qu'il y avait au monde de bon et de précieux, l'Inde et l'Egypte et Gibraltar et Chypre et l'Australie et l'Afrique du Sud, les mines d'or, et le Canada, et maintenant Teddy. Et en guise de compensation, un pauvre Allemand comme moi avait les nazis sur le dos. Voilà quelles étaient mes mélancoliques pensées nocturnes, quand un méchant hasard me réveillait.

Mais le jour j'avais tout oublié, et j'étais heureux. C'était l'automne, un début d'automne doré, et chaque jour le soleil brillait. Pas de courrier officiel, toujours pas. Aujourd'hui l'hôtel des finances, la police, le consulat, et si on avait de la chance, l'après-midi, une heure de liberté au Tiergarten. Nous pourrions peut-être louer une barque. Et Teddy toute la journée.

Derrière ni devant nous ne regarderons.
Nous laisser bercer comme
Sur un esquif léger, le lac*.

35

Quatre semaines plus tard, botté, orné d'un brassard à la croix gammée, je marchais chaque jour pendant des heures au sein d'une colonne en uniforme dans les environs de Jüterbog, en chantant en chœur avec tous les autres *Siehst du im Osten das Morgenrot* ou *Märkische Heide* ou quelque autre chanson de marche. Nous avions un drapeau – à la croix gammée, bien sûr –, et parfois ce drapeau nous précédait, et quand nous traversions un village, les gens à droite et à gauche levaient le bras devant le drapeau, ou disparaissaient en vitesse dans l'entrée d'une maison. Ils faisaient cela parce qu'ils avaient appris que nous, donc moi, allions les

* Friedrich Hölderlin, *Mnémosyne.*

rouer de coups s'ils s'abstenaient. Moi, je me cachais dans une entrée sur le passage des drapeaux quand je n'étais pas tenu de marcher derrière, et plusieurs d'entre nous en faisaient autant, mais cela ne changeait absolument rien. Maintenant, c'était nous qui marchions derrière le drapeau, si bien que tous les passants voyaient en nous une menace muette. Et tous, ils saluaient ou fuyaient. Parce qu'ils avaient peur de nous. Peur de moi.

Aujourd'hui encore, j'ai le vertige en pensant à cette situation. Elle contient dans une coquille de noix le Troisième Reich tout entier.

36

Jüterbog est une ville de garnison dans le Sud de la marche de Brandebourg. Par un beau matin d'automne, nous débarquâmes à la gare, cinquante à cent jeunes gens venus de toutes les contrées de l'Allemagne, un manteau sur le bras, une valise à la main, un léger embarras sur le visage. Nul ne savait au juste ce qu'on voulait faire de nous ; chacun se demandait vaguement ce que nous faisions là.

Nous voulions passer notre assessorat, et voilà que pour ce faire nous nous retrouvions, à notre corps défendant, sur ce quai de gare provincial et inhospitalier où l'on nous avait convoqués. On nous avait promis une "éducation idéologique" contre laquelle beaucoup d'entre nous devaient s'être armés de réserve silencieuse et d'ironie. Mais il est vraisemblable qu'aucun n'avait imaginé précisément la situation comique où nous mettait cette aventure déconcertante : indécis, notre mallette à la main, loin de tout et sans autre consigne que de nous rendre à un endroit appelé "le nouveau camp" que personne ne connaissait, et pour des raisons que personne ne comprenait vraiment. Manifestement, on ne venait pas nous chercher. Nous finîmes par louer une voiture pour y charger nos valises. Le chauffeur nous indiqua le chemin : quelques kilomètres de chaussée. Quelques-uns d'entre nous proposèrent de téléphoner pour commander des taxis. Mais d'autres refusèrent énergiquement : on pouvait s'attendre à une réception soignée au camp, si nous y arrivions en voiture comme des beaux messieurs ! Certains portaient des uniformes de SA. L'un d'eux, à l'évidence un tempérament de chef, commanda : "En rangs par trois, marche !" ; comme personne n'avait d'autre idée, tout le monde obtempéra et, après avoir grouillé dans le désordre pendant quelques instants, nous nous mîmes en mouvement, direction la chaussée. La situation avait changé du tout au tout : nous étions des recrues en marche vers leur camp.

Les SA en uniforme, au nombre de six à huit, marchaient en tête ; les autres trottaient par-derrière, plus au moins au pas : tableau symbolique. Ceux de devant essayèrent de chanter : d'abord des hymnes SA, puis des chants militaires, enfin des chansons populaires. Mais il s'avéra que la plupart d'entre nous ignoraient les textes, ou connaissaient tout au plus la première strophe. Les chanteurs finirent par renoncer, et nous marchâmes en silence le long de la chaussée. A gauche et à droite, la campagne était nue sous le soleil d'automne. Tout en marchant, je laissais vagabonder mes pensées, et je trouvais que le chemin censé me conduire à Paris était étrangement tortueux.

Arrivés au camp, il nous fallut d'abord attendre. Debout, en position de repos, perplexes et désœuvrés, nous regardions d'autres référendaires déjà installés, qui remuaient avec de grands balais la poussière de la cour entre les baraquements. (Huit jours plus tard, nous savions que cette occupation allait de soi le samedi soir et s'appelait le "nettoyage du quartier".) Tout en balayant, ils chantaient, de cette manière agressive et heurtée mise à la mode par les nazis, des chants bizarres. Je m'efforçai de comprendre les paroles, discernai peu à peu qu'il s'agissait de brocards visant les "victimes de mars" – ces gens qui, après la victoire des nazis, étaient devenus nazis du jour au lendemain – et j'eus quelques minutes d'espoir insensé. Puis je compris ma naïveté, et que la moquerie ne concernait pas ceux que j'avais crus visés. Ils chantaient :

> *L'an mil neuf cent trent'-trois,*
> *La lutt' fut terminée…*
> *L'an mil neuf cent trent'-trois,*
> *On vit le p'tit-bourgeois*
> *Chez l'tailleur de l'armée…*
> *Un bel uniforme il s'ach'ta.*
> *Pour qui se prend-il, ce con-là ?…*

C'étaient manifestement de vigoureux chants SA, émanant des militants de la première heure. Comique : ceux qui les braillaient avec tant de conviction étaient eux-mêmes, dans leur majorité, des victimes de mars – ou même pas… On ne pouvait plus les distinguer ; ils portaient tous le même uniforme gris, tous un brassard à la croix gammée, ils chantaient tous avec la même énergie. Le regard incertain, je tentai d'évaluer mes compagnons en civil, qui ne chantaient pas encore ; ils devaient faire de même avec moi : "Va savoir s'il est nazi ? Mieux vaut en tout cas se montrer prudent…"

Nous attendions donc, et nous attendîmes, avec quelques interruptions, trois ou quatre heures. Au cours des interruptions, on nous remit des bottes, des gamelles, des brassards et une louchée de soupe aux pommes de terre. Chacune de ces opérations était suivie d'une demi-heure d'attente environ. Nous avions l'impression de nous trouver dans une pesante mécanique, qui toutes les demi-heures s'ébranlait en grinçant. Puis nous passâmes à la visite médicale, une de ces visites brutales, sommaires et quelque peu humiliantes telles qu'on les pratique dans l'armée : tirer la langue, baisser la culotte, "déjà eu des maladies vénériennes ?", le contact bref d'une oreille médicale contre le thorax, le rayon d'une lampe de poche entre les jambes, un coup de marteau sur la rotule, terminé. Puis on nous assigna nos "chambrées", vastes pièces meublées de quarante à cinquante lits à deux étages, de petites armoires et de deux longues tables de réfectoire flanquées de bancs. Le tout avait une allure résolument militaire ; la seule chose bizarre, c'était que, loin de nous destiner à une carrière de soldats, nous voulions passer notre assessorat. Personne non plus ne nous avait dit qu'on voulait faire de nous des soldats, et personne ne nous le disait maintenant, bien que nous eussions droit à un discours.

En effet, notre chef de chambrée nous fit mettre en rangs. C'était un SA, pas un SA de base, un *Sturmführer* (il arborait trois étoiles à son revers ; j'appris ce jour-là que cela signifiait qu'il était *Sturmführer*, et qu'un *Sturmführer* était une espèce de capitaine), au demeurant magistrat stagiaire comme nous. On ne pouvait dire qu'il fût antipathique. C'était un petit brun gracile aux yeux vifs, rien d'un assommeur. Je fus seulement frappé par une certaine expression qu'il portait sur son visage – pas même une expression vraiment déplaisante, mais qui provoqua en moi une impression de déjà-vu associée à des souvenirs pénibles. Puis la mémoire me revint d'un coup : c'était exactement cette expression figée de forfanterie qui n'avait pas quitté le brave Brock depuis sa conversion au nazisme. Il commandait "garde à vous !" et "repos !" ; on ne pouvait d'ailleurs pas dire qu'il commandait vraiment, il prononçait ces mots avec un accent de persuasion et de raison, comme pour dire : "Nous jouons un jeu dans lequel mon rôle est de vous commander, alors ne soyez pas mauvais joueurs et obéissez-moi." Nous lui fîmes donc ce plaisir. En échange, il nous tint un discours en trois points :

– Premièrement, et comme on semblait encore hésiter à ce sujet, le tutoiement était de rigueur au camp, ainsi qu'il convient à des camarades.

– Deuxièmement, il fallait que cette chambrée serve de modèle au camp tout entier.

– Troisièmement, si l'un d'entre vous transpire des pieds, j'attends qu'il se les lave chaque matin et chaque soir : la camaraderie l'exige.

Et il déclara ainsi le service terminé pour aujourd'hui et pour demain (c'était un samedi soir). Nous n'avions pas encore la permission de sortir en ville, mais chacun pouvait faire ce qu'il voulait au camp. Rompez.

Et c'est ainsi qu'en plus de tous les étonnements, de toutes les interrogations qu'avait suscités cette journée, il nous fallait durant un jour et demi tuer le temps à ne rien faire.

On se mit à faire prudemment connaissance. Prudemment, parce que personne ne savait si l'autre n'était pas nazi, et qu'il fallait par conséquent se montrer circonspect. Quelques-uns se dirigèrent ouvertement vers les SA en uniforme, mais ceux-ci affectaient vis-à-vis de leurs collègues en civil une espèce de réserve hautaine. Ils avaient manifestement conscience d'être en quelque sorte les aristocrates du groupe. Pour ma part, je recherchais au contraire les visages qui n'avaient pas du tout l'air nazi. Mais pouvait-on se fier à la seule physionomie ? Je me sentais mal à l'aise, indécis.

Puis l'un d'eux m'aborda spontanément. Je le jaugeai d'un coup d'œil rapide : il avait une figure blonde, ouverte, normale. Il est vrai qu'on en voyait parfois de semblables sous un képi de SA.

— J'ai l'impression de vous avoir déjà vu quelque part, euh, de t'avoir déjà vu quelque part, dit-il. Est-ce possible ?

— Je ne sais pas, je n'ai pas la mémoire des visages. Etes-vous, euh, es-tu de Berlin ?

— Oui, dit-il.

Et il se présenta, comme un civil, avec une légère inclinaison du buste :

— Burkard.

Je me nommai également, puis nous essayâmes de découvrir où nous avions pu nous rencontrer. Il en résulta dix minutes de conversation anodine. Quand nous eûmes constaté que nous n'avions pu nous rencontrer nulle part, un silence s'installa. Nous nous raclâmes la gorge.

— Bon, dis-je, quoi qu'il en soit, maintenant, nous nous sommes vus ici.

— Oui, dit-il.

Silence.

— Savoir s'il y a une cantine quelque part ? repris-je. Nous pourrions boire un café ensemble ?

— Pourquoi pas ?

Nous évitions autant que possible de nous adresser directement la parole.

— Il faut bien faire quelque chose, dis-je.

Puis, tâtant le terrain avec prudence :

— Drôle de boutique, hein ?

Il me glissa un regard en coulisse et répondit plus prudemment encore :

— Je ne sais pas encore au juste. Plutôt militaire dans l'ensemble, non ?

Nous nous mîmes donc à la recherche de la cantine, bûmes une tasse de café, échangeâmes des cigarettes. La conversation languissait. Nous évitions de nous adresser directement la parole, nous évitions de nous découvrir. C'était fatigant. Il demanda enfin :

— Vous jouez aux échecs ? Pardon, tu joues aux échecs ?

— Un peu, dis-je. Une partie ?

— Cela fait longtemps que je n'ai pas joué, dit-il. Mais on dirait qu'ils ont des échiquiers. On pourrait essayer…

Ayant emprunté un échiquier au comptoir, nous nous mîmes à jouer. Je fouillai ma mémoire à la recherche d'une ouverture possible. Cela faisait des années que je n'avais pas joué ; la vue des pièces et le déroulement de la partie me rappelèrent irrésistiblement une époque révolue où je jouais avec passion : mes premières années d'études, 1926, 1927, avec leur atmosphère insouciante de radicalisme juvénile, de liberté, de spontanéité ; avec leurs discussions ouvertes et passionnées, leurs plaisanteries, leur allégresse sans frein… Un instant, je me vis moi-même comme un étranger : j'avais sept ans de plus et, ne sachant quoi faire d'autre, je jouais aux échecs avec un parfait inconnu qu'on m'obligeait à tutoyer, dans ce pays perdu où l'on m'avait envoyé sans m'expliquer pourquoi, et je ressentais ce que cette situation avait d'humiliant et d'aventureux à la fois, tandis que je déplaçais un pion avec componction pour me préparer à roquer. Accroché au mur, un gigantesque portrait de Hitler baissait sur moi son regard boudeur.

Dans un coin, la radio faisait du bruit : des marches, comme d'habitude. Çà et là, six à huit personnes occupaient d'autres tables, fumant, buvant du café. Les autres, peut-être, se promenaient dans le camp. Par les fenêtres ouvertes pénétraient les rayons obliques d'un soleil automnal.

Brusquement, la radio s'interrompit. La marche banale qui s'en échappait resta pour ainsi dire suspendue un pied en l'air. Dans le silence torturant qui suivit, on attendit qu'elle le repose. Au lieu de cela, la voix huileuse du speaker : *"Achtung, Achtung !* Communiqué spécial du service des transmissions !"

Nous levâmes tous deux les yeux de l'échiquier, tout en évitant de nous regarder. C'était le samedi 13 octobre 1933, et on annonçait que l'Allemagne avait quitté la conférence du désarmement et la Société des Nations. Le speaker s'exprimait sur le ton décrété par Goebbels, avec l'onction visqueuse d'un apprenti acteur jouant les intrigants.

Suivirent de nombreux autres communiqués spéciaux. Le Reichstag était dissous, ce brave Reichstag obéissant qui avait voté les pleins pouvoirs à Hitler. Pourquoi diable le dissoudre ? Aux prochaines élections, il n'y aurait plus qu'un parti unique, le NSDAP. Bien qu'habitué de longue date à toutes sortes de choses, je fus surpris. Des élections sans nul choix possible. Plutôt hardi. Je lançai un regard furtif à mon vis-à-vis. Son visage était aussi neutre que possible. Les gouvernements régionaux étaient dissous eux aussi, et il n'y aurait pas de nouvelles élections. Après les autres, cette nouvelle tomba complètement à plat ; elle semblait sans intérêt, et pourtant elle sonnait le glas de l'existence juridique de nations anciennes et célèbres, telles la Prusse et la Bavière. Hitler s'adresserait le soir même au peuple allemand. Mon Dieu, ici, il faudrait sans doute l'écouter en commun. "Après ce communiqué spécial du service des transmissions, nous reprenons notre musique… Taratata, taratata…"

Bon, personne ne se leva spontanément d'un bond pour crier *Heil* ou hourra. Mais il ne se passa rien d'autre non plus. Burkard se pencha sur les pièces à les toucher, comme si notre partie d'échecs était la chose la plus intéressante du monde. Les occupants des autres tables soufflaient en silence la fumée de leurs cigarettes, et leurs visages inexpressifs en disaient long. Pourtant, il y aurait eu bien des choses à faire remarquer ! J'étais malade de sentiments contradictoires. J'étais content que les nazis aient manifestement dépassé les bornes ; j'éprouvais une rage désespérée parce que j'allais être pris au piège, fait comme un rat, mis dans le même sac ; je trouvais regrettable que l'échec des nazis soit dû à une cause dans laquelle ils avaient bel et bien raison, car l'"égalité" et le "droit à la défense", n'est-ce pas, nos braves républicains les avaient toujours réclamés, et c'était en soi une bonne chose ; en proie à une sorte de rage impuissante, je constatais l'astuce avec laquelle ils tentaient maintenant d'obtenir un vote de confiance sur un programme que personne ne pouvait vraiment refuser ; cependant, l'annonce de ces "élections" auxquelles se présenterait un parti unique me laissait sans voix, à la recherche désemparée d'une expression susceptible de qualifier cette inqualifiable impertinence, cette monstrueuse provocation. Tout ceci se bousculait, exigeait d'être exprimé, discuté. Mais je dis simplement :

— Tout le paquet d'un coup, n'est-ce pas ?

— Oui, dit Burkard, le nez sur l'échiquier. Les nazis n'en font jamais moins.

Ah ! Trahi ! Démasqué ! Il avait dit "les nazis". Quand on disait "les nazis", on n'en était pas. On pouvait parler avec lui.

— Je pense quand même que cette fois cela ne marchera pas, commençai-je, avec ardeur.

Mais il me lança un regard d'incompréhension totale. Sans doute regrettait-il sa remarque.

— Difficile à dire, enchaîna-t-il. Je crois que vous allez perdre votre fou.

(Il en oubliait de me tutoyer.)

— Vous croyez ? dis-je en essayant de me concentrer à nouveau sur l'échiquier, mais j'avais tout à fait perdu le fil de la partie.

Nous la terminâmes sans rien dire, si ce n'est à l'occasion "échec au roi" ou "échec à la dame".

Le soir, réunis dans cette même cantine, nous entendîmes Hitler tonitruer à la radio, tandis que nous fixait son grand portrait boudeur. Les SA tenaient la vedette, riant et approuvant quand il le fallait aussi bien que des députés au Reichstag. Debout ou assis, nous étions entassés dans la salle, et de ce manque d'espace émanait une terrifiante inéluctabilité. Ces paroles qui sortaient de la radio, on leur était livré plus que d'habitude, ainsi coincé entre des voisins dont on ne connaissait pas au juste les opinions. Certains étaient manifestement enthousiastes. D'autres avaient un regard impénétrable. Un seul parlait : l'homme invisible de la radio.

Quand il eut fini, le pire se produisit. La musique donna le signal : *Deutschland über alles*, et tous levèrent le bras. Certains peut-être hésitèrent, comme moi. C'était une terrible humiliation. Mais voulions-nous, oui ou non, passer notre examen ? Pour la première fois, je fus envahi par un sentiment aussi violent qu'un goût dans la bouche : "Cela ne compte pas. Ce n'est pas moi. Cela ne vaut pas." Et, animé de ce sentiment, je levai le bras moi aussi et le maintins tendu en l'air à peu près trois minutes. Le temps que durèrent l'hymne national et le *Horst-Wessel-Lied*. La plupart chantaient, d'une voix énergique et vibrante. Je remuais un peu les lèvres, faisant semblant de chanter comme on le fait à l'église pour les cantiques.

Mais tous nous nous dressions, le bras tendu, devant cette radio sans regard qui soulevait nos bras comme un marionnettiste celui de ses marionnettes, chantant ou faisant comme si. Chacun une Gestapo pour son voisin.

37

On sait que les puissances étrangères ne réagirent nullement quand Hitler quitta la Société des Nations. Elles ne réagirent pas davantage à la politique de réarmement qu'il poursuivit dès lors avec ostentation, tout en l'accompagnant de toute une musique de dénégations verbales. Dans les jours qui suivirent, je ressentis pour la première fois ce sentiment mêlé de lâche soulagement et de déception profonde que nous allions, moi et mes semblables, éprouver dans les années à venir jusqu'à en être fatigués de vivre.

Au même moment commença notre "éducation idéologique". Elle était conduite avec une remarquable discrétion non dépourvue de raffinement.

Nous nous attendions à des discours, à des conférences, à des interrogatoires déguisés en discussions. Rien de tel ne se produisit. Au lieu de cela, on nous donna le lundi de vrais uniformes – des uniformes gris avec des tuniques blousantes comme celles que portaient les Russes pendant la Grande Guerre –, des képis, des ceinturons. Ainsi équipés militairement, traînant nos lourdes bottes dans l'enceinte du camp, nous n'avions cependant rien d'autre à faire que de composer nos devoirs écrits : nous étions des candidats à l'assessorat vêtus d'un *Feldgrau* martial.

Après quoi commença quelque chose qui s'appelait "service". Cela présentait une ressemblance superficielle avec le service militaire, dans la mesure où nos supérieurs (le *Sturmführer* et les types dans son genre) s'efforçaient d'adopter un ton de commandement caporalesque. Mais, par exemple, nous n'apprenions pas le maniement des armes. Nous faisions un peu l'exercice, et, pour le reste, nous apprenions à marcher, à chanter, à saluer. Le "salut" nous occupa une matinée entière de la façon suivante :

Nous étions alignés par rangs de trois. Un commandement ébranlait la première rangée, cependant que le *Zugführer** (c'était le titre officiel de nos gradés), afin d'en contrôler le maintien et l'alignement, placé sur le côté gauche à quelques pas devant le groupe, l'accompagnait en reculant à petites foulées. Soudain, la voix du *Zugführer* éclatait comme une bombe : *"Heil Hitler !"* – sur quoi les trois marcheurs devaient, à l'instant même et simultanément,

---

* *Zug* : section ; *Zugführer* : lieutenant.

coincer leur pouce gauche dans le ceinturon en écartant les autres doigts, lancer en avant le bras droit, main tendue, le bout des doigts à la hauteur exacte des pupilles, tourner d'un coup sec la tête vers la gauche, puis, après avoir compté en silence "deux, trois", lancer avec un ensemble parfait, et la réponse devait sortir elle aussi avec la violence et le fracas d'une bombe qui explose, *"Heil Hitler, Zugführer !"* Si cela ratait, on avait droit à un "En arrière, marche !", et l'exercice recommençait. Dans le cas contraire, c'était le tour des trois suivants, et les premiers n'avaient rien à faire pendant dix minutes, jusqu'à ce que leur tour revînt. L'exercice durait de deux à trois heures.

Ou alors nous marchions, nous marchions dans la campagne une heure, deux heures, trois heures, quatre heures, sans que ces marches eussent le moindre but ou le moindre objectif discernable. Tout en marchant, nous chantions. Il existait trois sortes de chants que nous apprenions l'après-midi et que nous chantions le matin, en marchant. Les uns étaient des chants SA, de ces productions littéraires telles que des commis de boutique versificateurs les expédient parfois aux feuilles de chou locales. Elles contenaient pour l'essentiel des menaces à l'adresse des juifs, entrelardées de vers comme

> *Les rayons du soleil couchant*
> *Prodiguaient leur ultime éclat,*

etc.

Il y avait ensuite les chants de soldats de la dernière guerre, niaiseries sentimentales sur lesquelles se greffaient presque toujours des variantes obscènes, mais qui n'étaient pas dépourvues d'un charme rappelant celui des complaintes populaires. La dernière catégorie était constituée d'étranges lansquenettades, dans lesquelles nous affirmions par exemple être la troupe noire du capitaine Geyer* prête à bouter le feu au grenier du moutier (Florian Geyer s'était illustré pendant la guerre des Paysans en 1525). Ces chants jouissaient d'une grande popularité ; on les gueulait avec encore plus de détermination farouche que les autres. Je suis convaincu qu'au moins la moitié de ces magistrats stagiaires et futurs juges allemands s'identifiaient vraiment à la troupe noire du capitaine Geyer sur le

---

* Poème composé en 1885 par Heinrich von Reder (1824-1909) et mis en musique en 1919 par Fritz Sotke, futur cadre des Jeunesses hitlériennes.

point de bouter le feu au grenier du moutier, pendant que nous parcourions les routes de la campagne protestante aux environs de Jüterbog. Avec la joie débridée d'enfants livrés tout entiers à leur jeu, d'une voix rauque et effrayante de vieux Germains armés de gourdins, ils clamaient :

> *Nous en appelons à Dieu l'Père*
> *Heia hoho !*
> *Expédions les moines en enfer,*
> *Heia, hoho !*
> *Pied à pied !*
> *Pas d'quartier !*
> *Boutez l'feu au grenier du moutier !*

D'ailleurs, je chantais, moi aussi. Nous chantions tous.

C'était cela, notre éducation idéologique. En acceptant de participer au jeu qu'on jouait avec nous, nous nous transformions automatiquement, sinon en nazis, du moins en matériau que les nazis pouvaient utiliser. Et nous l'acceptions. Mais pourquoi ?

Plusieurs circonstances y concouraient, petites et grandes, atténuantes et aggravantes. Nous voulions tous passer notre examen, et c'était brusquement devenu une matière d'examen – toutefois, ce n'était pas là la raison principale. On faisait certes de mystérieuses allusions au rôle prépondérant que jouerait le certificat délivré à la sortie du camp, et à la possibilité de compenser des compositions ratées en marchant vaillamment et en chantant à pleine gorge : ces considérations ont pu jouer un certain rôle et attiser l'ardeur de quelques-uns. Mais un élément déjà beaucoup plus décisif, c'était que l'on nous avait pris totalement au dépourvu : nous n'avions pas la moindre idée du jeu qu'on jouait avec nous, et des ripostes possibles. Se mutiner ? Quitter tout simplement le camp et rentrer chez nous ? Mais il aurait fallu se concerter, et sous une mince couche de camaraderie virile, rude et cordiale, nous avions la plus grande méfiance les uns envers les autres. En outre, nous étions beaucoup trop curieux de savoir à quoi tout cela était censé servir. Enfin, il faut faire la part d'une ambition étrange, typiquement allemande, qui se mit à jouer presque à notre insu : une ambition d'excellence abstraite, l'ambition d'accomplir le mieux possible une tâche imposée, si absurde, incompréhensible et même humiliante fût-elle ; de l'accomplir excellemment, objectivement, à fond. On nous demandait d'astiquer des armoires ? De marcher ? De chanter ? C'était stupide, mais d'accord, nous allions montrer que nous savions astiquer mieux que des professionnels, marcher comme des vétérans, chanter avec un souffle à faire plier les arbres. Ce culte absolu de l'excellence est un défaut allemand que les Allemands tiennent pour une qualité. Quoi qu'il en soit, il est ancré dans le caractère allemand. Nous ne pouvons faire autrement. Nous sommes les plus mauvais saboteurs qui soient au monde. Ce que nous faisons, nous voulons le faire à la perfection : contre cette ambition, ni la voix de la conscience, ni celle du respect de soi ne peuvent se faire entendre. Ce que nous faisons, nous voulons le faire bien, peu importe qu'il s'agisse d'un travail honnête et intelligent, d'une aventure ou d'un crime – et l'ivresse profonde, béate et perverse procurée par cette perfection même nous dispense de toute réflexion sur le sens et la valeur de la chose que nous sommes en train de faire. "C'est vraiment du bon travail", dit, admiratif, le policier allemand en contemplant l'appartement que le cambrioleur a vidé avec soin et méthode.

C'était là notre point faible à tous, que nous fussions par ailleurs nazis ou non. Et on nous prit par là, avec une remarquable habileté psychostratégique.

Mais cela ne devint tout à fait vrai qu'une ou deux semaines plus tard, lorsque intervint un changement brusque dans l'équipe d'encadrement. Les *Sturmführer* SA qui nous commandaient disparurent d'un jour à l'autre pour aller se faire eux-mêmes former dans quelque camp, et furent remplacés par un lieutenant de la Reichswehr accompagné d'une douzaine de sous-officiers.

Ce jeune homme affable se dressa devant nous un beau matin alors que nous formions les rangs pour entamer une de nos fameuses marches sous une pluie diluvienne.

— Pourquoi ces têtes d'enterrement, messieurs, dit-il, alors qu'il fait si beau, et que cette activité est si intéressante !

Ces paroles rendaient un son aimable et humain. Il nous appelait même "messieurs", civilement. Il ne faisait pas mystère de ses opinions sur les SA en général et nos anciens cadres en particuliers. Les sous-officiers s'en cachaient encore moins.

— Nous allons maintenant faire des choses intelligentes, déclara l'après-midi du même jour le sous-officier Schmidt en prenant notre section en charge.

Sans plus tarder, on nous remit des fusils, on nous montra les sept parties dont ils se composaient et on nous apprit à tirer avec. C'était une vraie déli-vrance. Nous étions maintenant de véri-tables recrues, et enclins à considérer ce changement comme un agréable pro-grès. Au moins, on savait à quoi on jouait et pourquoi nous étions là ! C'en était fini de cette humiliation silencieuse des tâches absurdes et aberrantes accom-plies à longueur de journée. Nous étions tout joyeux. Notre éducation idéolo-gique était déjà bien commencée…

Hitler aurait paraît-il déclaré : "Tous ceux qui étaient contre nous servent maintenant – dans la Reichswehr." Cette boutade contient plus de vérité que les déclarations de Hitler en général. La Reichswehr est effectivement devenue un vaste déversoir pour presque toute l'Allemagne non nazie, pour cette masse allemande moyenne caractérisée par un irrépressible besoin d'excellence et d'ac-tivité et par une grande lâcheté intel-lectuelle et morale. Elle y trouvait un milieu où l'on n'avait pas besoin de lever le bras sans arrêt, où l'on pouvait même s'autoriser sans trop de risque une réflexion méchante à l'égard de Hit-ler ou des nazis ; mais aussi un milieu où l'on vous occupait avec une scrupuleuse efficience, où tout "marchait", où "il se faisait du bon travail" ; un milieu – et cela, c'était le plus beau – où il suffisait de "faire son devoir en se taisant", ce qui vous dispensait de toute réflexion et de toute responsabilité morale ; un milieu où l'on n'avait pas à se demander sur qui on ferait un jour le coup de feu, ni pour qui. Ceux qui avaient besoin d'une dose supplémentaire de tranquillisants se bercèrent des années durant de l'espoir que "la Reichswehr ferait un jour cesser toute cette escroquerie". Et tous négligeaient soigneusement de voir que la Reichswehr était précisément le canal qui détournait leurs forces pour les mettre au service de Hitler. Processus immense et décisif ! A l'époque de Jüterbog, j'ai pu en voir une toute petite partie. Une partie microscopique, mais justement, comme dans un microscope : de tout près, avec un grossissement qui en révélait tous les détails.

Nous devînmes des recrues pleines de zèle. Au bout de quelques semaines, nous avions presque oublié combien il était bizarre d'apprendre à tirer pour passer notre examen. La vie militaire a ses propres lois. Une fois pris dedans, on n'avait plus la liberté de se demander comment, pourquoi et dans quel but on s'y était trouvé engagé. On était occupé à plein temps : il fallait astiquer son fusil et ses bottes, apprendre à viser juste, à se mettre à couvert, à serrer les rangs, à marcher du même pas. En outre, on était beaucoup trop fatigué physiquement pour réfléchir. Et les sous-officiers étaient particulièrement gentils, sans une once de la brutalité légendaire de l'adjudant classique. En outre, nous étions trop heureux qu'on nous épargne les discours nazis, et nous estimions nous en être merveilleusement bien tirés. Si bien que le jour (un samedi après-midi, qui plus est) où l'un d'entre nous, référendaire en charge d'une petite responsabilité au sein du parti, tenta de faire un exposé, il provoqua une espèce d'émeute. Pendant qu'il parlait, ses auditeurs raclèrent le sol des pieds, et il s'en fallut de peu que le conférencier fût roué de coups la nuit suivante. Avec la plus grande franchise et des expressions dénuées d'académisme, nous critiquâmes, non l'idéologie nazie – on n'allait pas si loin –, mais le niveau auquel on prétendait nous rabaisser. Nous étions soldats, nous pouvions donner notre avis ! Les magistrats stagiaires que nous étions au début ne l'auraient pas osé.

C'est ainsi que nous croyions avoir échappé à l'éducation idéologique : nous ne nous apercevions pas que nous étions en plein dedans. Et un jour, on nous fit une conférence qui mit les points sur les *i*. Elle n'émanait pas du parti, on ne s'y élevait ni contre les juifs, ni contre le système, on n'y disait rien des dons charismatiques du Führer ni du honteux traité de Versailles. Rien de tel. Ce fut beaucoup plus efficace. Le lieutenant qui nous commandait en chef fit une conférence sur la bataille de la Marne.

Un professionnel de la propagande n'aurait pu imaginer plus subtile rouerie. Mais sans doute avait-il choisi son sujet d'instinct, et il partageait naïvement lui-même les idées qu'il voulait nous transmettre.

L'image que se font les Allemands de la bataille de la Marne est très différente de celle qui règne dans le reste du monde. Ailleurs, on se demande si le mérite de la victoire revient en premier lieu à Gallieni, à Joffre ou à Foch. En Allemagne, cette discussion est absolument sans objet, car on n'admet aucunement qu'il s'agit d'une victoire alliée. L'image gravée dans la tête des Allemands est celle d'une victoire allemande, contrecarrée par une série de fâcheux malentendus alors que la bataille était pratiquement décidée en faveur de l'Allemagne. Sans ces malentendus, non seulement la bataille aurait été gagnée, mais la guerre tout entière. Et ces malentendus ont engendré cette guerre d'extermination et de position, que les Allemands, il est vrai, auraient gagnée aussi, si... et c'est là qu'interviennent d'autres légendes encore.

Cette image qu'ils ont eux-mêmes élaborée est une vraie torture pour les Allemands. Une épine dans leur chair.

Ils ne se demandent pas particulièrement qui porte la responsabilité de la guerre, alors que cette question joue un grand rôle en d'autres pays. Tout au fond d'eux-mêmes, cela ne les ennuie pas d'en être responsables, même s'il est évidemment de bon ton de le nier en bloc. Ce qui les ennuie, ce qui les tourmente, ce n'est pas d'avoir provoqué la guerre : c'est de l'avoir perdue. Mais même l'effondrement final – bien qu'on s'efforce évidemment de l'éluder, tantôt grâce à la légende du "coup de poignard dans le dos", tantôt grâce à cette autre qui prétend que l'Allemagne, se fiant aux quatorze points de Wilson, aurait volontairement déposé les armes pour être ensuite honteusement abusée –, même l'effondrement est un supplice moins douloureux que la défaite de la Marne. Car à l'époque, c'est ce qu'affirme l'histoire légendaire de l'Allemagne, la victoire finale, rapide et glorieuse, la victoire que l'on tenait déjà, fut manquée d'un cheveu à cause d'un malentendu, d'une confusion, d'un petit, tout petit défaut d'organisation. Et cela, c'est intolérable. Presque tous les Allemands ont en tête la carte où figure la position des armées les 5 et 6 septembre 1914, et presque tous ont déjà désespérément bricolé les lignes noires : juste ce changement de direction de la 2e armée – juste ce tout petit mouvement des troupes de réserve – et on gagnait la guerre ! Pourquoi ne l'a-t-on pas fait ? On se demande encore qui porte la responsabilité de l'ordre de repli, cet ordre inutile et fatal. Moltke, le colonel Hentsch, le général Bülow… Et, conséquence inévitable de l'ensemble, on pense à tout effacer. Il faut reprendre la partie dans l'état où elle se trouvait, et cette fois la jouer comme il faut. Même "la paix honteuse de Versailles" exige moins impérieusement l'effacement et la revanche que cette bévue technique, cette bataille déjà gagnée et perdue par inadvertance.

Notre lieutenant déroula devant nos yeux tout le tableau brossé par la légende allemande. Il fit effectuer à la 1re armée le célèbre changement de direction qui laissait Paris sur sa droite, fit sortir Gallieni qui l'attaqua sur son flanc droit, renvoya la 1re armée vers le nord-ouest à marches forcées, arrêta la menace sur son flanc tandis que s'ouvrait la funeste brèche entre la 1re et la 2e armée et là – il aurait fallu que le corps de réserve de la 2e armée... Mais, au lieu de cela, le généralissime malade, lointain, mal informé, la crise de nerfs du colonel Hentsch, etc., jusqu'à la fin, cette insupportable fin manquée, qui n'était pas la bonne...

Il nous quitta ainsi, frustrés, torturés par cette issue, et déjà les discussions militaires fusaient parmi nous : "Si Bülow... si Hentsch... si Kluck... la 2e et la 3e armée auraient dû prendre Foch en étau..." Dix-neuf ans plus tard, nous nous étions tous mis à corriger la bataille de la Marne. Il en résulta presque inévitablement une discussion sur les perspectives d'une prochaine guerre et sur la façon de s'y prendre mieux.

— A condition que nous ayons réarmé !

— Mais ils ne nous laisseront pas aller jusqu'au bout, dit quelqu'un.

— Si, ils nous laisseront, rétorqua un autre. Car ils savent bien que même si nous avons encore trop peu de soldats nous avons assez d'avions pour voler à Paris avant qu'ils nous arrêtent, et l'écrabouiller totalement !

Et nous avions encore l'impression de ne pas avoir subi d'éducation idéologique et de ne pas être devenus nazis !

38

Et moi ? Je remarque que depuis bien longtemps je n'ai pas eu à dire "je" dans ce récit. Je me suis exprimé alternativement à la troisième et à la première personne du pluriel ; pour la première personne du singulier, l'occasion ne s'est pas présentée. Ce n'est pas un hasard. C'était un résultat – peut-être même *le* résultat – du traitement que nous subissions au camp : la personne de chacun d'entre nous n'y jouait aucun rôle ; elle était complètement évacuée, mise hors jeu, elle ne comptait pas. La constellation de départ était toujours telle que l'individu n'y avait plus aucune place. Ce qu'on était et pensait "en privé", ce qu'on était et pensait "vraiment" était indifférent, évacué, mis pour ainsi dire en réserve. Inversement, au cours des heures où l'on avait le temps de réfléchir à soi – par exemple la nuit, quand on était réveillé par les ronflements polyphoniques des camarades de chambrée –, on ressentait l'irréalité et l'inanité des événements qui se déroulaient dans les faits et où l'on prenait une part machinale. Il ne restait que ces heures pour faire une espèce de bilan et se retirer, en quelque sorte, sur les positions de son moi. Par exemple ainsi :

Bon, ça va durer quatre, six, huit semaines. Il faut que je tienne sans me faire remarquer, puis je passerai l'examen, je partirai pour Paris, et tout cela sera oublié, n'aura jamais eu lieu. Ç'aura été une aventure, une expérience. Il y a des choses à ne pas faire, jamais : ne rien dire moi-même dont j'aurais honte plus tard. Tirer sur une cible, d'accord. Mais pas sur des gens. Ne pas me lier. Ne pas me vendre… Quoi encore ? Mais tout le reste était déjà abandonné, perdu. Je portais un uniforme, un brassard avec une croix gammée. Je me mettais au garde-à-vous et j'astiquais mon fusil. Mais rien de tout cela ne comptait. On ne m'avait pas demandé mon avis. Ce n'était pas moi qui faisais cela. C'était un jeu, et je jouais un rôle.

Mais peut-être, Dieu du ciel, existait-il quelque part une instance qui n'admettait pas mes raisons, qui se contentait d'inscrire les choses comme elles survenaient. Qui ne regardait pas l'intérieur des cœurs, mais seulement la croix gammée. Devant cette instance, je ne valais pas grand-chose. Mon Dieu ! Où était la faute ? Que répondre au juge qui me demanderait : Tu portes une croix gammée. Tu ne le veux pas ? Bien. Alors, pourquoi le fais-tu ?

Aurais-je dû refuser, dès le premier jour, au moment où on nous avait distribué les brassards ? Déclarer d'emblée : Non, je ne porterai pas ce truc, et le piétiner ? Mais ç'aurait été une folie, et surtout ridicule. Tout ce que j'y aurais gagné, c'eût été de me retrouver dans un camp de concentration au lieu d'aller à Paris ; et j'aurais manqué à la promesse faite à mon père de passer mon examen. Et je serais sans doute mort – pour rien ; pour une donquichottade pas même publique. Ridicule. Tout le monde ici portait un brassard, et je savais parfaitement que je n'étais pas le seul de mon opinion. Si j'avais fait un esclandre, les autres auraient haussé les épaules. Mieux valait porter le brassard pour rester libre et faire ensuite un bon usage de ma liberté. Mieux valait apprendre à bien tirer, pour pouvoir un jour tirer si le besoin s'en faisait sentir pour une cause utile…

Mais rien ne faisait taire la voix dérangeante qui répétait : tout cela est bel et

bon, n'empêche que tu as porté le brassard.

Les camarades ronflaient, se retour-
naient, émettaient d'autres bruits encore.
J'étais seul éveillé, et seul. L'air était irrespirable. Il faudrait ouvrir une fenêtre.
A la fenêtre, la lune brillait. Il faudrait se
rendormir.

Mais se rendormir n'était pas si facile.
Se réveiller ici, c'était inconfortable. Je
me tournai sur l'autre flanc. L'haleine
endormie de mon voisin sentait mauvais, je repris ma première position.

Autres pensées, encore des pensées
nocturnes. Quand ils ont parlé d'"écrabouiller Paris", n'as-tu pas senti comme
un coup de poignard dans le cœur ?
Pourquoi n'as-tu rien dit ?

Qu'aurais-je pu dire ? Quelque chose
comme : ce serait dommage pour Paris ?
Peut-être même l'ai-je dit. L'ai-je dit ? Je
ne sais plus au juste. Quoi qu'il en fût,
on aurait répondu immanquablement :
"Bien sûr, ce serait dommage." Et après ?
Dire une chose aussi anodine était plus
lâche et plus hypocrite que de se taire.
Alors, qu'aurais-je dû dire vraiment ?
"Effroyable, inhumain, tu ne sais pas ce
que tu dis…" ? Inutile, parfaitement
inutile. Ils n'auraient même pas été
fâchés. Juste surpris. Ils auraient ri. Ou
haussé les épaules. Qu'aurait-on pu

dire qui convienne vraiment ? Qui aurait fait de l'effet, fracassé leur carapace d'insensibilité, sauvé mon âme ?

Je m'efforçai de trouver quelque chose. Je ne trouvai rien. Il n'y avait rien. Le silence était préférable.

Ou l'autre jour, quand l'un d'entre eux – en fait, plutôt un gentil camarade –, parlant du procès des incendiaires supposés du Reichstag, avait dit (sur un ton paisible et même débonnaire) : "Mon Dieu, je ne crois pas qu'ils soient coupables. Mais quelle importance ? Il y a assez de témoins à charge. Alors qu'on leur coupe la tête. Après tout, un de plus, un de moins, qu'est-ce que cela fait ?"

On ne peut rien répondre à cela. Il n'y a rien à répondre. On peut juste prendre une hache, et fendre le crâne de celui qui l'a dit. C'est la seule chose à faire. Mais moi, prendre une hache ? Au demeurant, l'homme qui a dit cela est par ailleurs charmant. L'autre nuit, quand j'ai été malade, il m'a accompagné aux latrines et m'a enveloppé d'un peignoir. Je ne peux quand même pas lui fendre le crâne... Et qui sait ce qu'il pense "en privé" et "vraiment" ? Ses paroles ont peut-être dépassé sa pensée... Dire ce qu'il a dit et l'écouter sans protester, comme moi, où est la différence ? C'est presque la même chose...

Je cherchai une nouvelle position, et la perspective se déplaça. Et le *faire* ? Oui, c'est là que commence la différence décisive… Est-ce que l'un quelconque d'entre nous, est-ce que, *moi*, je trouverais une échappatoire si l'on exigeait soudain que nous passions à l'acte ? Si la guerre éclatait pour de bon, et qu'on nous envoie au front, tels que nous sommes, et qu'on nous demande de tirer – pour Hitler ? Eh bien ? Tu jetterais ton fusil, tu déserterais ? Tu tirerais sur ton voisin ? Qui t'a aidé hier à l'astiquer, ton fusil ? Eh bien ? Eh bien ???

Je soupirai, me fis violence pour ne plus penser. Je compris que mon moi tout entier était piégé. Jamais je n'aurais dû me rendre dans ce camp. J'étais pris au piège de la camaraderie.

39

Pendant la journée, on n'avait jamais le temps de penser, jamais l'occasion d'être un "moi". Pendant la journée, la camaraderie était un bonheur. Aucun doute : une espèce de bonheur s'épanouit dans ces camps, qui est le bonheur de la camaraderie. Bonheur matinal de courir ensemble en plein air, bonheur de se retrouver ensemble nus comme des vers sous la douche chaude, de partager ensemble les paquets que tantôt l'un, tantôt l'autre recevait de sa famille, de partager ensemble la responsabilité d'une bévue commise par l'un ou l'autre, de se prêter mutuellement aide et assistance pour mille détails, de se faire une confiance mutuelle absolue dans toutes les occasions de la vie quotidienne, de se battre et de se colleter ensemble comme des gamins, de ne plus se distinguer les uns des autres, de se laisser porter par un grand fleuve tranquille de confiance et de rude familiarité... Qui niera que tout cela est un bonheur ? Qui niera qu'il existe dans la nature humaine une aspiration à ce bonheur que la vie civile, normale et pacifique ne peut combler ?

Moi, en tout cas, je ne le nierai pas, et j'affirme avec force que c'est précisément ce bonheur, précisément cette camaraderie qui peut devenir un des plus terribles instruments de la déshumanisation – et qu'ils le sont devenus entre les mains des nazis. C'est là le grand appeau, l'appât majeur dont ils se servent. Ils ont submergé les Allemands de cet alcool de la camaraderie auquel aspirait un trait de leur caractère, ils les y ont noyés jusqu'au delirium tremens. Partout, ils ont transformé les Allemands en camarades, les accoutumant à cette drogue depuis l'âge le plus malléable : dans les Jeunesses hitlériennes, la SA, la Reichswehr, dans des milliers de camps et d'associations – et ils ont, ce faisant, éradiqué quelque chose d'irremplaçable que le bonheur de la camaraderie est à jamais impuissant à compenser.

La camaraderie est partie intégrante de la guerre. Comme l'alcool, elle soutient et réconforte les hommes soumis à des conditions de vie inhumaines. Elle rend supportable l'insupportable. Elle aide à surmonter la mort, la souffrance, la désolation. Elle anesthésie. Supposant l'anéantissement de tous les biens qu'apporte la civilisation, elle console de leur perte. Elle est sanctifiée par de terrifiantes nécessités et d'amers sacrifices. Mais séparée de tout cela, recherchée et cultivée pour elle-même, pour le plaisir et l'oubli, elle devient un vice. Et qu'elle rende heureux pour un moment n'y change absolument rien. Elle corrompt l'homme, elle le déprave plus que ne le font l'alcool et l'opium. Elle le rend inapte à une vie personnelle, responsable et civilisée. Elle est proprement un instrument de décivilisation. A force de camaraderie putassière, les nazis ont dévoyé les Allemands ; elle les a avilis plus que nulle autre chose.

Il faut surtout bien voir que la camaraderie agit comme un poison sur des centres terriblement vitaux. (Encore une fois : certains poisons peuvent procurer le bonheur, le corps et l'âme peuvent désirer le poison, et les poisons bien employés peuvent être bénéfiques et indispensables. Ils n'en restent pas moins des poisons.) Pour commencer par le plus vital de ces centres, la camaraderie annihile le sentiment de la responsabilité personnelle, qu'elle soit civique ou, plus grave encore, religieuse. L'homme qui vit en camaraderie est soustrait aux soucis de l'existence, aux durs combats pour la vie. Il loge à la caserne, il a ses repas, son uniforme. Son emploi du temps quotidien lui est prescrit. Il n'a pas le moindre souci à se faire. Il n'est plus soumis à la loi impitoyable du "chacun pour soi" mais à celle, douce et généreuse, du "tous pour un". Prétendre que les lois de la camaraderie sont plus dures que celle de la vie civile et individuelle est un mensonge des plus déplaisants. Elles sont d'un laxisme tout à fait amollissant, et ne se justifient que pour les soldats pris dans une guerre véritable, pour l'homme qui doit mourir : seule, la tragédie de la mort autorise et légitime cette monstrueuse exemption de responsabilité. Et on sait que même de courageux guerriers, quand ils ont reposé trop longtemps sur le mol oreiller de la camaraderie, se montrent souvent incapables plus tard d'affronter les durs combats de la vie civile.

Beaucoup plus grave encore, la camaraderie dispense l'homme de toute responsabilité pour lui-même, devant Dieu et sa conscience. Il fait ce que tous font. Il n'a pas le choix. Il n'a pas le temps de réfléchir (à moins que, par malheur, il ne se réveille seul en pleine nuit). Sa conscience, ce sont ses camarades : elle l'absout de tout, tant qu'il fait ce que font tous les autres.

> *Puis les amis prirent le vase*
> *Et tout en déplorant les tristes voies du monde*
> *Et ses amères lois*
> *Ils jetèrent l'enfant au pied de la falaise.*
> *Pied contre pied, soudés, ils se tenaient ainsi*
> *Sur le bord de l'abîme*
> *Et en fermant les yeux ils le précipitèrent.*
> *Plus que son voisin nul n'était coupable.*
> *Ils jetèrent de la terre*
> *Et des pierres*
> *Dessus*.*

* Bertolt Brecht, *Der Jasager / der Neinsager* ("Celui qui dit oui / celui qui dit non"). Pièce didactique en deux actes composée en 1930.

Ces vers sont signés de l'écrivain communiste Bertolt Brecht, et ils se veulent élogieux. Là comme sur bien des points, communistes et nazis sont d'accord.

Nous étions quand même des magistrats stagiaires, des universitaires intellectuellement formés, futurs juges, et certainement pas une bande de couards dépourvus de caractère et de convictions. Si quelques semaines de Jüterbog avaient fait de nous un magma décérébré dont on pouvait mesurer le niveau mental à l'aune des déclarations que j'ai citées sur Paris ou sur les incendiaires du Reichstag, lesquelles ne suscitaient aucune contradiction, cela était l'ouvrage de la camaraderie. Car la camaraderie implique inévitablement la stabilisation du niveau intellectuel sur l'échelon inférieur, celui que le moins doué peut encore atteindre. La camaraderie ne souffre pas la discussion : c'est une solution chimique dans laquelle la discussion vire aussitôt à la chicane et au conflit, et devient un péché mortel. C'est un terrain fatal à la pensée, favorable aux seuls schémas collectifs de l'espèce la plus triviale et auxquels nul ne peut échapper, car vouloir s'y soustraire reviendrait à se mettre au ban de la camaraderie. Je les reconnaissais bien, ces schémas qui, au bout de quelques semaines, dominaient sans partage et sans issue notre camaraderie ! Ce n'était pas à proprement parler les conceptions officielles des nazis – et pourtant, c'étaient des conceptions nazies. C'étaient les idées des enfants de la Grande Guerre, celles du Rennbund Altpreussen et des clubs sportifs de l'époque Stresemann. Quelques traits spécifiques de la doctrine nazie ne s'étaient pas encore vraiment enracinés. C'est ainsi que "nous" n'étions pas violemment antisémites. Mais "nous" n'étions pas non plus disposés à en faire un cheval de bataille. On ne se laissait pas émouvoir par les détails. "Nous" étions un être collectif, et d'instinct, avec toute la lâcheté, toute l'hypocrisie intellectuelles de l'être collectif, "nous" ignorions ou refusions de prendre au sérieux ce qui aurait pu menacer notre euphorie collective. Un Troisième Reich en réduction.

Il était frappant de voir la camaraderie décomposer activement tous les éléments d'individualité et de civilisation. Le premier domaine de la vie individuelle qui ne se laisse pas si facilement réduire à la camaraderie, c'est l'amour. Or, la camaraderie dispose contre lui d'une arme : l'obscénité. Chaque soir, au lit, après la dernière ronde, on lâchait des obscénités, c'était une sorte de rituel. Cela figure inévitablement au programme de toute communauté masculine. Et rien n'est plus aberrant que l'opinion de certains auteurs qui y voient un exutoire pour la sexualité frustrée, une compensation et je ne sais quoi encore. Loin de susciter désir et plaisir, ces obscénités visaient à rendre l'amour aussi repoussant que possible, à le rapprocher des fonctions digestives, à en faire un objet de dérision. Ces hommes qui débitaient leurs blagues de rouliers, usant de termes grossiers pour désigner certaines parties du corps féminin, niaient par là même qu'ils eussent jamais été tendres, amoureux, fervents ; qu'ils se fussent jamais montrés sous un jour aimable et flatteur ; que ces mêmes parties leur eussent jamais inspiré des mots très doux… Ils étaient virilement très au-dessus de ces fadaises de la civilisation.

Conformément à la tendance générale, il allait de soi que la politesse et les bonnes manières étaient des proies faciles pour la camaraderie. Il était bien loin, le temps où rougissant, maladroit, on s'inclinait dans les salons pour montrer sa bonne éducation. "Merde" était ici l'expression normale de la désapprobation, "alors, bande de cons" une apostrophe amicale et le *Schin-kenkloppen** un passe-temps apprécié. L'obligation d'être adulte était suspendue – remplacée il est vrai par l'obligation de se conduire en gamins. C'est ainsi qu'on assaillait nuitamment la chambrée voisine à coups de "bombe à eau", des gobelets remplis que l'on vidait dans les lits des victimes… Une bagarre s'ensuivait, à grand renfort de oh ! et de ah !, de piaillements et d'éclats de rire. C'était un mauvais camarade, qui refusait de participer au jeu ! Si la ronde approchait, tout le monde disparaissait en un clin d'œil sous les couvertures en gémissant d'excitation, puis simulait le sommeil avec des ronflements sonores. La camaraderie naturelle commandait que les victimes de cette attaque traîtresse se taisent devant les autorités ; elles préféraient prétendre avoir elles-mêmes mouillé leurs lits. En retour, on pouvait s'attendre à une expédition punitive la nuit suivante…

Cela nous amène à certaines coutumes primitives obscures et sanglantes,

---

* Littéralement, "tape-jambon". Variante de la main chaude ; jeu populaire au cours duquel un joueur, les yeux bandés, doit deviner qui lui a donné une grande claque sur les fesses.

forcément respectées elles aussi. Quiconque péchait contre la camaraderie, surtout les "snobs" ou les "bêcheurs", quiconque se montrait plus individualiste que ne l'autorisaient les lois du groupe, était condamné à des représailles nocturnes. Pour des péchés véniels, on était traîné sous la pompe. Mais lorsque l'un d'entre nous fut convaincu de s'être mieux servi que les autres en distribuant les rations de beurre (qui d'ailleurs étaient encore tout à fait suffisantes à l'époque), il tomba sous le coup d'une justice redoutable. La procédure fut sombrement discutée en son absence ; le soir, une fois la ronde passée, la lourde atmosphère qui régnait dans la chambrée était celle qui précède une exécution capitale. Même les obscénités rituelles ne furent pas saluées par les rires coutumiers. Soudain retentit la voix terrible et courroucée du juge suprême autoproclamé :

— Meyer ! Nous avons à te parler !

Mais avant même qu'on commence à "parler", le malheureux était tiré hors de son lit et étendu sur une table.

— Que chacun frappe Meyer une fois ! clama le juge d'une voix tonitruante. Aucune exception ne sera admise !

Du dehors, j'entendais le bruit des coups. Parce que je faisais bel et bien exception. J'avais prétendu, sur le ton de la plaisanterie, ne pas supporter la vue du sang, et on m'avait généreusement autorisé à faire le guet. Le réprouvé se soumit à son destin. Les lois obscures de la camaraderie, que nous sentions tous peser sur nous comme un nuage menaçant indépendant de notre volonté, l'auraient vraiment mis en danger de mort s'il avait porté plainte. Quoi qu'il en fût, les choses se tassèrent et, quelques jours plus tard, le condamné, ayant purgé sa peine, reprit sa place parmi nous sans être atteint dans son honneur ni dans sa dignité. Car les lois de l'honneur et de la dignité ne résistaient pas non plus à l'action corrosive de la camaraderie.

On le voit : cette belle camaraderie virile, inoffensive, tant vantée, est un abîme diabolique des plus périlleux. Les nazis savaient bien ce qu'ils faisaient en l'imposant à un peuple entier comme forme normale d'existence. Et les Allemands, si peu doués pour la vie individuelle et le bonheur individuel, étaient terriblement prêts à l'accepter, à échanger les fruits haut perchés, délicats et parfumés de la dangereuse liberté, contre cet autre fruit qui, juteux et luxuriant, pend à portée de leur main : le fruit hallucinogène d'une camaraderie généralisée, globale, avilissante.

On dit que les Allemands sont asservis. Ce n'est qu'une demi-vérité. Ils sont aussi quelque chose d'autre, quelque chose de pire, pour quoi il n'existe pas de mot. Ils sont encamaradés. C'est un état terriblement dangereux. On y vit comme sous l'emprise d'un charme. Dans un monde de rêve et d'ivresse. On y est si heureux, et pourtant on n'y a plus aucune valeur. On est si content de soi, et pourtant d'une laideur sans bornes. Si fier, et d'une abjection infra-humaine. On croit évoluer sur les sommets alors qu'on rampe dans la boue. Aussi longtemps que le charme opère, il est pratiquement sans remède.

40

Mais cet état, si dangereux qu'il soit, a son point faible, comme tout état qui repose sur le mensonge, la drogue, l'incantation. Il disparaît sans laisser de trace dès lors que les conditions extérieures de son existence ne sont plus remplies. On l'a observé des milliers de fois pour les camaraderies authentiques et légitimes engendrées par la guerre : des hommes qui, dans les tranchées, ont sans hésiter risqué leur vie l'un pour l'autre et partagé plus d'une fois leur dernière cigarette redeviennent des étrangers timides et gênés lorsqu'ils se retrouvent plus tard dans la vie civile – et ce n'est pas cette rencontre dans le civil qui est une apparence fallacieuse. Notre camaraderie nazifiante, factice et fragile, fabriquée à Jüterbog pour la circonstance, s'évapora avec une rapidité spectrale, en l'espace d'une semaine, entre deux "soirées amicales".

La première était notre soirée d'adieu à Jüterbog. Ce fut, en résumé, une orgie de camaraderie. L'alcool y entretenait une ambiance exaltée de fraternité éternelle, et si nous ne nous étions pas déjà tous tutoyés nous aurions sans nul doute commencé ce soir-là. Des discours furent prononcés. Le commandant du camp, un *Standartenführer* SA, qui avait survécu au départ de son équipe et à l'irruption de la Reichswehr, dévoila dans son allocution le secret de notre "éducation idéologique" : point n'était, dit-il, besoin de longs discours, point besoin d'endoctrinement. Il suffisait de placer les jeunes Allemands que nous étions dans un environnement convenable, de nous arracher à l'hypocrisie de notre monde bourgeois et à la poussière de nos dossiers pour que la révélation se produise d'elle-même : nous étions fondamentalement de vrais nazis. Car c'était là le secret du succès du national-socialisme : il faisait vibrer une fibre profonde du caractère allemand. Ceux d'entre nous qui n'étaient pas encore national-socialistes dans leur tête savaient maintenant sans erreur possible qu'ils l'étaient dans leur sang. Le reste suivrait…

Le pire, c'est que ce discours contenait une part de vérité pour qui savait le déchiffrer. C'était vrai : il suffisait de nous placer dans certaines conditions pour que se produise une sorte de processus chimique qui décomposait les individualités et nous transformait en matériau docile, prêt à s'enthousiasmer pour tout et n'importe quoi. Ce soir-là, le processus avait atteint son point culminant. Fraternité sans bornes. Tous se congratulaient réciproquement, buvaient à leur santé mutuelle. Le lieutenant vantait nos performances militaires. Nous exaltions son génie stratégique. Le sous-officier, plaisamment interpellé dans son propre langage fantaisiste et rude, déclara n'avoir jamais pensé que des juristes pussent faire d'aussi bons soldats. *Sieg Heil.*

Certains avaient composé des vers humoristiques et les récitèrent sous les acclamations d'un public fortement imbibé d'alcool qui avait perdu tout discernement. Puis, pour finir, nous chantâmes encore une fois que nous étions la troupe noire du capitaine Geyer, fracassant chaises et verres avec une joie sauvage au son des *Heia* et des *Hoho*. On aurait dit une tribu de cannibales particulièrement contents d'eux, et fêtant la victoire. Sur quoi nous attaquâmes une quelconque chambrée à coups de bombe à eau, et il s'ensuivit une bataille historique. Puis quelques-uns, notoirement saouls, eurent l'idée d'en traîner un autre sous la pompe – non qu'il se fût rendu coupable de quelque méfait, mais juste comme ça, en guise de sacrifice humain symbolique au dieu de la camaraderie. La victime désignée se montrant rétive, d'autres s'offrirent spontanément à la remplacer, mais cela ne faisait pas l'affaire des grands prêtres éméchés. Si bien que d'autres s'interposèrent et tentèrent avec de bonnes paroles de persuader le récalcitrant, juste comme ça, au nom de la camaraderie, pour que la soirée ne se terminât pas sur une fausse note. La discussion était un peu inquiétante, mais aussi transfigurée par l'allégresse ambiante, l'alcool et la folie.

Finalement, la victime désignée finit par se rendre :

— D'accord, je marche – mais seulement la tête, je ne veux pas mouiller mon pyjama.

Ils promirent. Mais, une fois sous la pompe, ils l'y traînèrent tout entier.

— Bande de cons ! cria-t-il.

Mais le rire homérique qui lui répondit ne lui laissa pas d'autre choix que de faire chorus. Orgie chez les primates.

Le lendemain, nous rentrâmes à Berlin pour passer notre examen la semaine suivante. Tout était soudain très différent. Nous avions retrouvé nos vêtements civils, nous mangions dans des assiettes avec des couteaux et des fourchettes, nous utilisions des W.-C., nous disions pendant les repas "merci beaucoup" au lieu de "merde", nous inclinions le buste devant les vieux messieurs qui nous examinaient, répondions à leurs questions dans un langage châtié, exposions nos connaissances sur des matières aussi oubliées que le droit des hypothèques ou le régime matrimonial de la communauté. Certains échouèrent, d'autres furent reçus, un abîme béant s'ouvrit entre les deux groupes.

On revoyait ses amis. On pouvait à nouveau dire *Guten Tag* au lieu de *Heil Hitler*. On avait à nouveau des conversations, de vraies conversations. On découvrait que l'on existait encore, on refaisait connaissance avec soi-même. Interrogés sur la vie au camp, on répondait avec gêne "Oh, ce n'était pas si terrible", et on racontait brièvement qu'on avait appris à tirer et des chants très bizarres. Je me remis à penser à Paris comme à une réalité. Au camp, Paris n'existait pas vraiment. En revanche, le rêve se dissipait… C'est donc légèrement oppressé, animé de fâcheux pressentiments, que je me rendis au café du Kurfürstendamm où nous nous étions donné rendez-vous pour fêter notre séparation. Mais enfin, je m'y rendis. Le charme était encore assez puissant pour cela.

La soirée fut pénible. L'orgie de Jüterbog datait exactement de huit jours. Nous étions tous présents – à l'exception des candidats aigris par leur échec, qui s'étaient abstenus –, mais on avait l'impression que tous se voyaient pour la première fois de leur vie. En civil, ils étaient tous très différents ; je ne parvins pas à tous les identifier. Je vis que certains avaient un visage sympathique et distingué, d'autres des traits presque inhumains. Au camp, la différence n'était pas si frappante.

Difficile d'amorcer une conversation. Personne n'avait envie de parler de l'examen (qui diable a envie de parler d'un examen quand on a réussi !), mais, curieusement, personne n'avait envie non plus qu'on lui rappelle les aventures du camp. Certains y firent bien quelques allusions gaillardes, mais, confrontés à l'incompréhension, voire à la désapprobation, ils renoncèrent rapidement. C'était presque comme le premier jour à la gare de Jüterbog. Le plus gros handicap, c'est que nous étions sans doute encore obligés de nous tutoyer. Si nous avions pu nous vouvoyer, nous donner du "cher collègue", la conversation aurait été plus facile.

On parlait des projets d'avenir, on trinquait sans enthousiasme. Un orchestre jouait un peu trop fort ; ses flonflons et ses rengaines sirupeuses comblaient les vides de la conversation. Les SA faisaient bande à part et discutaient politique. Ils râlaient contre le parti, contre la "guerre de papier", et buvaient à la santé de leur chef Ernst*. Nous autres n'y prenions pas part. Nous n'en voyions plus la nécessité.

L'assemblée ne tarda pas à se diviser en petits groupes. Je me mis à discuter avec un garçon avec qui j'avais

---

* Ernst Röhm, né en 1887, chef d'état-major des SA depuis 1931. Voir note p. 59.

pu parler agréablement musique à Jüter-bog, le dimanche, en dehors du camp. Il s'avéra que, le dimanche précédent, nous avions tous deux assisté au concert dirigé par Furtwängler. Nous le criti-quâmes avec ardeur.

— Ecoutez-moi ces deux pédants, dit quelqu'un qui prêtait depuis quel-ques instants l'oreille à nos propos.

Nous levâmes juste un regard sur-pris, sans nous laisser distraire.

Cependant, la soirée devenait rapi-dement de plus en plus sinistre. Dès minuit, on commença à regarder dis-crètement sa montre. Puis la compa-gnie se divisa tout à fait : à la table voisine, quelques filles équivoques attiraient l'attention ; certains d'entre nous se mirent à flirter avec elles, chan-gèrent de table ou attirèrent les beautés à la nôtre.

— On commence à s'ennuyer, dé-clara quelqu'un assez haut, et quand il proposa de lever la séance tout un groupe se joignit à lui avec empresse-ment. J'en faisais partie.

Une fois dans la rue, il se trouva encore quelqu'un pour suggérer d'aller dans un autre café, mais sa proposition se heurta à un silence général. Pour ma part, j'avisai un autobus qui se dirigeait vers nous.

— Ah, mon bus ! m'écriai-je. Au revoir ! Et avec un dernier salut je sautai à l'intérieur.

Les autres étaient restés sur place. Je n'ai jamais revu aucun d'entre eux. Le bus m'emportait rapidement ; je me sentais glacé, honteux et libéré.

TABLE

BABEL

Ouvrage réalisé
par l'Atelier graphique Actes Sud.
Reproduit et achevé d'imprimer
en novembre 2013
par Normandie Roto Impression s.a.s.
61250 Lonrai
sur papier fabriqué à partir de bois provenant
de forêts gérées durablement (www.fsc.org)
pour le compte des éditions
Actes Sud
Le Méjan
Place Nina-Berberova
13200 Arles.

Dépôt légal
1re édition : septembre 2004
No d'impression : 134471
(Imprimé en France)